Eduard von Ke, _____ g

Fräulein Rosa Herz

Eduard von Keyserling: Fräulein Rosa Herz

Erstdruck: Verlag Heinrich Minden, Dresden, 1887

Vollständige Neuausgabe mit einer Biographie des Autors
Herausgegeben von Karl-Maria Guth
Berlin 2015

Umschlaggestaltung von Thomas Schultz-Overhage unter Verwendung des
Bildes: Mary Cassatt, Junge Frau näht im Garten, 1882

Gesetzt aus Minion Pro, 11 pt

Die Sammlung Hofenberg erscheint im
Verlag der Contumax GmbH & Co. KG, Berlin
Herstellung: BoD – Books on Demand, Norderstedt

ISBN 978-3-8430-3134-9

Bibliografische Information der Deutschen Nationalbibliothek

Die Deutsche Nationalbibliothek verzeichnet diese Publikation in der
Deutschen Nationalbibliografie; detaillierte bibliografische Daten sind im
Internet über www.dnb.de abrufbar.

So di che poco canape s'allaccia
Un' anima gentil, quand' ella é sola
E non é chi per lei di fesa faccia.

Petrarca

Vorwort

Ich weiß sehr wohl, daß Rosa Herz nur ein unbedeutendes armes Mädchen ist, das ein Schicksal erleidet, wie es unzählige unbedeutende arme Mädchen erleiden. An ihr und ihrem Schicksal ist somit nichts, was des Aufhebens wert wäre. Dennoch – – könnte ich bewirken, daß der Leser diese unbedeutende Mädchenseele und dieses gewöhnliche Schicksal nachfühlt und nachlebt, so würde ich glauben, demjenigen mit meiner Erzählung willkommen zu sein, der, nicht zufrieden, nur *ein* Leben und *eine* Seele zu besitzen, gern fremdes Leben in sich aufnimmt. Da ist es denn gleich, ob es ein König oder ein armes Mädchen ist; nur ein Menschenleben – wirkliches Leben – – muß es sein – »ein lebender Hund ist besser als ein toter Löwe«, sagt der Prediger Salomonis. – – –

Der Verfasser

Erstes Buch: Liebesversuche

1.

Den Ort, an dem Fräulein Rosa Herz das Licht der Welt zuerst erblickt hatte, vermochte keiner anzugeben. Wo ihre Wiege gestanden – ob sie überhaupt je eine Wiege besessen –, wer konnte es wissen! Über jenen Teil von Fräulein Rosas Leben hatte sich undurchdringliches Dunkel gebreitet.

Herr Klappekahl, der Apotheker, war gewiß ein Mann von seltenem Scharfblick. Ein halbes Jahr hatte er in der Residenz verlebt, und die Früchte jenes Aufenthaltes, ohne Zweifel, waren: Weltklugheit, Bildung, skeptische Klarheit in der Beurteilung der verwickeltsten Verhältnisse; Eigenschaften, die ein jeder ihm zuerkannte. Vielleicht auch ein Anflug von Frivolität, aber – »mein Gott!«, meinte er, »wer kann sich in der verderbten Weltstadt davor bewahren!« Herr Klappekahl nun pflegte zu sagen, wenn das Gespräch auf Rosa Herz kam: »Ihren Geburtsort? Gott, wer soll den kennen! Solche arme Würmer kommen ebenso geräuschlos und plötzlich zur Welt wie die Pilze nach dem Sommerregen. Gelegentlich einmal, während eines Zwischenaktes, hinter einer alten Kulisse, was weiß ich! – Das Publikum klatscht und ruft. Dann tritt der Regisseur vor und dankt, denn die Fee oder der Engel kann nicht erscheinen, ein kleines Unwohlsein... Und in einer Ecke hört man's piepen. In einer verstaubten Papprüstung – auf einem wackeligen Theaterthron liegt etwas in Gazefetzen gewickelt und wimmert. Das ist dann das Kind, Fräulein Soundso, Fräulein Rosa. Es wird mit all dem Plunder zusammengepackt, und weiter geht es. Glauben Sie, Madame Herz oder Monsieur Springinsfeld erinnerten sich schließlich selbst daran, wo die Geschichte mit dem Kinde passierte? Gott bewahre! Das geht alles so geschwind; heute hier, morgen dort. Ich kenne das!«

Was kannte Herr Klappekahl nicht! Und hier hatte er, wie sonst immer, recht. Rosas Mutter war Ballettänzerin, ihr Vater Ballettänzer gewesen. Während des rastlosen Umherziehens von einer Stadt zur anderen war Rosa geboren worden; doch kostete ihre Geburt der armen Madame Herz das Leben. Herr Herz – traurig, einsam, des Tanzens müde, sehnte sich danach, sein unstetes Leben mit einem ruhigeren zu vertauschen. Auf diesem Standpunkte angelangt, gedachte er wieder seiner Heimatstadt.

Als Knabe hatte er sie verlassen, zum Leidwesen seines Vaters, des braven Schustermeisters Herz, um, statt für die Füße anderer Leute zu sorgen, sich mit den seinigen unsterblichen Ruhm zu erwerben. Jetzt sehnte sich sein alterndes Herz nach der friedlichen Heimat zurück. Sein Vater war längst tot, aber eine Schwester lebte ihm noch; eine musterhafte Schwester. Als Herr Herz von dem Verluste seiner Gattin betroffen ward, langte ein schwarzgerändertes Schreiben von Frl. Ina Herz an, voll schwesterlichen Bedauerns und frommer Ermahnungen. Am Schluß meinte die gute Seele: Da die kleine Rosa der mütterlichen Pflege beraubt sei, möge man ihr das Kind bringen; sie wolle für dasselbe sorgen und ihm eine zweite Mutter sein. – Gerührt von soviel Liebe, beschloß Herr Herz, nicht nur das Kind, sondern auch sich selbst der Sorgfalt seiner guten Schwester anzuvertrauen. So begab er sich denn mit seiner Tochter in seine Heimatstadt zurück.

Anfangs zwar war Fräulein Ina über diese Wendung der Dinge ein wenig bestürzt; aber ihre mutige Seele fand sich selbst in die neue Lebenslage hinein. Die ganze Familie Herz versammelte sich traulich um einen Herd und lebte in Eintracht von dem kleinen Vermögen des Fräulein Ina, denn Herr Herz hatte aus seiner langen Künstlerlaufbahn nur steife Beine und greise Haare gerettet. »Ertanztes Geld«, meinte er – und er hatte seinerzeit viel ertanzt – »sei, weiß es Gott, das unbeständigste der Welt!«

Fräulein Ina pflegte ihre Schutzbefohlenen mit jener zarten Aufopferung, die besonders alten Frauenherzen eigen zu sein scheint, denen das Leben es lange Zeit versagt hat, ihre Liebebedürftigkeit zum Ausdruck zu bringen. Die müden Füße des Ballettänzers durften jetzt in bequemen Pantoffeln ausruhen, und die stille, geordnete Häuslichkeit gewährte dem geplagten Komödianten-Herzen ein tiefes Behagen. Herr Herz wurde mit seiner alten Schwester selbst zur alten Jungfer. Er besuchte fleißig die Kirche, ward Mitglied des Armenvereines; sammelte eifrig die kleinen Ereignisse der Stadt, um sie eifrig wieder auszutragen. Sah man die Geschwister Herz beieinander, so fand man mehr männliche Entschlossenheit in Fräulein Ina als in ihrem Bruder.

Auf die kleine Rosa ward die äußerste Sorgfalt verwandt. Fräulein Ina ließ das Kind nicht aus den Augen; es mußte zu ihren Füßen auf dem Teppich spielen, sie sang es des Abends mit tiefer, heiserer Stimme in den Schlaf; sie nahm es stets in die Kirche mit. Rosa schlief zwar während des ganzen Gottesdienstes; Fräulein Ina jedoch meinte, der bloße Aufenthalt in dem heiligen Raum müßte guttun; vielleicht hoffte sie auch dadurch gewisse weltliche Einflüsse zu bannen, die bei der Geburt des Kindes gewaltet haben mochten.

Nachdem Herr Herz sich eine Zeitlang ausgeruht hatte, fühlte er wieder den Drang nach Beschäftigung in sich erwachen, auch quälte ihn das Bewußtsein, nur auf die Mildtätigkeit seiner Schwester angewiesen zu sein. Die Stelle eines Turnlehrers am städtischen Gymnasium war frei. Er bewarb sich um dieselbe und erhielt sie. Daneben erbot er sich, jährlich, von Weihnacht bis zu den Fasten, den heranwachsenden Herren und Damen des Städtchens Tanzunterricht zu erteilen.

Das einträchtige Beisammenleben mochte einige Jahre gedauert haben, als Fräulein Ina eines Morgens ihrem Bruder melden ließ, er möge beim Frühstück nicht auf sie zählen, da sie, eines leichten Unwohlseins wegen, länger im Bett bleiben wolle. Aber auch um die Mittagsstunde, als er aus dem Gymnasium heimkehrte, fand er seine Schwester nicht im Wohnzimmer. Er eilte in ihre Schlafkammer. Da lag sie bleich und regungslos auf ihrem Bett. Die kleine Rosa saß auf dem Estrich daneben und spielte mit der herabhängenden Hand ihrer Tante. Fräulein Ina war tot.

Dieser Verlust mußte den armen Herrn Herz auf das Empfindlichste treffen. Nicht nur die Liebe zu der treuen Schwester weinte in seinem Herzen; neben dieser tapferen und kräftigen Genossin hatte er sich entwöhnt, für sich und sein Kind zu sorgen. Wie eine wohltätige Vorsehung hatte Fräulein Ina um ihn gewaltet und ihm jede Aufregung eines Entschlusses erspart. Jetzt, dieser Stütze beraubt, fühlte er sich hilflos und verwaist.

Auf die Trauerbotschaft eilten viele Nachbarn herbei und staunten den alten Mann an, der wie ein Kind weinte, liebevoll den Arm der Toten streichelte und immer wiederholte: »Schwester, was fange ich nun an? – Und die Rosa? – Schwester, daß du das tatest!«

Herr Klappekahl bemerkte zu diesem Auftritt: »So einer von der Bühne hat doch mehr Sentiment und Aplomb als jeder andere Christenmensch.«

Agnes Stockmaier, die alte Dienerin, hüllte ihre Herrin in das schwarzseidene Abendmahlkleid, setzte ihr die schwarze Spitzenhaube auf und legte ihr ein Kruzifix in die bleichen Hände. So trug man Fräulein Ina zum Friedhof hinaus. Der Pfarrer Raser hielt am Grabe eine erbauliche Rede, in der er die Verdienste der Dahingeschiedenen nicht genug zu preisen wußte und ihr reichen Himmelslohn verhieß. Die zahlreich erschienenen Freunde drückten die Taschentücher an die Augen und sprachen halblaut miteinander: »Also ganz plötzlich?« – »Ja, ein sanfter Tod!« – »Gott sei gelobt!« – Dann blinzelte der eine oder der andere zur hellen Märzsonne auf und meinte gefühlvoll: »Sie hat ein wahres Gotteswetter für ihre letzte Reise.« – Herr Herz stand bleich, eine große Kreppschleife am Hut, vor der Gruft und blickte, jetzt gefaßt, vor sich nieder. Agnes Stockmaier trug die kleine Rosa auf dem Arm, die, fest in ein schwarzes Umschlagtuch gehüllt, staunend all die ernsten Menschen anblickte und die zarten Linien ihres Gesichtchens verzog, als wollte sie weinen.

Im Haushalt der Herz' übernahm nun Agnes Stockmaier die Rolle ihrer verewigten Herrin. Sie besorgte die Wirtschaft, erzog Rosa, ja hatte auch gewissen Einfluß auf die Verwaltung des kleinen Vermögens, welches Fräulein Ina ihrem Bruder hinterlassen hatte. Herr Herz fügte sich willig in die neue Herrschaft, froh, sich wieder seiner gewohnten Sorglosigkeit hingeben zu dürfen. Er ging jetzt mehr aus; saß des Abends im Klub und spielte Whist. Sonst blieb alles beim alten. Fräulein Schank, die Freundin des Fräulein Ina und Vorsteherin der städtischen Töchterschule, kam zuweilen, um nach Rosa zu sehen, und erteilte ihr auch den ersten Unterricht, als die Zeit dazu herankam.

2.

Als Rosa Herz ihr siebzehntes Jahr erreicht hatte und Primanerin der Schankschen Schule war, gab ein jeder im Städtchen es zu, daß Rosa ein sehr hübsches, lustiges und gutes Kind sei. Nur eines ward ihr mit Recht vorgeworfen: Sie glaubte berechtigt zu sein, ohne irgendeinen triftigen Grund jede beliebige Unterrichtsstunde versäumen zu dürfen, nur weil die Sonne gerade besonders hell schien oder weil, sie sie meinte, Fräulein Schanks Gesicht ihr heute besonders zuwider war. Wenn ihre Mitschülerinnen sich auf die Bänke setzten und gespannt auf die Türe blickten, durch welche die Lehrerin eintreten sollte, stülpte Rosa den braunen Sommerhut gleichmütig auf den blonden Kopf und verließ mit verbindlichem Lächeln, als täte sie das Selbstverständlichste von der Welt, das Zimmer. Dagegen vermochten weder Strafarbeiten noch Ermahnungen, noch die strengsten Verweise etwas auszurichten.

Nachlässig, als gäbe es keine Lehrerin, die ihr begegnen könnte, stieg sie die Stufen der Treppe hinab und ging ihres Weges. Sie setzte die Füße dicht voreinander und trat stärker mit der Spitze auf, was der ganzen Gestalt im verblichnen grauen Sommermäntelchen ein leichtes Hin- und Herschwanken, eine freie, sorglose Bewegung gab, wie man sie oft bei Knaben aus dem Volke findet, deren Glieder nie durch einen Zwang beengt werden. Die blonden Haare flatterten unter dem verbogenen Hute hervor; sie waren zu leicht, um lange Ordnung halten zu können. Unter der geraden, runden Nase stand ein sehr beweglicher Mund mit ein wenig breiten, sinnlichen Lippen; die Mundwinkel jedoch waren ganz spitz und hinaufgebogen, was dem Gesichte etwas Kluges, Nachdenkliches verlieh. Die Augen aber waren es, die diesem Mädchen jene frische Klarheit gaben, die den Gesamteindruck ihrer Persönlichkeit bildete; runde, hellblaue Augen unter rötlichen Augenbrauen; ein Blau, das für Licht und Freude so empfänglich und eines intensiven, fast scharfen Glanzes fähig ist.

Langsam schritt Rosa an den Gartenzäunen der engen Gasse entlang. Einer Kindsmagd, die auf einem Gartenwege mit einem Kinde spielte, winkte sie einen Gruß zu, sang einen Liedervers mit tiefer Stimme vor sich hin und pflückte zerstreut die sonnenwarmen Blätter von den Hecken, um sie wieder zu verstreuen.

Die »Schulgasse« mündete in den »Stadtgarten« – den Stolz der Bürgerschaft: ein anmutiges Stück Rasenland, niedrige, künstlich aufgeführte Hügel; eine grün angestrichene Hängebrücke; kleine Lauben allerort, runde Plätze, mit jungen Kastanien und Linden besetzt. Auf der Westseite ward der Garten von einem Flusse begrenzt, der, in enge, hohe Ufer eingezwängt, hier eine wunderliche Stromschnelle bildete. Auf der Nordseite erhob sich der breite rote Backsteinbau des Gymnasiums mit seinem unbeholfenen achteckigen Turm und seinem geräumigen Hof, auf dem sich die Schüler in freien Augenblicken tummeln durften.

Rosa bog in einen Kiesweg des Stadtgartens ein, spähte von einer Anhöhe in den leeren Schulhof hinab und begab sich dann in eine Fliederlaube, um dort auf der Bank auszuruhen. Den Hut schob sie von der heißen Stirn in den Nacken, streckte die schlanken, siebzehnjährigen Beine gerade von sich und holte aus der Tasche ihres Mantels ein Buch hervor, das einen grauen Einband und auf dem Rücken einen gelben Zettel mit einer Nummer hatte. Zuweilen, wenn sie an einen Absatz gelangte oder die Seite umwandte, erhob sie den Kopf und blickte in den Garten hinaus. Dieser lag friedlich, in Sonnenglanz gebadet, vor ihr. Das Grün des Rasens ward von einem Staubschleier bedeckt, der ihm einen gelblichen Anflug gab. Die Baumgruppen auf den Hügeln malten große dunkelgrüne Flecken auf das satte Himmelsblau. Ein Häuschen mit einer Holzveranda lag am Eingange des Gartens, rote Buchstaben auf einem weißen Schilde verkündeten, daß hier Verkauf von Wein und Bier stattfinde. Ein Kellner lehnte müßig an einer Holzsäule der Veranda, den Rücken der Sonne zugekehrt, die den abgetragenen Frack wie Metall erglänzen ließ.

Auf dem breiten Kiesweg ging eine alte Dame langsam auf und ab, bei jedem Schritte mit dem Kopfe nickend. Zerstreut schaute Rosa über all das hinweg, und wenn sie sich wieder auf ihr Buch niederbeugte, hoben sich ihre Brauen mit leichtem, mißmutigem Zucken. Sie erwartete jemanden, dessen Ausbleiben ihr verächtlich erschien.

Natürlich! War Rosas Platz in der Töchterschule leer, so mußte auch in der Sekunda des Gymnasiums eine Lücke sein. Hatte Rosa es für gut befunden, lieber im Stadtgarten als auf der Schulbank ihre Zeit zu verbringen, so wäre es von Herweg Kollhardt feige und lächerlich gewesen, bei den Büchern zu bleiben. Er ließ sich dieses Vergehen nicht zuschulden kommen; ihm fehlte jedoch bei der Ausführung seiner Flucht jene kühne Ruhe, die man an Rosa bewundern mußte, und so war sein Erscheinen zuweilen verspätet. Aber er kam. Hörte Rosa seinen schweren Tritt, dann vertiefte sie sich noch eifriger in ihren Roman und sah erst auf, wenn er vor ihr stand und seine Entschuldigung vorbrachte.

Baron Kollhardt von Kollerwegen liebte Rosa, und sie ließ es geschehen. Ein Sekundaner ist stets verliebt, und das hübsche Wort »Liebe« wird im vertrauten Sekundanerkreis viel genannt. Aber auch die Schanksche Schule, wie jede Schule, beschäftigte sich viel mit jener schönen Leidenschaft. In der Prima galt es für eine Schande, nicht zu lieben. Eine jede hatte ihre »Liebe« und sprach in ruhigem Geschäftston davon wie von etwas Selbstverständlichem: »Gestern sah ich deine Liebe, er ging bei uns vorüber.« – »So! Wer ist doch deine Liebe? Ah so, ich weiß schon!« Und dann kamen die Geschichten von bedeutungsvollen Blicken, von Lächeln, Bemerkungen. An Gegenliebe zweifelte eine Schanksche Schülerin nie; nur hatte den meisten die Gelegenheit gefehlt, sich ihrer Liebe zu nähern. Marianne Schulz hatte lange nicht gewußt, für wen sie sich entscheiden sollte, bis sie endlich, auf das Drängen ihrer Freundinnen, erklärte, sie liebe den Sekretär Feiergroschen. Sobald nun der Sekretär an der Schule vorüberging, hieß es: »Marianne, Marianne! Deine Liebe geht vorüber!« – dann stellte sich das arme Kind – über und über rot – an das Fenster und riß die runden Augen weit auf, während Herr von Feiergroschen ruhig vorüberging, ohne zu ahnen, daß es eine Marianne Schulz auf der Welt gäbe. Aber immerhin! Marianne war froh, daß sie eine Liebe gefunden hatte. Rosa war zu unmittelbar und zu lebhaft, als daß sie sich mit diesen Liebesgeschichten ins Blaue hinein zufriedengegeben hätte. Der Sekundaner Kollhardt war ihre »Liebe«. Gut! Sie schrieb ihm einen Brief und bestellte ihn in den Stadtgarten. Seitdem wiederholten sich diese Zusammenkünfte; Rosa war von ihren Mitschülerinnen ihrer Kühnheit wegen bewundert und als Autorität in Liebessachen angesehen.

Herweg Kollhardt sah äußerst gutmütig und liebevoll aus, wenn er verlegen vor Rosa stand, den breitkrempigen Hut vom Kopfe nahm und sich die feuchte Stirn trocknete. Er war von behaglicher Fülle, die man bei Jünglingen seines Alters nur selten findet. Überall weiche, runde Linien, Arme und Beine drohten das blaue Sommertuch des Anzuges zu sprengen; der Rücken hatte eine kraftvolle Wölbung, die der ganzen Gestalt etwas männlich Reifes verlieh. Von diesem mächtigen Körper lächelte ein weiß und rotes Gesicht freundlich und kindlich herab, und die kleinen braunen Augen glänzten verschmitzt zwischen den roten Wimpern hervor. Das kurzgeschorene rote Haar war stark mit Öl getränkt und stand aufrecht um die niedrige weiße Stirn.

»Es war heute wirklich schwierig«, meinte Herweg lächelnd. »Ich habe enorm klug sein müssen.« Rosa zog die Augenbrauen in die Höhe und sagte: »Was war schwierig?«

»Was?«, wiederholte Herweg und setzte sich langsam auf die Bank. Er stützte die Arme auf die Knie und schwenkte seinen Hut wie einen Pendel zwischen den Beinen hin und her: »Rosa, wie können Sie so fragen? Ich mache mir nichts daraus; aber der Direktor sprach sehr unhöflich über mein häufiges Schwänzen.«

»Glauben Sie, die Schank bemerkt mein Ausbleiben nicht?«, fragte Rosa gereizt.

»Wie sollte ich«, erwiderte Herweg, nahm vorsichtig einen von Rosas Zöpfen und betrachtete ihn aufmerksam. Rosa ward ungeduldig: »Was haben Sie nur?« Dann lachte sie: »Wissen Sie, Kollhardt, daß Sie mit jedem Tage dicker werden?«

»Hm, ja!«, meinte Kollhardt nachdenklich. »Mißfällt Ihnen das?«

»Mir? Sie wissen ja, daß mich das nichts angeht. Nur für Sie wäre es angenehmer, nicht so dick zu sein.«

»Oh, ich mache mir nichts daraus! Es kommt, denke ich, vom vielen Bier. In letzter Zeit leben wir ein wenig wild.«

»So! Ja, das glaube ich, da geht es wohl wüst her.«

»Wie man's nimmt. Vorige Nacht haben wir bis drei Uhr gekneipt.«

»Schämen Sie sich«, mahnte Rosa freundlich. »Wovon sprachen Sie denn bei diesem wilden Gelage?«

»Oh, von mancherlei! Von Ihnen, Rosa, war auch die Rede.«

»Das verbitte ich mir. Mein Name soll bei solchen – unsoliden – Kneipereien nicht genannt werden.«

»Er wird mit großer Bewunderung genannt«, wandte Herweg ein.

»Ich mag es nicht«, eiferte Rosa weiter. »Was haben Sie von mir zu sprechen? Sagen Sie mir das, Kollhardt.«

»Eine ganze Menge!«

»Nun was denn?«

Herweg ward verlegen und drehte zerstreut den blonden Zopf in seiner Hand, Rosa aber entzog ihn ihm, wie man einem Kinde, das seine Lektion hersagen soll, ein Spielzeug aus der Hand nimmt. »Sagen Sie doch«, wiederholte sie.

»Ich trinke auf Ihr Wohl.«

»Was mir das nützen wird! Nun gut! Was weiter?«

»Nun – ich sage, daß Sie hübsch sind, sehr hübsch.«

»Wie altmodisch!«

»Wieso altmodisch?«

»Gleichviel«, drängte Rosa. »Was noch?«

»Ich spreche von meiner Liebe.«

»Davon spricht man nicht bei Kneipereien. Und dann, Ihre Liebe, Kollhardt; das ist ja Unsinn.«

»Durchaus nicht!«, rief Herweg hastig. »Ich liebe Sie wirklich! Das wissen Sie ja. Ich würde mich sonst doch nicht all den Unannehmlichkeiten mit dem Direktor aussetzen.«

Rosa zuckte die Achseln, und dennoch leuchtete dieser Beweis ihr ein. Nun schwiegen beide. Herweg schaute seine Geliebte unverwandt an und lächelte behaglich. Zuweilen berührte er behutsam mit einem Finger Rosas Hand oder strich sanft über den grauen Sommermantel. Rosa achtete nicht darauf, sondern zog aufmerksam mit ihrem Absatz eine tiefe Furche in den Sand. Herweg begann wieder zu sprechen, machte die Bemerkung, der Kellner Heinrich stehe dort an der Säule, wie ein Affe, der Prügel bekommen hat; er machte Rosa auf die alte Dame aufmerksam, die, in ihrem Spaziergang innehaltend, mit schriller, klagender Stimme »Max, Max!« rief und mit einem Tuche winkte: »Eine tolle Schrulle! Ihren Hund Max zu nennen! So etwas kann sich auch nur eine alte Jungfer ausdenken! Treffe ich das Vieh einmal allein, dann soll es...« Die Unterhaltung wollte doch nicht in Gang kommen. Lähmend und erschlaffend legte sich auch über die beiden Kinder die schläfrige Mittagsruhe; jene träge, lautlose Ruhe, die wie ein flimmernder Schleier sich über das Gras und den Kies, über die Hügel und Bäume, über das Schweizerhaus, den Kellner Heinrich und die alte Dame breitete, die jetzt stumm und regungslos dastand, einsam und gefaßt, denn Max kam nicht; jene Ruhe, die mit ihrer sonnigen Langeweile über dem Schulgebäude brütete und so weit das Auge reichte, wie die Gegenwart des Schuldirektors, jede lebhafte Bewegung unterdrückte, als wollte sie eine Störung des Schulunterrichtes vermeiden. Die ganze Natur war still, warm und staubig wie eine Schulstube; zuweilen nur rief eine Feldgrille ihren kleinen trockenen Ton in das Schweigen hinein, und er klang dann wie das Knarren einer Feder in einer trägen Schülerhand.

Rosa und Herweg saßen noch eine Weile beieinander, bis die Turmuhr des Gymnasiums einen heiseren Schlag von sich gab. Da trennten sie sich. Herweg nahm Rosas Hand und sagte gefühlvoll: »Leben Sie wohl, Rosa. Ich seh' Sie doch bald?« Rosa nickte und stäubte noch mit einigen kräftigen Schlägen Herwegs Rock ab. Dann gingen sie auseinander.

Rosa mußte wieder zur Schulstraße zurück, um zu ihrer Wohnung zu gelangen. Nachdenklich schwenkte sie ihre Schulmappe und blickte zu den Häusergiebeln auf, die schläfrig über die Kastanien auf sie herabsahen. Hier und dort machte ein geöffnetes Fenster ein schwarzes Loch in das lichtvolle Bild, gleichsam ein Mund, der in den Alltag hineingähnte. – Sie dachte an Herweg und war unzufrieden mit ihm. Die große, plumpe Gestalt; Gott, und die platten Fragen, die er tat; und das schüchterne Streicheln ihrer Hände und Zöpfe! Gewiß, es war lächerlich, und sie lächelte. Dann seufzte sie wieder.

Rosas Wohnung lag im zweiten Stock. Aus einem Fenster desselben schaute Herr Herz nach seiner Tochter aus, und als er sie erblickte, nickte er ihr zu, jenem seltsamen Drange folgend, vom Fenster aus sich einem Bekannten auf der Straße bemerkbar zu machen, wenn es auch nicht den geringsten Zweck hat. Rosa war zu sehr an dieses nickende weiße Haupt gewöhnt, um darauf zu achten. Sie stieg gemächlich die Treppen hinan und fragte beim Eintreten in das Wohnzimmer statt jeden Grußes streng, ob das Essen angerichtet sei. »Freilich«, sagte Herr Herz und versuchte mit zwei Fingern die Wange seiner Tochter zu tätscheln, die Wange aber entzog sich ihm, und so fuhren die beiden Finger zärtlich im Leeren hin und her.

Das Gemach trug noch allenthalben das Gepräge seiner früheren Herrin. Überall standen wunderliche, nutzlose Sächelchen umher, die sich um einsame alte Frauenzimmer anzusammeln pflegen: unbegreifliche Ungeheuer aus Wolle und Seide, bunte Porzellanfigürchen, ganz zwecklose Körbe aus Schmelzen, verwitterte Papierblumen, die vielleicht einst jemanden geschmückt oder an irgend etwas erinnert hatten; jetzt standen sie abgeschmackt und nichtssagend da und wußten nicht, warum sie auf der Welt seien; verstaubt und unbeachtet waren sie, tot – wie ihre Herrin.

Viele breite, schwerfällige Möbel aus Mahagoniholz, mit einem Überzug von schwarz und rotem Wollenstoff, beengten das Gemach. Ein Daguerreotyp, den Schustermeister Herz darstellend, hing über der Kommode; man konnte darauf jedoch nur den großen weißen Halskragen unterscheiden. Auf der Kommode stand die Familienbibliothek: sechs Bände Zschokkes Novellen, Arenths Andachtsbuch, Schillers Gedichte und drei Jahrgänge einer illustrierten Zeitschrift. Unter manchen Reliquien aus der Zeit des Fräulein Ina lag auch ein kleiner weißer Atlasschuh, an der Spitze mit einer Rosenknospe geschmückt. Er war das einzige, was Rosa von ihrer Mutter geerbt hatte.

Neben dem Wohngemach befand sich das Speisezimmer, ein schmales Rechteck; sechs Rohrstühle, ein runder Eichentisch, ein Schrank mit Glastüren und ein großes Buffet aus Birnholz füllten den Raum, in dem Herr Herz und seine Tochter sich zum Mittagsmahl niedersetzten.

Herr Herz schöpfte die Suppe vor und zerlegte sehr gewandt den Braten, dabei war er eifrig um die Unterhaltung bemüht. »Heute«, sagte er und legte Rosa ein Stück Braten auf den Teller, »während ich draußen im Hof Unterricht erteilte, sah ich eine verdeckte Kutsche den Weg hinabfahren. Du hast wohl nichts gehört?«

»Nein. Jemand vom Lande?«, bemerkte Rosa.

Herr Herz schüttelte ungläubig den Kopf: »Um diese Zeit! Weiß es Gott! Ich muß später zu Klappekahl hinüber, der wird es wissen.«

Rosa war schweigsam. Ihr Vater bemerkte das wohl und fragte nach der Veranlassung, aber Rosa erwiderte, es sei nichts; sie dächte über die Kutsche nach. »Ja, merkwürdig!«, plauderte Herr Herz fort. »Wie ich aus der Schule komme, begegnet mir Lanin.« Herr Herz schaute seine Tochter erwartungsvoll an, als müßte diese Nachricht Eindruck auf sie machen; Rosa jedoch bemerkte nur trocken: »So! Sprach er von seiner dummen Tochter?«

»Dummen Tochter! Rosa, wie du sprichst!« Herr Herz lachte, als wäre das ein guter Witz gewesen. »Nein«, fuhr er dann fort, »er teilte mir aber mit, daß nächstens ein junger Mensch, ein Verwandter von ihm, in das Geschäft kommt.«

»Noch einer? Hat er denn mit dem Korinthen-Konrad nicht genug?«

»Mit diesem hat es seine Bewandtnis. Der junge Herr scheint ein wenig wild gewesen zu sein...«

»Ah, was hat er getan?«

»Gott, in der Jugend, da kommt manches vor! Genug, er soll hier gebessert werden. Als ich vorhin dort am Fenster stand, dachte ich darüber nach, ob Lanin bei der ganzen Geschichte nicht etwas für seine Tochter im Sinn hat, für die Sally.«

»Die!«, rief Rosa und lachte, weil jedem jungen Mädchen jeder Heiratsplan außer ihrem eigenen lächerlich erscheint. »Du vergißt, Vater, daß Sally schielt.«

»Pah!«, meinte Herr Herz, »ich habe manche Schönheit gekannt, die schielte. Viele lieben das sogar.«

»Es wäre ein Glück für die arme Sally; aber ich zweifle...«, sagte Rosa und hob die Tafel auf. Während sie voran in das Wohngemach schritt, wandte sie sich in der Türe um und fragte mit einem gleichgültigen Zucken der Augenbrauen: »Vater! Wie soll denn dieser neue Korinthen-Konrad heißen?«

»Ambrosius Tellerat. Er ist ein Brudersohn von ihr – der Lanin. Die Frau Lanin ist eine geborene Tellerat, wie du weißt.«

»Ach ja!«

Als Vater und Tochter im Wohngemach auf den breiten Sesseln nebeneinander saßen, bemerkte Rosa nachdenklich: »Ich glaube nicht, daß dieser – Ambrosius sie nimmt.« – »Ja, ja«, erwiderte Herr Herz darauf, ohne daß es schien, als dächte er sich etwas dabei. Bequem rückte er seinen Kopf auf der Lehne des Sessels zurecht und schloß die Augen zu seinem Nachmittagsschlummer. Die Sonne badete das kleine Gesicht des alten Mannes in gelbem Feuer, entzündete in den greisen Augenbrauen leuchtende Pünktchen und wärmte die eingefallenen Wangen, daß sie zu glühen begannen wie die Wangen eines schlafenden Kindes. Die Fliegen trieben im Gemach ihr lautes Wesen und stießen ärgerlich summend gegen die Fensterscheiben. Lange Staubsäulen zogen ihre trüben Bänder durch das Zimmer.

Rosa lag in ihrem Sessel zurückgelehnt da, ganz überdeckt von stetigen Lichtfunken, die der Sonnenstrahl in ihrem Haar, ihren Augenbrauen und Wimpern erweckte. Die Augen halb geschlossen, träumte sie ihren altgewohnten Traum.

Er war mit ihr herangewachsen. Jeden Morgen erwachte er mit ihr, um ihr neugestärkt zu folgen. Er ging mit ihr in die Schule, mischte sich in alles, was sie vornahm. In der Nacht kam er oft, mit dem seltsamen Narrentand unserer Träume angetan. Er war immer zur Hand! Wovon er sprach? Das ist das schwer zu lösende Geheimnis liebender Herzen, die nie geliebt, opfermutiger Seelen, die nie ein Opfer gebracht haben. Eines nur wiederholte er immer wieder: »Bald, bald muß etwas geschehen, muß etwas erlebt werden. Bald, sonst versäumst du's.«

Nachdem Rosa eine Weile ihrem treuen Gefährten zugehört hatte, seufzte sie, erhob sich und ergriff Hut und Mantel, um auszugehn.

3.

Die Straße war leer, kein Lufthauch regte sich. Gerüche von Fleisch und Gemüse strömten aus den geöffneten Fenstern. Papierfetzen und alte Schuhsohlen lagen auf dem Pflaster und sonnten sich.

Rosa ging zum Marktplatz hinab. Die Hände in die Taschen ihres Mantels gesteckt, wiegte sie sich lässig hin und her und blickte auf die Häuser und in die Fenster, mit der gleichgültigen Zerstreutheit, die wir gewohnten Dingen entgegenzutragen pflegen, wenn unsere Blicke an ihnen haften, ohne sie zu sehen.

Am Ausgang der Straße und Eingang des Marktplatzes lag das Geschäft »Firma Lanin und –«, Verkauf von Kolonialwaren jeder Art. Das Geschäft Lanin war von größter Wichtigkeit für das Städtchen; lange schon war es die Hauptquelle für die Bedürfnisse der Haushaltung, und mehrere Generationen hatten den Namen Lanin zugleich mit den Worten Zucker, Rosinen und so weiter aussprechen gelernt. Herr Lanin saß im Rat, wie sein Vater und Großvater vor ihm dort gesessen. Herr Lanin spielte eine bedeutende Rolle bei der Feuerwehr, der Armenpflege und Sparkasse. Herr Lanin war eine so große Persönlichkeit, daß die bescheideneren Bürger der Stadt nicht zu protestieren wagten, wenn die Firma ihnen doppelte Rechnungen machte oder schimmeligen Käse verabfolgte. »Firma Lanin und –« stand über der Türe. Dieses »und« war eine Huldigung für die Tochter der Firma, für Fräulein Sally. Der künftige Schwiegersohn sollte Kompagnon werden; das war sicher; so legte die ganze Stadt dieses »und –« aus; bis Fräulein Sally aber ihre Wahl getroffen, mußte das »und –« allein stehen bleiben und warten.

Die Firma war sich ihres Wertes viel zu sehr bewußt, um auf äußeren Glanz etwas zu geben; deshalb war das Geschäftslokal ein enges, finsteres, unreinliches Zimmer. Das abgeriebene, von der Sonne gebleichte Schild vor der Türe zeigte einen entsetzlichen Neger, der einen weißen Zuckerhut in den Armen hielt.

Rosa öffnete die niedrige Glastüre, die in das Laninsche Verkaufslokal führte, und setzte dabei eine heisere Glocke in Bewegung. Ein starker Geruch von Orangen, Fisch, feuchtem Stroh schlug ihr entgegen. Fässer und Kisten türmten sich bis zur Decke auf; schwarz angestrichene Holzleisten liefen an den Wänden hin und trugen mächtige Pakete, in blaues, gelbes, graues Papier gehüllt, halb von Dämmerung und Staub verborgen. Hinter dem Ladentisch stand Konrad Lurch, der Diener der Firma. Sein langes, sehr schmales Gesicht war über und über mit Sommersprossen bedeckt. Seine Augen hatten die matte, gelbliche Farbe des Gesichtes und schienen mit diesem ineinandergeflossen. Er trug einen weiten Rock von glänzendem Sommerstoff, wie schwarzes Packpapier, und rotgelbe Beinkleider, die in der Farbe mit dem Papier Ähnlichkeit hatten, in das man Stearinkerzen packt – acht auf ein Pfund.

»Ah, Fräulein Rosa!«, sagte er leise, als Rosa eintrat.

»Guten Tag, Herr Lurch«, erwiderte sie. »Wie geht es Ihnen? Ist Sally zu Hause?«

Lurch blickte nicht auf und kaute an einem Bindfaden, der von der an der Decke befestigten Rolle niederhing. »Guten Tag, Fräulein Rosa«, sagte er, »mir geht es gut; ich hoffe, Ihnen gleichfalls, Fräulein Rosa? Was Fräulein Sally betrifft, so war sie die ganze Zeit über hier. Sie sehen noch dort auf der Reiskiste das Buch, in dem sie las. Plötzlich ging sie hinaus; warum, weiß ich Ihnen nicht zu sagen; ich vermute, sie wird gleich wieder hier sein.«

»Also Sie meinen, ich soll hier warten? Wie?«

»Ja, Fräulein Rosa, das wird das beste sein. Sie setzen sich unterdessen vielleicht dort auf die Heringstonne?«

»Ich danke, wenn Sie keinen besseren Platz haben. Ich sitze nicht gern auf Heringstonnen.«

»Ja so! Natürlich! Es ist auch nicht angenehm, obgleich das ein seltener Artikel ist! Schottische Fett- oder Königs-Heringe. Aber dort die Lichtkiste? Sie ist vielleicht nicht ganz rein? Nehmen Sie mein Taschentuch und setzen Sie sich darauf.«

Lurch bot Rosa ein ganz klein zusammengeballtes Tuch an. Sie lehnte es jedoch mit dem schrillen, kurzen Lachen siebzehnjähriger Mädchen ab und setzte sich auf die Lichtkiste.

»Sollten Sie nicht einige Korinthen nehmen, Fräulein Rosa?«, begann Lurch nach einer Pause.

»Nein, ich mag mir nicht immer von Ihnen Korinthen schenken lassen.«

»Oh! Fräulein Rosa – Korinthen, Korinthen –« Lurch war sichtlich verlegen. »Korinthen sind doch nur ganz kleine Rosinen.«

»Das macht nichts«, versetzte Rosa energisch; dann fügte sie sanfter hinzu: »Herr Lurch! Gestatten Sie es nicht, daß wir Sie Korinthen-Konrad nennen?«

»Gewiß, Fräulein Rosa! Wenn der Name Ihnen gefällt; ich hoffe, er ist keine Verhöhnung meines Berufes; ich denke, er ist es nicht?«

»Durchaus nicht! Nur der Korinthen wegen, wissen Sie.«

»Oh, dann – warum nicht?« Ja, Lurch schien der Name sogar zu gefallen, denn ein öliges Lächeln zeigte sich auf seinem Gesichte.

Endlich trat Sally Lanin durch eine Hintertüre des Ladens ein.

»Ach Rosa! Liebes Herz! Du bist es!«, rief sie in allerliebster Freude aus, hüpfte auf Rosa zu, küßte sie auf die Lippen, setzte sich mit einer flinken, schmiegsamen Beweglichkeit auf die Kiste und schlang ihren Arm um Rosas Taille. »Wie gut, daß du kamst!«

Sally Lanin trauerte um einen geliebten Onkel und trug daher ein schwarzes Kleid und eine schwarze Halskrause. Auf den Schulterblättern saßen zwei weiße Kalkflecken, und auch sonst war an dem Kleide viel von dem Staub der Kisten hängen geblieben, was dem Ganzen ein etwas schäbiges Aussehen verlieh. Eigentlich hübsch war Fräulein Lanin nicht; einige kleine Fehler störten den Eindruck des Gesichtes; so schielten die schönen, vanillebraunen Pupillen der Augen ein wenig, und die Nase war oft an der Spitze rot.

Fräulein Lanin legte ihr Köpfchen auf die Schulter ihrer Freundin und seufzte: »Liebste Rosa! Ich habe dir viel zu erzählen.«

»Wirklich? Erzähl doch!«, drängte Rosa mit großer Teilnahme. »Ich habe wohl davon gehört – aber...«

»Ja, ja –«, sagte Sally bewegt. Dann rief sie träumerisch: »Lieber Lurch!«

»Fräulein Sally!«, erwiderte dieser.

»Lieber Lurch! Geben Sie auf einen Augenblick die Büchse mit den trockenen Pflaumen her.«

»Ja, Fräulein Sally. Es ist jedoch nicht viel mehr darin.«

»Die trockenen Pflaumen, Lurch«, wiederholte Sally bestimmt.

»Gewiß, Fräulein Sally; warum auch nicht? Hier!« Und er hielt ihr eine hohe Büchse hin.

»Ja Rosa, du hast von uns gehört«, begann Fräulein Sally, ohne die Büchse anzusehen, in die sie ihre Hand tief versenkte.

»Der Vater sprach von euch, ich hörte aber nicht recht hin. Was ist es denn?«, fragte Rosa.

Sally brachte jetzt eine Pflaume zum Vorschein, betrachtete sie und erwiderte dann: »Ein zweiter junger Mensch kommt ins Geschäft.« Dann steckte sie die Pflaume in den Mund.

»Ein Verwandter von dir?«

»Lieber Lurch«, unterbrach Sally ihre Freundin, »stellen Sie die Büchse her und gehen Sie ein wenig in den Hintergrund. Ich habe mit meiner Freundin zu sprechen.«

Lurch gehorchte und rief aus der Dunkelheit kläglich hervor: »Ist es so weit genug, Fräulein Sally?« – »Ja, Lurch! Ich danke. Siehst du, Rosa«, nahm sie das Gespräch wieder auf, »er ist ein schlechter junger Mensch.«

»Du meinst natürlich den Neuen«, schaltete Rosa ein.

»Ja, der Neue. Er hat Schulden gemacht. Er liebt eine Zigeunerin, oder Kunstreiterin, ich weiß es noch nicht genau. Nun wird der arme junge Mensch von der Geliebten getrennt und soll vergessen, soll sich bessern und das Geschäft erlernen. Sehr wüst soll er sein. Ob er sich bessern wird? Gott gebe es!«

»Wie alt ist er denn?«

»Zwanzig Jahre, sehr jung, nicht wahr? Die Person, die ihn verführt hat, weißt du, muß keine gute sein, und er vergißt sie wohl.«

»Wer kann das wissen!«, meinte Rosa mit einem sehr verständigen Gesicht. »Die Frauen von der Bühne bestricken die Männer ganz seltsam.« Fräulein Lanin wollte das nicht wahrhaben und schüttelte ihren Kopf mit den vielen Löckchen, denn zwei Pflaumen in ihrem Munde hinderten sie am sprechen. »Weißt du noch«, sagte Rosa, »in dem Roman ›Anna-Liese, die Männerhasserin‹ ist's auch eine Tänzerin, die den jungen Golo unglücklich macht.« Fräulein Sally schluckte heftig und breitete die Arme aus; sie wollte etwas sehr Wichtiges vorbringen. »Und«, fuhr Rosa eifrig fort, »wenn er ein Wüstling ist, dann wird das Leben hier ihm fade erscheinen.«

»Nein, mein Herz«, begann Sally, sobald die Pflaumen es gestatteten. »Nein, nein!« Und sich plötzlich unterbrechend, rief sie: »Lieber Lurch, können Sie etwas hören?«

»Ein wenig, Fräulein Sally«, verlautete die freundliche Stimme aus der Ecke. »Ich kann es nicht leugnen; ab und zu höre ich doch einiges.«

»Dann halten Sie sich die Ohren zu. Seien Sie so gut, ja?« – »Ohne weiteres, Fräulein Sally. Nur fürchte ich, wenn jemand käme und wollte etwas kaufen, so würde ich's nicht hören.«

»Seien Sie unbesorgt! Ich werfe Sie dann mit einem Pflaumenkern.«

»Danke, Fräulein Sally. So, jetzt höre ich nichts mehr.«

»Nun denn«, nahm Sally ihre Erörterung wieder auf. »Du bedenkst nicht, liebe Rosa, daß das Familienleben, die Gesellschaft des Papa und dann, weißt du, der Umgang mit gebildeten, feinfühlenden Mädchen ihm guttun wird.«

»Meinst du?«, warf Rosa zerstreut hin.

»Gewiß! So etwas verfehlt nie seinen Eindruck auf Männerherzen. Er sieht gut aus, sehr gut.« –

»So; braun?«

»Ja, goldbraunes Haar in Locken; große Augen.« Sally beschrieb mit dem Finger einen Kreis um ihr halbes Gesicht.

»In drei Tagen, denke ich, wird er hier sein. Dann lege ich die Trauer ab; es sind schon volle sechs Monate her, daß der arme Onkel starb. Papa sprach von einem Tanzabend. Du verstehst, um ihn zu zerstreuen. Ambrosius heißt er.«

»So hörte ich«, erwiderte Rosa und erhob sich, »begleitest du mich vielleicht?«

Nein, Sally mochte nicht spazierengehen, sie mußte einen Roman zu Ende lesen, eine sehr spannende Erzählung: »Emmas Schmerz«. Sie fürchtete, ihre Heldin stehe im Begriff, sich das Leben zu nehmen. So – dann wollte Rosa allein gehen; es war zu warm im Zimmer. Sie küßten sich und standen noch einen Augenblick beieinander, dieses und jenes zu erörtern. Eine rote abendliche Sonne drang durch die trüben Fensterscheiben, blitzte auf den Blechbüchsen, erweckte in den Flaschen und Gläsern bunte Lichter, schlüpfte in die Ecken und Löcher, um farbige Punkte auf die staubigen Papiere zu streuen, suchte Lurch in seinem entlegenen Winkel auf und malte einen großen blau und roten Fleck auf seine bleiche Stirn.

»Auf Wiedersehen!«

»Auf Wiedersehen, mein Herz« – dann lachten sie, wie junge Mädchen bei Abschied und Wiedersehen es zu tun pflegen – und Rosa ging hinaus.

Die drückende Schwüle war vorüber, und die Straßen belebten sich. Alte Herren mit breitrandigen Strohhüten standen mitten auf dem Marktplatz und disputierten laut miteinander. Aus den Fenstern beugten sich Mägde, um Teppiche auszustäuben. Auf den Treppen saßen Frauen ohne Hut und strickten. In langen Reihen zogen die Gymnasiasten, Arm in Arm, die Gasse entlang. Über all dem stand ein blaßblauer Himmel von schmalen, rosenroten Wolken durchzogen. – Leicht und fröhlich ging Rosa dahin. Sie grüßte die Vorübergehenden mit verbindlichem Kopfnicken und lächelte dabei ihr stets bereites, ausgelassenes Lächeln. Das Gefühl, daß der Sommerabend auch ihr, wie allem rings um sie, gut ließ, stimmte sie heiter.

»Ich habe die Ehre!« Klappekahl war es. Er zog vor Rosa seinen hohen Strohhut und blieb stehen. »Schönes Wetter! Wie geht es dem Papa?« Ein süßes Lächeln, das er ganz besonders für Damen bereithielt, umspielte seinen langen Mund. Er trug einen weißen Sommeranzug, eine rote Nelke im Knopfloch und ein Stöckchen, mit dem er nachlässig an seine Beine schlug.

»Ich danke«, erwiderte Rosa, »ich ließ ihn beim Nachmittagsschlaf.«

»So, so! Und die Tochter treibt sich derweil ein wenig herum. Ha – ha – junges Blut. Sie werden aber mit jedem Tage hübscher, Rosette.« Neckend legte er seine Hand auf den Arm des Mädchens. »Ohne Scherz! Ich sagte noch gestern zu meiner Tochter: ›Rosette Herz ist zu hübsch für unser Nest; die gehört in eine Weltstadt.‹ Auf Ehre, das sagte ich.« Rosa errötete und meinte, sie käme gern in eine große Stadt. Der Apotheker glaubte das wohl; er nickte, drückte Rosa die Hand und ging weiter, um zwei Schritte davon den Dr. Holte anzuhalten und mit dem Kopfe nach Rosa hindeutend zu sagen: »Ein hübsches Mädchen, Doktor, was? Aber kokett, ich sage Ihnen, wenn die in eine große Stadt kommt – ich stehe für nichts! Guten Abend, Doktor!«

Vor Steinings Konditorei saß Herweg mit einigen Kameraden, sorgsam hinter mageren Oleanderbüschen verborgen. Als er Rosa erblickte, grüßte er, und sie nickte ernst zum grünen Laubgitter hinein. Kaum aber war sie weitergegangen, als sie Herwegs schweren Schritt hinter sich vernahm. Sie wußte, so mußte es sein; so war es jeden Abend. Treulich folgte er ihr lange Stunden, zuweilen eine Schwenkung machend, um ihr zu begegnen und sie immer wieder zu grüßen. Das war der Ausdruck seiner Liebe.

Am morschen Geländer des Flußufers machte Rosa Halt. Herweg kam heran und lehnte neben ihr. Ein stetes Gemurmel sandte der Fluß empor. Im Strudel, den das Wasser hier bildete, schwammen bewegliche Lichtfetzen. Ein flaches, gelbes Land dehnte sich auf dem entgegengesetzten Ufer aus. Große Sandgruben lagen voll roten Lichtes, und hinter der Wellenlinie der niedrigen Sandhügel ging die Sonne groß und rot unter.

»Das ist schön, Rosa, nicht?«, rief Herweg und deutete zur Sonne hinüber. Rosa nickte, die Blicke nachdenklich in den Glanz verloren. »Schauen Sie dort das Feld!«, fuhr Herweg fort. »Es ist ganz rot. So rot habe ich's noch nie gesehen.«

In der Tat! Ein grelles Purpurlicht badete das Land. Es schien zu beben und zu flackern. Dann ward es blasser und erlosch. Die Sonne war hinter den Hügeln verschwunden. Ein milderes Scheinen klomm den Himmel hinan, ein blasses, gewässertes Gold, wie an alten Meßgewändern. Eine Schar winziger Wölkchen flatterte in einem fast weißen Himmel, viele rosige Schleier, kleine Flügel, eine Schar ausgelassener Cherubim. Weiter oben schien der Himmel unermeßlich hoch und veilchenblau. Schweigend standen die beiden Kinder vor diesem Farbenwunder. »Rosa«, fragte Herweg endlich leise, in seinen guten Augen stand ein weicher, zärtlicher Glanz. »Rosa! Warum sagen Sie nichts? Gefällt es Ihnen nicht?«

»Doch«, meinte Rosa ernst.

»Nicht wahr?«, begann Herweg wieder und griff nach Rosas Hand, »so etwas... Sie wissen, Rosa, wenn ich so etwas sehe, bin ich wie bekneipt!«

»Lassen Sie, Kollhardt«, sagte Rosa; dann setzte sie verständig hinzu: »Es war sehr poetisch.«

Herweg empfand das wohl. Er küßte Rosas Hand, als hätte sie das Schauspiel geschaffen, und flüsterte: »Rosa! Ich bin Ihnen wirklich gut.« Rosa mußte erröten, und es trieb sie nach Hause.

Im Wohnzimmer war noch immer die bedrückende Glut der Mittagsstunden eingeschlossen. Rosa öffnete das Fenster und lehnte sich hinaus, um in das langsame Herabdämmern auf die Häusergiebel hineinzugehen. Sie fühlte sich erregt, erwartungsvoll und dennoch mißgelaunt. Er war schön gewesen, der große, leuchtende Abendhimmel, das seltsam stille Verglühen. Gewiß, sehr schön! Und doch – was war es? Sollte sie das glücklich machen? Konnte das etwas an der Nüchternheit ihres Lebens ändern? Sonnenuntergang – Gott ja, sehr gut; aber wenn sie es recht bedachte, fügte er nichts zum Leben hinzu. – Herweg hatte ihr gefallen, der gute Junge! Wie er sie angeblickt, wie stürmisch er ihr die Hand geküßt hatte: »Rosa, ich bin Ihnen wirklich gut«, das klang rührend.

Die Straße unten war schon ganz in das Helldunkel der Sommernacht gehüllt. Vereinzelte Spaziergänger schritten langsam über das Pflaster, den Hut in der Hand, ein Lied trällernd oder eine Weise vor sich hinpfeifend. Waren es zwei oder mehr, so klangen abgerissene Unterhaltungen zu Rosa empor – über das Wetter – Bruchteile einer Erzählung – ruhige, gleichmäßig berichtende Stimmen. Aus den geöffneten Fenstern scholen Laute: ein Schelten – Lachen – Gähnen – Tellergeklapper – ein vernehmliches »Gute Nacht«.

Das ganze innerste Hausleben drang in die Sommernacht hinaus und ließ sich unter dem Sternhimmel ebenso behaglich gehen wie unter der niedrigen Zimmerdecke. Hin und wieder raschelte ein niederfallender Tautropfen im Laub, und die feuchten Blätter begannen stark und wohltuend zu duften.

Weiter die Straße hinab, vor der Kirche, traten die Bäume dichter zusammen, und unter ihren Ästen war es ganz finster, dennoch vermochte Rosa von ihrem Fenster aus hie und da ein weißes Mädchenkleid zu erspähen, oder eine brennende Zigarre leuchtete wie ein roter Stern. Helles Mädchenlachen erscholl, hohe ausgelassene Noten in die Stille rufend. So manche Dienstmagd mochte sich dort mit ihrem Schatz der lauen Nacht freuen. Rosa nahm Interesse daran. Jene Bäume schienen etwas Geheimnisvolles,

Süßes und Lustiges zu bergen, etwas, das sie in ihr armes Leben herüberwünschte, etwas von jenem Gefühlvollen, das der schöne Abend sie ersehnen ließ. Ach Gott, ja – etwas...

Im Nebenzimmer regte es sich. Das war Agnes Stockmaier. Sie wird sogleich in das Zimmer treten und die Lampe bringen. Die Lampe mit ihrem blau und weißen Porzellanfuß wird, wie jeden Abend, dort auf der roten Tischdecke stehen und ihren gelben Lichtkreis auf die Zimmerdecke werfen. Ja, und der Vater wird heimkommen und von Klappekahl, Lanin und dem Doktor erzählen; und sie, Rosa, wird verstimmt und unfreundlich gegen ihren Vater sein – und wieder ist ein Tag ihres Lebens verloren. Das mußte geändert werden! – Gut, morgen wollte sie Herweg sagen, er solle sie unten am Fluß um neun Uhr abends erwarten. Ein wahres, echtes Stelldichein sollte das werden, wie die Bäume drüben es verdeckten. Herweg war heute gut und poetisch gewesen, da konnte sie ihm wohl etwas zuliebe tun. Auf diese Weise würde sie doch auch einmal teilhaben an der Sommernacht und ihrem Gemunkel. Der Gedanke war gut.

4.

Am folgenden Tage traf Rosa Herweg auf dem Weg in die Schule und bestellte ihn für elf Uhr in die Laube. Herweg machte ein überraschtes und erfreutes Gesicht und dachte keinen Augenblick an die Gefahr einer abermaligen Versäumnis. Der Plan einer abendlichen Zusammenkunft mit Herweg stand bei Rosa noch immer fest. »Ich bin es dem armen Jungen schuldig«, sagte sie sich, wenn ein wenig Unruhe über ihr Vorhaben sie beschlich. So saß sie denn in geheimnisvoller Geistesabwesenheit auf der Schulbank und stützte den Kopf sorgenvoll in die Hand.

»Ah! Rosa! Mein Herz!« Fräulein Lanin stand vor ihr. Auch sie war heute besonders sinnig und drückte ihren Noël, unter dem sich der dünne achte Band von »Emmas Schmerz« verbarg, fest an das Herz. »Weißt du, ich meine das, wovon wir gestern sprachen. Du entsinnst dich – ah? – Er kommt vielleicht schon heute abend.« – »So«, erwiderte Rosa, sah ernst auf, hob langsam ihre Hand über den Tisch empor und ließ sie schlaff wieder sinken; eine hübsche Bewegung, die zu bedeuten schien: »Es ist gleichgültig. Sie kommen und gehen.«

»Ja«, fuhr Fräulein Lanin fort, und obgleich es sich offenbar um ein wichtiges Geheimnis handelte, so sprach sie doch sehr laut: »Ich habe seinetwegen – du weißt? – mit dem Papa eine ernste – wirklich eine sehr ernste – Unterredung gehabt, die mir viel zu denken gibt.«

»Ah.« Rosa hätte gern Näheres darüber erfahren, sie mochte jedoch nicht fragen. Es war auch nicht nötig, denn Fräulein Lanin begann angelegentlich: »Er sagt, und er hat gewiß recht, daß unsere Familie mit der Aufnahme von A. T. sehr ernste Pflichten übernehme und somit auch mir ein Teil – und weißt du, der Papa sagt, nicht der unwichtigste Teil – zufalle.«

»Ah so! Ich verstehe, weiblicher Einfluß«, schaltete Rosa ein.

»Das ist's«, fuhr Fräulein Lanin fort. »Der arme junge Mann ist leichtsinnig, ist verführt worden; er ist jetzt vielleicht leidend; du weißt, die Brust – das kommt leicht bei solchen Gefühlskrisen. Dabei ist er verwöhnt, der einzige Sohn sehr reicher Eltern. Nun – ihm Befriedigung und Erheiterung zu bieten, das ist unsere Pflicht. Ich habe beschlossen, sehr freundlich gegen ihn zu sein. Uns Frauen gelingt es doch am besten, solche Wunden zu heilen. Von der Tanzgesellschaft sprach ich schon mit dir. Nun – und im täglichen Leben will ich in ernsten Gesprächen sein Vertrauen erwerben, will ihn auf den einzigen Trost, auf Gott, hinweisen. Es ist eine schwere Aufgabe, ich weiß das wohl, aber sie ist schön, nicht wahr, mein Herz?«

Fräulein Lanin neigte ihren Kopf auf die linke Schulter und blickte ihre Freundin ernst an. Auf Rosa jedoch hatte dieser Bericht einen ganz unerwarteten Eindruck gemacht. Sie, die ein wirkliches Stelldichein vorhatte, fühlte sich heute über all ihre Kameradinnen erhaben, und Fräulein Lanins Pläne erschienen ihr kindisch und machten sie ungeduldig: »Ich verstehe nicht, wie du glauben kannst, daß ein junger, leichtsinniger Mensch an frommen Gesprächen mit dir Gefallen finden wird.«

Fräulein Lanin warf Rosa einen schnellen Blick zu, richtete sich dann kerzengerade auf, zog die Augenbrauen empor, was ihr einen verachtenden, aber geduldigen Ausdruck verlieh, und sagte fest: »Ich weiß es sehr genau, bestes Herz, wie ernste Worte auf junge Leute wirken. Und er – mein Cousin«, sie betonte dieses Wort scharf, »er wird gewiß nicht gegen einen sanften, wenn auch nicht weltlich leichtfertigen, sondern, wie der Papa sagt, tiefinnerlichen weiblichen Einfluß unempfindlich sein.«

Diese Periode klang gut; Rosa jedoch lachte unverhohlen und zuckte die Achseln. »Mir will es scheinen«, sagte sie schnell, »daß die Bekehrung dieses neuen Korinthen-Konrads nicht...« – »Er ist mein Cousin«, rief Fräulein Lanin sehr laut. – »Gut, gut«, fuhr Rosa tollkühn fort, »ich glaube, daß die Bekehrung nicht das einzige ist, worauf du hoffst.« – »Sondern – sondern«, drängte Fräulein Lanin und kniff die Augen zusammen, was sie für ein Zeichen vornehmer Kaltblütigkeit hielt.

»Gleichviel«, meinte Rosa. »Ich wünsche dir guten Erfolg. Nur behaupte ich, daß lange Predigten nicht das rechte Mittel sind. Ich wenigstens würde mich dafür bedanken.«

»Ja – du – du«, fuhr Fräulein Lanin auf, »ich habe mich sehr in dir getäuscht, gute Rosa! Und von jetzt ab...«

Fräulein Schank trat in das Zimmer. Die Schülerinnen drängten zu den Bänken; ein plötzliches wirres Durcheinander – der Lärm scharrender Füße – das Klappen der Bücher – dann tiefe Stille.

Rosa und Fräulein Sally mußten sich trennen. Diese, in der Aufwallung verletzter Freundschaft unterbrochen, begab sich langsam an ihren Platz. Zuweilen schaute sie auf Rosa zurück, zuckte mit den Achseln und Augenbrauen; dann faltete sie die Hände über der französischen Grammatik und saß still und ergeben da, wie es einer frommen Christin gebührt. Diese ergebene Ruhe wich auch nicht von ihr, als Fräulein Schank trocken verlauten ließ: »Sally Lanin.« Dieses hieß so viel als: »Stehen Sie auf und zeigen Sie, daß Sie die La Fontainesche Fabel von den zwei Ratten wieder nicht gelernt haben.« Nein! Fräulein Sally hatte die Fabel nicht gelernt. Sie erhob sich langsam, ein bitteres Lächeln auf den Lippen, die Blicke träumerisch in die Ferne sendend. Nachlässig warf sie einige Worte hin: »Un rat des champs – des champs – un rat.« Dann schwieg sie. »Mademoiselle!«, rief Fräulein Schank. Fräulein Sally aber hörte nicht auf sie, sie dachte gar nicht an diese kleinliche Person. Verklärt und geistesabwesend stand sie da, wie Amina, die arme Nachtwandlerin, wenn sie im vierten Akt dicht vor die Lampen tritt, um ihre große Arie zu singen.

»Setzen Sie sich, Mademoiselle.« In Fräulein Schanks Munde klang das hübsche Wort Mademoiselle wie ein Schimpfname. Mademoiselle setzte sich auch; sie setzte sich aber, weil sie es wollte, nicht weil Fräulein Schank es befahl, das sah man ihr an.

Fräulein Schank beugte sich über ihr Notizbuch von häßlich grauer Farbe, eine unerbittliche Sibylle mit braunen Bandeaux, und ließ sich von dem winzigen Schicksalsbuche das Schicksal eines armen Mädchens diktieren. »Rosa!«, versetzte sie endlich, »sag du einmal her.« Rosa erhob sich ein wenig verwirrt, doch gewann sie bald ihre Fassung wieder und machte ein sehr hochmütiges Gesicht, ein sicheres Zeichen, daß sie sich in derselben Lage wie ihre Freundin befand. Sie begann: »Un rat...« Weiter jedoch konnte oder wollte sie nichts sagen. Fräulein Schank wartete eine Weile, dann sagte sie betrübt: »Also wieder nichts! Setz dich.« Rosa setzte sich. Tiefes Schweigen. Fräulein Schank blätterte in ihrem Büchlein, Rosa blickte vor sich nieder, als wäre nichts vorgefallen.

»Wirklich Mademoiselle!« Rosa fuhr auf. Fräulein Schank hatte ihr Büchlein beiseite geworfen und blickte Rosa giftig an. »Wirklich Mademoiselle, es ist zuviel von Ihnen verlangt, daß Sie Französisch oder überhaupt etwas lernen sollen! Wozu auch? Für solch ein vornehmes Fräulein ist es genug, den ganzen Tag umherzulaufen und sich bewundern zu lassen. Das Lernen haben Sie ja nicht nötig. Wenn man eine so sichere Zukunft hat, wozu denn? Lernen mag gut sein für ein armes Mädchen, das ihr Brot selbst wird erwerben müssen. Ja! Und das seinen ersten Unterricht aus Barmherzigkeit von – von eben barmherzigen Leuten empfangen hat, und das nur halbes Schulgeld zahlt. Nein, Mademoiselle, Sie brauchen das nicht; Sie nicht. Gott bewahre.« Fräulein Schanks Stimme hatte die höchste Note erreicht, darum entstand eine Pause; aber bald stieg neue Entrüstung in ihr auf. »Ich verstehe dich nicht, liebe Rosa. Mir kann's ja gleichgültig sein. Nur bin ich neugierig – was – was daraus werden soll. Marianne Schulz, sagen Sie her.« Marianne Schulz hatte rotes Haar, viele Sommersprossen im Gesicht und hatte die Fabel gelernt.

Rosa senkte den Kopf tief auf den Tisch nieder und errötete bis in die blonden Löckchen über die Stirn hinein; an ihren Wimpern hingen dicke Tränen. Sie weinte und schämte sich ihrer Tränen. Ihr leidenschaftliches Kinderherz bebte vor ohnmächtigem Zorn gegen diese alte Lehrerin, die sie gedemütigt, sie als unwissendes, armes, verächtliches Geschöpf hingestellt hatte. Nie war ihr Leben ihr fadenscheiniger, aussichtsloser erschienen als jetzt. Sie war und blieb Rosa Herz, die Tochter des Ballettänzers, die nur halbes Schulgeld zahlte, zwei Kleider besaß und französische Grammatik lernen mußte, um sie vielleicht einst selbst zu lehren, hier in dem dumpfen Gemach, von demselben schäbigen Katheder aus, auf dem Fräulein Schank alt und häßlich saß, bis sie selbst alt und häßlich geworden sein würde und Konrad Lurch geheiratet hätte, der sie liebte.

Unerträgliche Hitze waltete im Gemach. Das Sonnenlicht fiel blendend auf die nackten Wände und beschien grell die langen Reihen weißer Halskrausen, glattgescheitelter Mädchenköpfe und all die jungen, ruhigen Gesichter. Es legte sich warm über die rosigen Schläfen und weißen Stirnen, in die kein Fältchen, kein Schatten die Spur einer Geschichte geschrieben hatte.

Es sprühte in den klaren, stillen Augen und durchleuchtete sie, daß man auf ihren Grund die sorglosen Kinderseelen zu erblicken vermeinte – wie eine nichtssagende kleine Arabeske auf dem Grund einer Schüssel voll klaren Wassers. Fräulein Schank dozierte mit eintöniger, singender Stimme die Lehren der französischen Grammatik, und die ernsten, friedlichen Mädchengesichter schauten zu ihr auf, als hätten sie nie etwas Wichtigeres und Aufregenderes vernommen als, daß das Adjektivum *vor* dem Worte gens in weiblicher, *nach* demselben in männlicher Form gebraucht werde. Rosa saß noch immer über den Tisch gebeugt da. Die Tränen waren fort und die Wangen jetzt blaß. Oh, sie litt! Sie wollte nicht länger verachtet, lächerlich und unglücklich sein! Sie wollte fliehen oder sterben – oder – sie wußte es nicht, aber außer Fräulein Schank, der Schulstube und Noël mußte – mußte es doch noch etwas geben! Die ganze Leihbibliothek konnte doch nicht lügen! Ganz gewiß wollte sie mit Herweg heute abend zusammentreffen, und sie wollte ihm erlauben, sie auf den Mund zu küssen, nur weil Fräulein Schank das mißbilligen würde. Was ging sie aber die alte Dame an?

Sobald die Stunde zu Ende war, eilte Rosa ins Freie. Hastig schritt sie die Gasse hinab, den Kopf gesenkt, die Hände hinter dem Rücken zusammengefaßt wie ein alter, sinnender Herr. Auf dem Pfad, der bergab in den Stadtgarten führte, begann sie zu laufen, so daß der Hut ihr in den Nacken fiel und die Zöpfe ihr den Rücken peitschten. In der Nähe der Laube hielt sie still. Warum eilte sie so? Vom Lauf außer Atem gebracht, legte sie die Hände auf die Brust. Warum die Aufregung? Die Schank hatte gezankt, weil sie die Fabel nicht gelernt hatte. Sie wollte sich nichts daraus machen, es war nicht das erste Mal. Sie rückte den Hut zurecht, fuhr sich mit der Hand über die Augen. Was kümmerte sie das kleinliche Elend der Schulstube?

Allerort – auf den Rasenplätzen und Kieswegen – brannten Lichtflocken und kleine Funken; sie zitterten sachte, wie schläfrig blinzelnde Augen. Die Laube stand auf einer Anhöhe, von goldenem Licht umflutet, und mit den ineinandergebogenen knorrigen Ästen, mit den regungslosen, staubigen Blättern glich sie einem alten Möbel, das man aus der Rumpelkammer in den Mittagssonnenschein gerückt hat. Herweg saß bereits auf der Bank und wiegte seinen Hut zwischen den Beinen hin und her. Eine leichte Befangenheit erfaßte Rosa, da sie ihn erblickte. Wie sollte sie es ihm sagen? Würde er nicht staunen? Langsam ging sie auf ihn zu. Herweg lächelte ihr entgegen:

»Sie sehen, Rosa, heute bin ich der erste«, meinte er.

»Ja – ich konnte nicht früher.« – Rosa blieb vor Herweg stehen und strich sich das Haar an den Schläfen glatt.

»Ha, ha – die Alte?«, fragte er.

Rosa nickte. Herweg sah sie prüfend an: »Ja, ja, die Alte, die hat scharfe Augen. Aber warum setzen Sie sich nicht?« Rosa setzte sich auf die Bank. »Ich habe heute den Direktor gut angeführt«, fuhr Herweg fort, Rosa aber unterbrach ihn: »Was unternehmen Sie heute abend?« –

»Nichts Besonderes. Ich weiß nicht. Vielleicht kommt eine kleine Kneiperei zustande.«

»Ach so, das ist dann etwas anderes.«

»Nein«, rief Herweg schnell, »es ist nichts bestimmt. Gewiß! Wollten Sie etwas, Rosa?«

»Wenn Sie frei sind«, sagte Rosa mit niedergeschlagenen Augen, »könnten wir, so dachte ich, heute abend zusammenkommen!«

»O gewiß!«

»Das heißt, um neun Uhr. Sie könnten mich unten am Fluß – Sie wissen? – erwarten, wir wären dann beisammen, dachte ich mir.« Herweg errötete und rief in der hastigen Weise, die Knaben anzunehmen pflegen, wenn sie befangen sind: »Das geht!« Er lehnte sich zurück, kreuzte die Arme über der Brust, kniff die Augen zusammen und machte ein bedächtiges Gesicht, als müßte er alles zuvor ernstlich erwägen: »Ja, das geht. Das wird hübsch.«

»Nicht wahr?«, sagte Rosa und erhob sich schnell, als hätte sie einen plötzlichen Entschluß gefaßt. Sie blieb aber ruhig vor Herweg stehen. »Ich meinte, es würde Ihnen Freude machen.« Scheu blickte Herweg zu dem Mädchen empor; vorsichtig faßte er den grauen Mantel, langte dann zu den gelben Zöpfen hinauf mit dicken, ungelenken Schülerfingern. Rosa ließ es geschehen. Ihre Augen wurden dunkler und hatten ein unruhiges, intensives Licht. Plötzlich, mit einer schnellen, eckigen Bewegung, faßte sie nach Herwegs Haar und ließ ihre Finger durch das rote Gestrüpp gleiten. Beide waren ernst und stumm. Herweg hielt seinen Kopf regungslos und blinzelte mit den Augen, wie eine Katze, der man die Ohren krault, während Rosa zu Boden schaute. Ein buntes Geflecht von Licht und Schatten bedeckte den Kies mit grau und goldenen Mustern. Durch die Zweige drang das Licht wie blanker Staub in die Dämmerung der Laube. »Max! Max!«, erscholl wieder die klägliche Stimme der alten Dame. Hastig zog Rosa ihre Hand zurück; Herweg aber hielt sie fest, drückte die innere Handfläche auf seinen Mund und küßte sie laut.

»Also, Sie wollen, Kollhardt?«, fragte Rosa, sich frei machend.

»Ja, liebe, gute Rosa!«

»Gut denn; auf heute abend! Ade!« Und sie lief davon.

Herweg schlenderte gemächlich durch den Garten nach Hause. Er versuchte es, sein Gesicht in ruhige, ernste Falten zu legen, wie es ein Mann tut, der solche Liebestriumphe gewohnt ist. Stolz reckte er seine mächtige Gestalt und schritt durch den Sonnenschein dahin mit der ganzen Breitspurigkeit seines Schülerhochmutes.

5.

Herr Herz empfing seine Tochter heute besonders zärtlich; er streichelte ihr die Wangen und bemerkte: »Hübsch bist du heute, mein Kind.« Als Rosa sich mürrisch in einem Sessel ausstreckte, schlich er von hinten heran, um ihre Stirne zu küssen. Sie schenkte dem Alten wenig Aufmerksamkeit; flüchtig streiften ihre Finger einmal die Hand ihres Vaters, als Erwiderung seiner Liebkosungen; dann fragte sie nach dem Essen.

»Ja, das Essen«, erwiderte Herr Herz. »Ich weiß nicht, was die Agnes so lange macht.« Er schaute in das Speisezimmer hinüber, wo Agnes Stockmaier mit großer Genauigkeit das Tischtuch über den Tisch deckte.

»Agnes«, mahnte Herr Herz freundlich, »die Rosa ist hungrig.« Da Agnes keine Antwort gab, begann er mit kleinen Schritten im Gemach auf und ab zu gehen. Er rückte die Sächelchen auf der Kommode zurecht, sah sich in dem Spiegel und warf zuweilen einen verstohlenen Blick zu seiner Tochter hinüber. Diese hatte den Kopf auf die Stuhllehne zurückgebogen, die Füße von sich gestreckt und war in tiefes Sinnen verloren. Endlich blieb Herr Herz am Fenster stehen, schaute auf die Straße hinab und bemerkte so nebenher: »Fräulein Schank war hier.«

»Wann?«, fragte Rosa scharf.

»Kurz eh' du kamst, ging sie.«

»Dann wollte sie sich wohl über mich beklagen?«

Herr Herz wandte sich schnell um: »Nein! Siehst du, liebes Kind, beklagen – das nicht. Sie ist dir gut. Gewiß! Sie ist dir sehr gut. Nur habt ihr heute etwas miteinander gehabt. – Eine französische Fabel, nicht? – So etwas; und dann bist du fortgegangen.«

»Ich bin fortgegangen!«, rief Rosa und stellte sich gerade vor ihrem Vater auf. »Sie kann es nicht verlangen, daß ich bleibe, wenn sie mir solche Dinge sagt – und vor all den anderen.«

»So schlimm wird es ja nicht sein«, schaltete Herr Herz ein und lächelte erschrocken. »Sie ist vielleicht heftig gewesen. Du darfst ihr das nicht anrechnen. Du selbst hattest vielleicht auch ein wenig Schuld.«

»Und weißt du, was sie mir gesagt hat?«

»Gott, ja, liebes Kind.« Herrn Herz war die Situation peinlich.

»Sie sagte«, fuhr Rosa mit steigender Entrüstung fort, »ich lebe von anderer Leute Barmherzigkeit, ich zahle nur halbes Schulgeld. Das sagt sie vor all den Mädchen, diese Alte!«

»Sie wird das wohl nicht so gesagt haben. Ich will mit ihr sprechen.« Herr Herz lachte, als handelte es sich um einen unwichtigen Gegenstand. Er streckte beide Hände aus, um Rosas Kopf zu fassen, sie aber wandte ihm den Rücken und kehrte zu ihrem Sessel zurück.

Herr Herz verbarg seine Hände in seinen Rocktaschen und sah befangen und hilflos drein. Er wandte dem Fenster den Rücken zu, und sein Haupt ward von einer hellen Lichtaureole umgeben. Die weißen Haare flimmerten und ließen unter den dünnen Silberfäden die Kopfhaut hervorschimmern, zartrosenfarben – wie ein Kinderhaupt mit einem Tüllhäubchen bedeckt.

»Ich gebe zu, liebes Kind«, hub er leise wieder an, »es ist unangenehm, sie sollte so etwas nicht sagen, und ich spreche mit ihr darüber. Aber, da sie nun darauf besteht, daß du diese Fabel lernst, so könntest du sie vielleicht auch lernen. Eine französische Fabel, nicht wahr?«

Rosa antwortete nicht. »Sie meint es gut mit dir«, fuhr Herr Herz fort. »Gott, wie sie dich verwöhnt hat, als du ganz klein warst! Stundenlang spielte sie mit dir. Um ihretwillen kannst du schon eine Fabel lernen.« Rosa schwieg noch immer und betrachtete gedankenvoll die gelbe Tapete. Da lachte Herr Herz plötzlich auf. Ein lustiger Einfall war ihm gekommen: »Weißt du, mein Kind, wir lernen beide diese Fabel. La Fontaines Fabeln habe ich früher gut gekannt. Sie sind lustig. Damals sprach ich das Französische wie ein Pariser. Wie man das alles vergißt! Gern würde ich's auffrischen. Ah! Du wirst sehen, was für ein schlechtes Gedächtnis ich habe. Wir werden dabei lachen müssen«, und Herr Herz lachte schon jetzt. Rosas Teilnahmslosigkeit aber machte ihn mutiger, er ward ernst und väterlich. Fräulein Schank hatte nicht so ganz unrecht. Manches Wahre lag in dem, was sie gesagt hatte. Es war ihm nicht vergönnt gewesen, ein Vermögen zu erwerben, und manches verdankte er der Wohltätigkeit anderer. Jetzt beklagte er das. Aber, du lieber Gott, in der Jugend, wer denkt da an so etwas! Nun war es zu spät. Drum sollte Rosa lieb und vernünftig sein; sollte es mit der guten Schank nicht verderben, die es trefflich meinte und, wenn Rosa ihr Examen bestanden, ihr eine Stelle als Lehrerin in der Töchterschule verschaffen wollte. Das war auch der Wunsch der Tante Ina gewesen. Für ihn selbst wäre es ein großer Trost, seine Tochter in gesicherter, geachteter Stellung zu wissen, wenn er nicht mehr sein würde. Seine Stimme wurde weich, und er fuhr sich mit der Hand über die Augen. Der Gedanke an seinen Tod rührte ihn. »Ja – ja! Wenn man deinen alten Papa hinaustragen wird«, wiederholte er; »die Schank, ich hab's selbst gehört, sagte zu deiner guten Tante Ina: ›Wenn die Kleine dich verlieren sollte, Ina, du weißt es, ich bin deine Freundin, ich übernehme deine Pflichten.‹ Dann küßten sich die beiden guten Frauenzimmer und weinten miteinander. Vorhin, als sie bei mir war, und sie war recht aufgebracht, sagte sie doch, sie habe gehört, du hättest ein neues Kleid nötig. Sie sei bereits bei Paltow gewesen und habe einen wohlfeilen, dauerhaften Stoff gefunden. Sie zeigte mir die Probe. Sehr hübsch! Braun, mit runden gelben Punkten, so wie Erbsen ungefähr.«

»Ah!«, versetzte Rosa zerstreut, »ich kenne das. Sie hat ihrer gelähmten Mutter, der ganz alten Schank, solch ein Kleid gekauft.«

»So? Ich weiß davon nichts. Du wirst ja sehen. Mir hat es gefallen, und sie sagt, es sei wohlfeil und dauerhaft. Mein armes Kind! Teure Kleider kann ich dir ja nicht geben; das weißt du. Wenn ich könnte, ich wollte meine Rosa herausputzen! Aber du bist ja in jedem Kleide hübsch.« Die hellblauen Augen schauten zärtlich zu dem mürrisch daliegenden Mädchen hinüber, und sie wurden feucht von den Tränen, die so leicht die Augen alter Leute überfluten. Er küßte seine Tochter vorsichtig auf den Scheitel und flüsterte: »Komm! Die Agnes ist mit dem Essen fertig.« – »Ah«, meinte Rosa und legte ihren Arm in den ihres Vaters.

Während des Mahles war Herr Herz äußerst lustig, fast ausgelassen. Er stellte sich ungeschickt beim Vorschöpfen der Suppe, neckte Agnes, erzählte aus seiner Ballettänzerlaufbahn viele seltsame Geschichten, die er schon hundert Mal erzählt hatte, und um das Gespräch von vorhin vollends vergessen zu machen, fügte er ihnen kleine gewagte Ausführungen mit halber Stimme bei, wenn Agnes das Zimmer verließ, um etwas zu holen. Rosa lächelte nur matt. In diesem eigensinnigen blonden Kopf war heute die feste Überzeugung entstanden, dort – irgendwo, fern von der Heimat – läge eine schöne, ergötzliche Welt, der eben nur Rosa fehlt; sie war da, man brauchte nur die Hand auszustrecken, um alles Schöne zu fassen. Bitteren Groll hegte Rosa heute gegen die alte, enge Stube mit ihren lächerlichen Möbeln, ihrem schläfrigen Frieden, Groll gegen die ganze widerwärtige Stadt, selbst gegen ihren Vater, der aus der großen Welt in dieses kleinliche Nest flüchten konnte, um fortan nur für den Klub, für Klappekahl und für Lanin zu schwärmen. Da stand die gute Agnes Stockmaier in ihrem weißen Kleide. So hatte dieses große weiße Gesicht immer dreingeschaut, seit Rosa denken konnte. Diese grauen Augen hatten stets so ruhig vor sich hingeblickt, als wären Augen nur auf der Welt, um zu sehen, ob Staub auf der Kommode liege oder ob das Tischtuch Falten schlüge. Oh, und diese Suppe mit ihren Fettaugen, dieser Braten mit seiner langen Sauce! Rosa hatte sie jahraus, jahrein gegessen; täglich hatten sie die Wohnung mit ihrem Duft erfüllt. Gott ja, es war unerträglich klein, gewöhnlich, lächerlich! Ein Gefühl der Rebellion, der Verachtung alles dessen, was es kannte und besaß, stieg in der Brust dieses jungen Mädchens auf, in dessen Leben das größte Ereignis bisher ein Tanzabend bei Klappekahls gewesen war.

Rosa mochte nicht ausgehen. Sie wollte bis zum Abend daheim bleiben und sich immer tiefer in ihre unklaren Grübeleien vergraben. Ihr Vater gab sich, wie gewöhnlich, seinem Mittagsschlummer hin; Agnes klapperte beim Abräumen leise mit dem Tischgerät. Rosa lehnte am Fenster, und ihre runden blauen Augen sahen unverwandt hinaus.

Die Stille des Sommernachmittages war auf das Städtchen niedergestiegen. Am zartblauen Himmel standen glänzende Wolkenhaufen, wie Ballen weißer Wolle. Die Pflastersteine waren so hell beschienen, daß Rosa große Käfer auf ihnen erspähen konnte. Sie krochen langsam dahin, blieben plötzlich, wie sinnend, stehen und hatten runde, stahlblaue Leiber, dann kam eine Eintagsmücke durch den Sonnenschein geflogen.

Rosa hatte lange hinausgestarrt. Mechanisch und gedankenlos war sie allen Vorgängen draußen gefolgt. Ihre Augen hatten immer starrer vor sich hingeblickt, hatten sich endlich geschlossen, der Kopf war auf den Arm niedergesunken – Rosa schlief, und das blonde Köpfchen im offenen Fenster schien auch ein Stück des trägen Nachmittaggoldes zu sein, das dort auf der Fensterbank liegengeblieben.

Als ein roter Sonnenstrahl ihre Augen traf, erwachte Rosa. Sie war allein im Gemach; ihr Vater hatte sich leise fortbegeben. Ringsum auf den alten Möbeln und Sachen lag blaßrotes Licht. Von der Straße tönten Stimmen und Schritte herauf. Auf dem Gartenzaune saß des Pfarrers Bube und biß in eine gelbe Frühbirne. Die Kastanienwipfel wiegten sich sachte hin und her. Eine Katze stand ruhig auf einem Dach und schaute über die Stadt hin, während die Sonnenstrahlen zwischen ihren Beinen hindurchschlüpften und ihren Leib vergoldeten. Der weiße Wolkenhügel von vorhin war fort; die Wölkchen waren auseinandergezogen und lagen jetzt verstreut über das tiefe Himmelsblau,

Es war lustig! – Rosa rieb sich die Augen und dachte darüber nach, was es doch war, das sie vorhin betrübt hatte. Sie entsann sich dessen wohl; aber es erschien ihr jetzt gering. Fräulein Schank, das Kleid mit den gelben Erbsen, die Fabel, ihr alter Vater, das alles war kein Grund, sich ernstlich zu grämen. Brauchte sie denn das enge Leben zu teilen? Gehörte ihre anziehende Person mit den blauen Augen und dem goldenen Haar nicht ihr? Konnte sie denn mit ihrem Leben nicht anfangen, was sie wollte? Was konnte sie nicht alles Tolles, Unerhörtes beginnen. Noch wollte sie warten; sie hatte ja Zeit. Sinnend lehnte sie den Kopf an das Fensterkreuz und lächelte hochmütig. Der Gedanke: ich gehöre mir – mir ganz allein, war plötzlich in diesem leichtfertigen Mädchenhirn aufgeschossen, schüchtern noch und unklar; er war jedoch da mit seiner ganzen wundersamen, gefährlichen Macht.

Auf der Treppe des gegenüberliegenden Hauses saß der Pfarrer Raser mit seiner Frau. Ihre ruhigen Stimmen schollen über die Straße zu Rosa herüber. Ihr Jüngstes, nur mit einem Hemdchen angetan, sprang zu ihnen heraus und stieß kleine schrille Freudenrufe aus, wie sie nur Vögeln und Kindern eigen sind.

Das sinnende Mädchen stand vor dem großen Frieden der Natur, mit dem unruhigen, eigensinnigen Egoismus junger Herzen; es grübelte und sann, wie es diese Schönheit und Harmonie sich dienstbar machen könnte; wie es sich damit schmücken sollte, welche Rolle ihm in diesem Schauspiele gebührte? Nachdenklich blickten die blauen Augen zu den Sternen auf, wie sie sonst wohl in den Spiegel schauten, um die geeignetste Stelle für ein Band in den blonden Flechten zu finden.

Herr Herz kam in heiterer, angeregter Stimmung heim. Er küßte seine Tochter auf die Stirn und fragte, ob die schwarze Laune schon geschwunden sei. Dann lief er unruhig im Zimmer auf und ab und packte seine Neuigkeiten aus. Bei Lanins war vor einer halben Stunde der Neue angelangt. Herr Herz war zugegen gewesen, als die Postchaise bei Lanins vorgefahren war, denn er stand mit dem Doktor gerade auf dem Marktplatze. »Klappekahl kam sogleich herbeigelaufen, und wir betrachteten den jungen Mann. Viel war nicht zu sehen. Er sprang schnell aus dem Wagen und ging in das Haus. Ein Schnurrbärtchen scheint er zu tragen, genau läßt sich das nicht bestimmen; der Doktor meinte, es sei nur Staub von der Reise.«

»War Sally da?«, fragte Rosa.

»Ich glaube – ja«, erwiderte Herr Herz. »Es schien mir, als stände sie im Laden, er aber, natürlich, ging durch die Haustüre ins Haus. Einen grauen Mantel mit einer Kapuze trug er; das soll jetzt Mode sein, sagt Klappekahl. Klappekahl fand auch in der Art, wie der junge Mann sich aus dem Wagen schwang, viel Chic. Ich konnte nichts Besonderes sehen. Drei Koffer hat er

mitgebracht, schön mit Leder überzogen. Wir gingen heran und befühlten
sie. Ich gehe später noch in den Klub, vielleicht kommt Lanin und erzählt
von seinem Neffen.«

Herr Herz sprach die ganze Mahlzeit über von dem wichtigen Ereignis
und erging sich in allerhand Vermutungen.

»Also du gehst heute in den Klub?«, fragte Rosa.

»Ja, ich muß hin, ich hab's Klappekahl versprochen.«

»Ich gehe auch noch hinaus«, meinte Rosa. »Schön ist's heute abend. Ich
sitze noch mit Rasers im Freien.«

»Gut, gut, mein Kind! Agnes braucht die Türe nicht zu verschließen.«

Diese kleine Lüge kostete Rosa nicht das Geringste; im Gegenteil, sie
machte ihr Vergnügen. Sie war das notwendige Zubehör zu einem Abenteu-
er – ein Stückchen Intrige.

6.

Als Rosa in die kühle Nachtluft hinaustrat, fühlte sie sich recht glücklich.
Sie blieb einen Augenblick stehen, atmete tief den feuchten Duft ein, der
rings vom Laub der Kastanien und aus des Pfarrers Garten aufstieg – sah
zum Himmel auf, an dem jetzt Stern an Stern stand – und schauerte behaglich in sich zusammen. Um weniger kenntlich zu sein, hatte sie ein großes
Tuch um Kopf und Brust geschlungen. So schritt sie die Gasse hinab. Sie
eilte nicht zu sehr. Neugierig mußte sie alles, an dem sie vorüberging, betrachten. Die altbekannten Gegenstände und Plätze hatten bei Nacht nicht
das gewohnte Aussehen. Es schien Rosa, als waltete über ihnen etwas Ungewöhnliches und Anziehendes. Das plötzliche Rauschen, welches in den
schwarzen Wipfeln erwachte, um wieder ebenso plötzlich abzubrechen; die
Dachvorsprünge, die sich, wie schwarze Nasen, über die Straße beugten; die
Blumen, die stärker dufteten und voll großer Tropfen hingen – alle hatten
ein wunderlich geheimnisvolles Wesen, als müßten auch sie eigentlich in
einer bürgerlichen Stube, unter der geblümten Baumwolldecke, wohlverwahrt
liegen, und ihre Anwesenheit sei etwas Ungewöhnliches, Unerlaubtes und
habe einen lustigen Grund, den niemand erfahren durfte. Unter den Bäumen,
am Ende der Straße, war es jetzt ganz einsam. – Hinter den Bäumen stand
die Kirche mit ihrem roten Ziegeldach und ihrem spitzen Turm. Ein Grab
lag dicht daneben. Rosa wußte es; oft hatte sie versucht, die halbverlöschten
Buchstaben auf dem Stein zu entziffern. Es war das einzige Grab an dem
Ort. In alter Zeit hatten sie dort eine Wohltäterin des Städtchens gebettet.

Jetzt näherte sich Rosa ihm und dachte, ob sie sich wohl fürchten würde? Ein Grab bei Nacht gehört ja doch zu den schauerlichen Dingen. Als sie aber davorstand, bemerkte sie, daß ihr nicht bange war. Der Stein schlief friedlich an gewohnter Stelle, und das Gras, das hoch um ihn aufgeschossen war, lag voll blanker Tropfen.

Der Ort der Zusammenkunft war dicht am Fluß. Ein schmaler, wenig betretener Pfad führte zu ihm hinab. Von der einen Seite ward er durch einen Gartenzaun aus alten Brettern, von der anderen durch das äußerst steil abfallende Ufer eines Baches begrenzt. An einer Schleuse mußte man vorüber. Jetzt, beim niedrigen Wasserstande, ließ sich nur ein leises Rauschen vernehmen, und die schwarzen Pfeiler waren mit Schlamm wie mit einer blanken grünen Haut bedeckt. An manchen Stellen des Pfades wucherte hohes Nesselgestrüpp. Wenn Rosa hindurchschritt, ward sie mit Tau überschüttet, und dicke Käfer, in ihrem Schlummer gestört, flogen brummend auf. Unten am Wasser lag tiefer Sand, nur spärlich mit Heidekraut bewachsen. Große Steinblöcke standen dort, und auf einem derselben hatte sich Herweg niedergelassen. In einen weiten Mantel gehüllt, einen Filzhut mit breiter Krempe auf dem Kopfe, saß er da wie ein großer schwarzer Pilz, der über Nacht aufgeschossen. Als Rosa zu ihm hinabstieg, pochte ihr Herz stärker, und als sie vor ihm stand, wußte sie nicht sogleich etwas Passendes zu sagen. Herweg schwieg auch und blickte seine Geliebte staunend an. So schön hatte er sie nie zuvor gesehen, und das machte ihn betroffen. Rosa lachte gezwungen, und dennoch schienen ihre Lippen ernster als sonst. In den so lustigen Zügen lag heute ein fremder Ausdruck von Erregtheit und Scheu, der sie verschönte. »Ah! Kollhardt, Sie sind da!«, sagte Rosa endlich leise und trippelte umher, als fröre sie.

»Ja, Rosa.« – »Lange schon?« – »Nicht allzulange. Aber Sie, Rosa, haben Sie sich nicht gefürchtet, so allein bei Nacht?«

»O doch!«

Beide sprachen halblaut und hastig.

Herweg erhob sich. Ihm war sehr gefühlvoll ums Herz, bis auf die kleine Befangenheit, die er sich nicht eingestehen wollte. »Rosa«, sagte er ein wenig heiser und faßte die dunkle kleine Gestalt fest an die Schultern. »Oh!«, rief Rosa und hüllte sich fester in ihr Tuch. So standen sie aneinandergelehnt: »Kollhardt«, versetzte Rosa, auf den Fluß hinausdeutend, »das dort, es ist doch Nebel?«

Unzweifelhaft war es Nebel. Ein durchsichtiges weißes Band, lag er auf dem Wasser und stieg die Ufer hinan. Jenseits des Flusses breitete sich das

Land flach und dunkelgelb aus, hie und da von einzelnen Bäumen und Büschen mit schwarzen Flecken versehen.

Dahinter – am Horizont – hing ein ganz mattes weißes Leuchten.

Herweg drückte inbrünstig Rosas Schulter. Eine große Aufregung stieg in ihm auf, und laut hörte er das träge Schülerherz in seiner Brust pochen. »Rosa!«, flüsterte er, »kommen Sie – komm – wir setzen uns aneinander.« Er breitete seinen Mantel auf das Heidekraut und drückte das Mädchen auf ihn nieder. Rosa ließ es geschehen. Fest in ihr Tuch gehüllt, saß sie da und schaute stet auf das Land hinaus.

Herweg näherte sich ihr behutsam, wie einem scheuen Vogel, faßte sie, beugte sie zu sich heran – sie gehorchte willig, dann küßte er eine der kühlen Wangen. Er wollte auch die Hände aus dem Tuch hervorholen, sie sträubten sich jedoch, und er mußte stärker an dem schwarzen Stoffe zerren. All das geschah schweigend; nur das tiefere Atemholen der beiden Kinder war vernehmbar.

Rosa machte sich von Herweg los und saß wieder gerade da. »Wissen Sie, Kollhardt«, sagte sie, »bei Lanins ist heute der Neue angekommen.«

»Nun, da wird sich Sally freuen.«

»Glauben Sie, daß er sie heiraten wird?«

»Nein.«

»Ich glaube das auch nicht.«

Ein Windstoß fuhr über das Land, jenes flüchtige Wehen, das die Runde durch die Sommernacht macht, ein kurzes Rauschen erweckt, uns streift, uns hastig Düfte ferner Gärten zuwirft und weiterzieht. Ringsum erwachten die Feldgrillen und begannen eifrig zu wetzen und zu sprechen; ein fast betäubendes Schrillen zog den Fluß entlang und antwortete vom Garten hinter dem Zaun und vom anderen Ufer. Aus einem entlegenen Felde drang der Ruf des Wachtelkönigs herüber, ein stetes Knarren, als zöge jemand eine rostige Uhr auf und würde nimmer fertig.

»Hörst du?«, fragte Rosa und wandte ihr Gesicht der Richtung zu, aus der der Ton kam.

»Ja«, erwiderte Herweg begeistert und schlang seine Arme fest um das Mädchen. Rosa ließ nur einen tiefen Seufzer hören und lehnte ihren Kopf auf Herwegs Arm; er aber küßte ihr laut und stürmisch Wangen und Lippen, dann hob er ihren Kopf empor, um das Gesicht deutlich zu sehen; regungslos sah es zu ihm empor, bleich und ernst, in jenem Ernst, mit dem die Sinnlichkeit ein Frauenantlitz zu verschönen pflegt. Die Augen grellblau und gedankenlos. »Rosa, was ist Ihnen?«, fragte Herweg erschrocken. Da richtete sich Rosa hastig auf.

Der Nebel war vom Wasser bis zu ihnen herangeschlichen. Wie weiße Gazefetzen lag er auf dem Kraut und glitzerte. Fern in der Stadt schlug die Turmuhr zehn. Ihre heisere Stimme rief mißgelaunte Töne in die Nacht hinaus, als wäre sie aus tiefem Schlummer aufgefahren, um verdrießlich ihre Pflicht zu tun.

»Es ist zehn Uhr«, sagte Herweg.

»Ja – ich gehe heim«, erwiderte Rosa, und während Herweg sich in seinen Mantel hüllte, ging sie unruhig hin und her und griff mit den Händen in die Nebelflocken, die über dem Grase hingen.

»Sind Sie fertig, Kollhardt?«, fragte sie.

»Ja, ich führe Sie nach Hause. Nicht?«

»Nein, Kollhardt, das darf nicht geschehen. Sie gehen hier hinauf. Ich finde mich schon zurecht. Leben Sie wohl.«

Sie reichten sich ein wenig steif und ungelenk die Hände. Herweg wollte dann Rosa küssen, sie aber entwand sich ihm schnell und eilte den Pfad hinan.

7.

Herrn Lanins Neuer war wirklich angelangt. In einer offenen Post-Chaise hielt er um sieben Uhr abends vor dem Laninschen Hause. Drei Koffer, elegant mit Leder überzogen, waren vor ihm aufgetürmt. Er selbst trug einen grauen Staubmantel. Ganz wie Herr Herz es seiner Tochter berichtet hatte.

Herr Lanin befand sich gerade in seinem Studierzimmer, dem geachtetsten Gemache des Hauses. Die Fenster, die auf den Hof hinausgingen, standen offen, und ein kräftiger Stallgeruch strömte herein. Das Gemach selbst hatte ein strenges, ernstes Aussehen. Die Wände waren mit blankem holzfarbenen Papier beklebt. Ein einziger Lehnsessel und ein einziges Rohrstühlchen befanden sich in dem Gemach, und beide standen vor dem Schreibtisch. Auf dem Lehnsessel saß Herr Lanin, auf dem Rohrstühlchen Conrad Lurch. Herr Lanin war eben dabei, Conrad Lurch zu kontrollieren. Er setzte einen Kneifer mit großen runden Gläsern auf die Nase und beugte sich über ein schmales Buch, langsam mit dem Finger die Zahlenreihe hinabfahrend. Lurch machte ein sehr freundliches Gesicht; er lachte sogar, aber diese Freundlichkeit war seltsam starr, dieses Lächeln unnatürlich stetig und ge-kniffen. Es schien, als sei dieses Lächeln, einst vielleicht lustig und gewöhnlich, alt geworden; man hatte vergessen, es fortzuwischen; nun stand es eingetrocknet und eingerostet auf dem gelben Gesicht.

»Schweizer Käse!«, rief Herr Lanin und blickte auf. »Ja – Schweizer Käse«, erwiderte Lurch höflich. Der Prinzipal aber lehnte sich zurück und sah vor sich hin auf die Wand. An der Wand hing, in goldenem Rahmen, Herrn Lanins Bild. Dort trug er weiße Hosen und einen schwarzen Rock, in der einen Hand hielt er seinen Hut, die andere legte er wohlwollend auf ein Album, das neben ihm auf einem Tischchen lag. Rechts hing das Bild der Frau Lanin, auf dem der Glanz des schwarzen Seidenkleides auf dem runden Leibe der Dame vortrefflich wiedergegeben war. Neben ihr stand wiederum das Tischchen, und das Album lag unbeachtet darauf. Links hing das Bild von Fräulein Sally im weißen Kleide, mit nackten Schultern, die Hände hielt sie im Schoß gefaltet und schielte nach dem Album, das neben ihr auf dem Tischchen lag.

»Schweizer Käse!«, fuhr Herr Lanin auf. »Jetzt hab ich's. Vor vier Wochen kam der Vorrat. Genau! Können Sie das widerlegen, Lurch?«

»Nein, Herr Prinzipal – nein.«

»Gut! Warum sagen Sie denn, der Vorrat – der Vorrat, der vor vier Wochen ankam – seien Sie so gut und lassen Sie diesen Umstand nicht aus den Augen – dieser Vorrat also – sei zu Ende. Warum? Sagen Sie nur, warum?«

Herr Lanin lächelte und schaute Lurch scharf an.

»Ja, Herr Prinzipal, er ist aber doch zu Ende«, antwortete Lurch sentimental. Herr Lanin lachte wieder; er war seiner Sache zu gewiß. Er setzte sich zurecht, nahm den Kneifer von der Nase, drückte die Augen zusammen, als gelte es, scharf zu denken: »Sagen Sie das doch nicht! Gehen wir systematisch vor. Wollen Sie so gut sein und auf meine Fragen antworten, nur das, Lurch; so kommen wir am schnellsten ins Reine. Eine Partie echten Schweizer Käses – eine Partie inländischen Käses niederer Qualität und eine erster Qualität langten vor vier Wochen an. Gut! Kann der echte Schweizer Käse jetzt schon alle sein? Darauf kommt es an!«

»Herr Prinzipal brauchen nur die Posten durchzusehen. Es stimmt«, entgegnete Lurch mit halsstarriger Freundlichkeit.

»Posten? Lassen Sie das. Meine Frage, Lurch; nichts weiter.«

»Der Käse ist alle, der Baron Poddor hat sehr viel holen lassen; bei Kollhardts hat man viel verbraucht. Überhaupt weiß ich nicht, was die Leute in letzter Zeit mit dem echten Schweizer Käse machen. Vom inländischen erster Qualität ist noch die ganze Partie da.«

»Zur Sache!«, drängte Herr Lanin.

»Ja – mehr – Herr Prinzipal –«

»Sancta simplicitas! Sie verstehen mich nicht. Warten Sie, ich will es aus Ihnen heraus entwickeln. Sie sprechen von Kollhardt, vom Poddor – was will das sagen. Merken Sie auf. Ich nehme an: Verlangt wird x und z – verstehen Sie, nur x und z. Ich lasse gleiche Quantitäten von x, von z und noch von y kommen, das fast so gut wie z ist. Also – sagen Sie mir, warum lasse ich auch y – immer noch die Annahme – kommen?«

Lurch blickte vor sich nieder.

»x, y und z –«, wiederholte der Prinzipal und lächelte. – »Nehmen Sie sich Zeit.«

»z?«, fragte Lurch.

»Ja; x, y und z.«

Lurch bewegte lautlos die Lippen; endlich stieß er ein heiseres »Ja« aus.

»Haben Sie's?«, fragte Herr Lanin.

»Ja – ich meine«, begann Lurch vorsichtig. »Wenn jemand käme und verlangte y – –«

»Ei, ei!«, unterbrach ihn Herr Lanin. »Was machen Sie für Sachen! Es ist nicht zu glauben.«

Lurch senkte wieder den Kopf und rechnete. Er hätte die Lösung schwerlich gefunden, und es war ihm lieb, daß die Türe stürmisch aufgerissen wurde und Fräulein Sally in sehr hoher Stimmlage in das Zimmer hineinrief: »Papa! Er ist da.«

»Wer?«, fragte Herr Lanin verstimmt.

»Komische Frage! Der Neue natürlich«, erwiderte seine Tochter.

»Ah!« Herr Lanin erhob sich.

»Gehen Sie, Lurch. Ich muß fort. Sie werden nie rechnen lernen.«

Mit diesen Worten eilte er auf den Flur hinaus. Dort fand er seinen Neffen, der dem kleinen Dienstmädchen mit sehr lauter Stimme Befehle wegen des Hereinschaffens der Koffer gab. Als er Herrn Lanin erblickte, ging er auf ihn zu und rief, ein wenig durch die Nase: »Ah! Sie sind wohl der Onkel?«

»Allerdings! Allerdings!«, erwiderte Herr Lanin und streckte dem jungen Mann mit einem feinen, geistreichen Lächeln beide Hände hin: »Du erkennst mich nicht? Natürlich! Es ist lange her, seit ich bei euch war. Warte! – Es sind fünfzehn Jahre – ganz recht – fünfzehn Jahre. Ha ha! Eine hübsche Zeit. Wie geht es zu Hause?«

»Ich danke, der Alte hat mir Grüße für Sie und die Frau Tante aufgetragen. Mütterchen kränkelt ein wenig.«

»So – so! Lege nur ab, dann stelle ich dich meiner Familie vor.«

Die Familie stand an der halb angelehnten Türe und musterte den Ankömmling. Als Ambrosius Tellerat und Herr Lanin sich anschickten, in das Wohnzimmer einzutreten, stürzte die Familie an das andere Ende des Gemaches und griff nach gleichgültigen Dingen.

»Da bringe ich euch den neuen Vetter«, sagte Herr Lanin und schlug seinem Neffen jovial auf den Rücken.

»Willkommen, willkommen«, rief Frau Lanin, und das breite, weiche Gesicht, der zahnlose, elastische Mund drückten viel süße Freundlichkeit aus.

»Hm – Frau Tante – viele Grüße«, begann der junge Mann, aber Herr Lanin unterbrach ihn: »Meine Tochter«, sagte er und deutete auf Fräulein Sally, die mit gesenkten Wimpern an ihrem Arbeitstische stand. Ambrosius stieß wiederum ein heftiges »Hm« aus, wippte zweimal auf seinen Füßen auf und ab und machte eine tiefe Verbeugung. Fräulein Sally verbeugte sich auch ihrerseits, schlug die Augen auf und sagte: »Mein Herr« – ganz wie die Salondame im Lustspiel für Liebhabertheater.

»So!«, versetzte Herr Lanin. »Also – nochmals willkommen!« Onkel und Neffe schüttelten sich verbindlich die Hände; dann meinte Herr Lanin, die Damen würden dem Reisenden wohl eine Erfrischung anbieten wollen. Fräulein Sally ergriff auch, in netter Wirtschaftlichkeit, eine weiße Schürze und suchte nach Schlüsseln. Die anderen setzten sich an einen runden Tisch, mit dem Entschluß, sich zu unterhalten. Ambrosius legte ein Bein über das andere, räusperte sich und beugte sich leicht vor, als wollte er etwas Angenehmes sagen. Obgleich er nichts Ungewöhnliches tat, so hatten seine Bewegungen doch etwas Gesuchtes, aber gewiß nichts vergeblich Gesuchtes. Ambrosius war ein hübscher junger Mann mit einer schlanken, gutgebauten Gestalt, der ein dunkler Anzug nach der letzten Mode gut ließ. Seine Züge waren regelmäßig, die Nase scharf geschnitten, die Lippen leuchtend rot und zu einem angenehm jugendlichen Lächeln bereit, die Augen hart braun und sehr glänzend. Über der hohen Stirn türmte sich gelocktes, dunkelblondes Haar, sorgfältig über den ganzen Kopf gescheitelt und wohlriechend.

»Ambrosius wird sich hier hoffentlich glücklich fühlen«, begann Frau Lanin, »hoffentlich.« Sie blickte dabei ihren Gemahl, dann Ambrosius an. Die ganze gewichtige Gestalt der alten Dame, die langsamen Bewegungen, die Augen, die Nase, der Mund, die Fülle weichen, schlaffen Fleisches, die leise Stimme – alles atmete Milde, alles an ihr war sanft wie Fett, süß wie Honig.

»Gewiß, o gewiß!«, erwiderte Herr Lanin und zerteilte die Luft mit der Hand in gleichmäßige Stücke. »Wenn das Leben hier auch ein wenig still, das heißt ernst ist, so ist es doch mit Arbeit und Wissenschaft angefüllt.«

»Hm – ja«, meinte Ambrosius, »dem Fleißigen wird die Zeit nie lang.«

»Es gibt doch auch kleine Zerstreuungen«, schaltete die Hausfrau ein, »hübsche junge Mädchen; das ist ja auch angenehm. In den Freistunden natürlich.«

»Natürlich«, bestätigte Herr Lanin.

»Natürlich!«, sagte auch Ambrosius. »Damen – Damen – sind – hm – die Zierde des Lebens.«

Onkel und Tante lachten; dann hub Herr Lanin ganz unerwartet an, einen juristischen Fall, der sich just im Magistrat zugetragen, zu erzählen. Diese Sachen seien seine Leidenschaft. Je mehr analytische Anstrengung ein Fall erheische, um so lieber sei es ihm. – Ambrosius schaltete zuweilen ein »Sehr fein! – Interessanter Fall! Ah – ein Kreuzverhör!« ein; Frau Lanin aber meinte, die stete Verstandesarbeit reibe ihren Mann auf. Herr Lanin wollte davon nichts hören, das sei die würdigste Beschäftigung eines Mannes. – Endlich kam Fräulein Sally mit Tee und Butterbrot. Sie schenkte den Tee selbst ein; dann saß sie neben ihrer Mutter und nahm an der Unterhaltung teil; sie wandte sich jedoch nur an ihre Eltern. »Ach!«, rief sie, »erzählt Papa wieder von dem garstigen Menschen, der betrogen hat? Ich kann es gar nicht begreifen, daß es so garstige Menschen geben kann!« Worauf Ambrosius erwiderte, daß auch – sozusagen – Welten zwischen ihr und jenen Menschen lägen.

Ambrosius sollte den heutigen Tag natürlich nur den Damen und der Unterhaltung widmen. Von Geschäften sollte nicht die Rede sein. Dennoch wünschte er den Schauplatz seiner künftigen Wirksamkeit zu sehen, und sein Onkel führte ihn in das Heiligtum ein.

»Du siehst, mein Lieber«, sagte er und klopfte mit der flachen Hand zärtlich auf eine Heringstonne, »du siehst, hier ist alles einfach, praktisch; nichts von unnützem Luxus; kein Blendwerk – kein Schwindel. Solid, mein Lieber, solid, das ist die Losung!«

»Hm – ja«, meinte Ambrosius, »das ist das Wahre. Es sieht hier allerdings sehr reell aus.«

Aus einer finsteren Ecke fuhr Lurch hervor – scheu, bleich und fadenscheinig; die staubige Nymphe dieser staubigen Grotte.

»Dieses«, sagte Herr Lanin und wies auf seinen Kommis mit dem Zeigefinger, als wäre er nur eine große Konserve, »dieses ist Lurch.«

Die beiden jungen Leute verbeugten sich gegeneinander. Ambrosius steif und hochmütig, Lurch äußerst gelenkig und hastig.

»Lurch ist mein Gehilfe«, erklärte Herr Lanin. Lurch ergriff verwirrt ein Paket Lichte und rieb sich damit die Nase, bis sein Prinzipal trocken bemerkte: »Was wollen Sie mit den Lichten? Es ist ja niemand da.«

»Ich dachte –«, stotterte Lurch, Herr Lanin aber schenkte ihm keine Beachtung weiter, sondern begann die Anordnung der verschiedenen Gegenstände zu erklären; er setzte auseinander, daß er bei Aufstellung der Artikel ein bestimmtes, sozusagen mathematisches System befolge: »Die Nachfrage bestimmt jeder Sache ihren Platz. Gewöhnliche Dinge, Dinge des täglichen Lebens, wie Seife, Kerzen – stehen niedrig, leicht erreichbar, andere, wie Orangen, teure Zigarren – höher, weiter fort. So entsteht ein quasi architektonisches Ganzes, indem Orangen, Seife, Heringe quasi Bausteine sind, die ihren bestimmten Platz haben und, nach der Berechnung eines jeden denkenden Menschen, keinen anderen Platz haben können.«

Ambrosius billigte dieses Verfahren; er nannte es weise und zweckmäßig. Sein Onkel fügte noch eingehendere Erörterungen hinzu, führte Beispiele an. Er nahm an, Ambrosius wolle grüne Seife kaufen – nur eine Annahme »substituierte« das. Gut! Sogleich sprang Herr Lanin an ein Schubfach, hob eine sehr unreine Büchse empor und lachte. Wollte dagegen Ambrosius eine feine Havanna rauchen, wiederum nur Annahme, dann mußte Herr Lanin eine kleine Leiter hinanklimmen, um eine Zigarrenkiste vorzuzeigen. Ambrosius folgte dem allen mit Aufmerksamkeit, lachte, wenn die Seife oder die Zigarren wirklich zum Vorschein kamen, und sagte unzählige Mal »Ja!« – Ab und zu kam Fräulein Sally herein. Sie war jedesmal überrascht, die Herren hier zu finden. Befahl Lurch unter beständigem Lachen, Tee und ein Stück Käse herzugeben, schrie auf, weil sie den Käse nicht anfassen mochte, und verschwand wieder wie ein netter kleiner Brausewind, der sie war.

Die Herren traten auf die niedrige Treppe des Ladens hinaus und schauten auf den Marktplatz hinab. Die Vorübergehenden blieben stehen und musterten Lanins Neuen, der dann seine schöne Gestalt reckte, einige abgerundete Bewegungen mit den Armen machte oder auch wohl, auf das Rathaus deutend, mit lauter Stimme sagte: »Der Bau ist gut – der sogenannte Renaissance-Stil.«

Es war schon spät abends. Herr Lanin blinzelte heftig mit den Augenlidern, gähnte einige Mal diskret und zog sich dann in sein Studierzimmer zurück, um noch einen juristischen Fall zu überdenken. Frau Lanin wurde in ihrem großen Sessel sehr schweigsam. Fräulein Sally aber und Ambrosius saßen noch am Fenster beieinander und lernten sich kennen. Die Lampe war nicht angezündet worden. Ein graues Zwielicht waltete im Gemach. Die Tische, die Sessel, die Hausfrau lagen wie dunkle Schattenmassen im Hintergrunde. Im helleren Rahmen des geöffneten Fensters zeichneten sich die Profile der beiden jungen Leute scharf ab. Diese Profile bewegten sich, näherten sich, fuhren wieder auseinander, beugten sich dann wieder gemessen und höflich vor. Die Unterhaltung ward halblaut geführt; mit gewisser Regelmäßigkeit wechselte der Diskant mit dem Baß.

»O ja, ich habe eine Freundin«, sagte Fräulein Sally weich.

»Wirklich? Doch natürlich!«

Ambrosius' Stimme klang, als müsse er beständig das Lachen unterdrücken. »Natürlich! Eine jede junge Dame hat eine Freundin. Natürlich!«

»Natürlich?«, meinte Fräulein Sally und neigte ihren Kopf melancholisch zur Seite. »Es ist nicht so natürlich. Nicht eine jede hat das Glück, eine Seele zu finden, die sie versteht. Mir – mir fällt es besonders schwer, denn, sehen Sie, Cousin, ich verlange viel – sehr viel.«

»Aber Sie haben gefunden?«

»Ja! Vielleicht! Das heißt, wir lieben uns; aber – verstehen Sie, ich werde mehr geliebt. Es ist vielleicht nicht recht, aber – – –« Fräulein Sally schwieg und sann in das Dämmerlicht hinein.

»Ich verstehe – hm –«, versetzte Ambrosius, »Sie sind, sozusagen, mehr empfangend; das Fräulein Freundin mehr gebend – hm – hingebend. Sie, Cousine, sind dann wohl auch mehr herrschend?«

»Vielleicht.«

»Oh, gewiß, gewiß!«, neckte Ambrosius.

»Aber ich liebe sie dennoch sehr.«

»Haben Sie keine Geheimnisse voreinander?«

»Sie hat keines, nein; aber ich« – Fräulein Sally seufzte und legte die Hand auf diejenige Stelle des schwarzen Kleides, unter der das geheimnisvolle Herz schlug. Ambrosius lachte heftig und drohte mit dem kleinen Finger. Er fand das köstlich. »Also, Sie haben doch Ihre Geheimnisse. Damen haben immer Geheimnisse, immer.«

»Herren nicht?«, fragte Sally schelmisch.

»Nein! Das ist Sache der Damen. Ich wüßte gern diese Geheimnisse.«

»Oh, die Herren sind immer so neugierig.«

»Es ist Wißbegierde. Neugierig sind ja – hm – spezifisch die Damen. Streiten Sie nie mit Ihrer Freundin?«

»Nie!«, sagte Sally fest.

»Damen streiten ja sonst so gern.«

»Ich dächte, das kommt auch bei den Herren vor.«

»Nun – und wie heißt denn diese Freundin?«

»Rosa Herz.«

»Herz – hm – ein guter Name. Ist sie hübsch?«

Ambrosius lächelte dabei ein leichtfertiges Lächeln, als wäre seine Frage sehr kühn und gottlos.

»Hübsch?«, erwiderte Sally sinnend, »eigentlich nicht, das heißt, die Herren finden sie nicht hübsch, glaube ich. Mir gefällt ihr Gesicht. Die Herren urteilen auch immer so streng.« Ambrosius lachte; dann ward er ernst, blickte melancholisch auf den Marktplatz hinab und meinte: »Ach nein! Die Damen sind hart und grausam.« So ging die Unterhaltung fort, als plötzlich ein lautes Stöhnen aus der Ecke, in der Frau Lanin saß, erscholl.

»Was ist dir, Mama?«, rief Fräulein Sally.

»Ach Gott!«, wimmerte Frau Lanin, »wie bin ich erschrocken! Mein Gott!«

»Was gibt's denn? Sage!«

»Mir träumte, ich zerschlug die große Lampe. Pfui! Mein Gott!«

»Wie kann man so etwas träumen!«, meinte Fräulein Sally verächtlich, und Ambrosius fügte tröstend hinzu: »Träume sind ja nur Schäume.«

»Gott sei Dank, ja! Aber ein Schreck war das!«, klagte die alte Dame, »nun ist's vorüber. Gehen wir zu Bett. Gute Nacht, Ambrosius.«

Auch Fräulein Sally reichte ihrem Vetter die Hand und sagte: »Denken Sie daran, was ich Ihnen sagte.« – »Gewiß, ganz gewiß! Das vergesse ich nicht«, versicherte er und drückte zart die kleine Hand, obgleich er nicht sicher war, welchen der Ausfälle gegen »die Herren« er sich merken sollte.

8.

Beim nächsten Zusammentreffen in der Schule schenkte Fräulein Sally ihrer Freundin keine Beachtung. Sie hatte für Rosa nur flüchtige Mitleidsblicke. Sie tat ihr leid, das arme Geschöpf, das keinen Vetter hatte, mit dem sie sich geistreich necken konnte. Noch wollte sie ihr aber nichts von diesem Vetter erzählen, der Verrat an der Freundschaft mußte bestraft werden. Fräulein Sally ließ sich nur herbei, gegen Marianne Schulz leichthin zu bemerken:

»Gott, ich bin müde! Ich habe mich gestern bis spät in die Nacht hinein mit meinem Cousin unterhalten.«

Marianne riß die Augen auf und fragte: »Haben Sie denn einen Cousin?«

Fräulein Sally lachte und stieß ihre Nachbarin mit dem Ellenbogen: »Hören Sie doch! Marianne weiß nicht einmal, daß gestern mein Cousin angekommen ist.«

»Aber Marianne!«, meinte die Nachbarin verächtlich.

Allzulange vermochte Fräulein Sally jedoch nicht zu zürnen.

Als Rosa am Nachmittage über den Marktplatz ging, winkte Fräulein Sally ihr freundlich zu und rief: »Rosa, mein Herz! Wohin?«

Rosa trat an das Fenster und berichtete: Zu Hause sei es zu schwül gewesen, darum sei sie spazierengegangen.

Fräulein Sally saß am Fenster und hielt einen Roman in der Hand. Es war noch jemand im Gemach und rauchte. Rosa vermochte ihn nicht deutlich zu sehen, da er seitab vom Fenster stand, sie zweifelte jedoch nicht daran, daß es der Neue sei.

»Kommst du nicht herein, liebe Rosa? Es sitzt sich hier ganz allerliebst.«

Rosa fand ihre Freundin heute ungewöhnlich sanft; auch bemerkte sie an ihr einige feine Handbewegungen, die sie noch nicht kannte. Sie wunderte sich nicht darüber, denn die Zigarette, die im Hintergrunde des Gemaches leuchtete, übte auch auf Rosa ihren Einfluß aus und machte, daß sie manches tat und sagte, was ihr nicht ganz natürlich war.

Rosa wollte der Einladung ihrer Freundin nicht Folge leisten, sie hatte sich vorgenommen, spazierenzugehen, und Sally wußte ja, wenn sie sich etwas vornahm …

»Oh, der kleine Eigensinn!«, rief Fräulein Sally. »Aber ich begleite dich, mein Herz.« Leiser fügte sie hinzu: »Vielleicht kommt er mit. Cousin«, sprach sie dann in das Zimmer hinein, »Sie machen wohl auch eine Promenade?«

»Unmöglich«, verlautete die Stimme aus dem Hintergrunde. »Unmöglich – bei dieser Hitze! Sie scherzen, Cousine!«

»Durchaus nicht«, erwiderte Fräulein Sally. »Gott, was die Herren verwöhnt sind!«

»Nicht doch«, rief Ambrosius und trat an das Fenster. »Ich gebe Ihnen mein Ehrenwort, es geht nicht; ich muß ins Geschäft. Sonst – oh!«

Fräulein Sally erhob sich mit einem so ernsten Gesicht als wollte sie ein Vaterunser sprechen, und sagte: »Mein Cousin Tellerat – meine Freundin Rosa Herz.«

»Ah – es freut mich.« Ambrosius verbeugte sich. »Es tut mir leid, die Damen nicht begleiten zu können – in der Tat. Oh, meine Damen, Sie wissen nicht, was das heißt: Geschäfte im August.«

Fräulein Sally drohte neckisch mit dem Finger und hielt es für Trägheit, er aber legte die Hand auf das Herz und beteuerte das Gegenteil.

»Gut, wir gehen also allein. Ich hole meinen Hut.« Mit diesen Worten hüpfte Fräulein Sally davon.

Während ihrer Abwesenheit entspann sich eine höfliche Unterhaltung zwischen Rosa und Ambrosius; sie mit aufmerksam ernstem Gesicht und stetem Erröten, er, die Schulter leicht gegen den Fensterrahmen gelehnt – sehr gerade, mit ausgebogener Taille und beständigem Räuspern, wobei er den Rauch der Zigarette durch die Nasenlöcher trieb, denn, weiß es Gott warum, dieser junge Mann hielt einen beständigen Katarrh für weltmännisch und vornehm.

Sie sprachen über das Städtchen. Ambrosius meinte, es gefalle ihm, es sei nett; nett sei das rechte Wort dafür, worauf Rosa erwiderte, es sei recht freundlich. Ja, er gab das zu, zog jedoch den Ausdruck nett vor. Ein wenig still, wandte Rosa ein, sie fand es sogar zuweilen langweilig. Ein wenig kleinstädtisch, Gott, ja – Ambrosius hatte es nicht anders erwartet. Eine ruhige, gemütliche Geselligkeit war ihm gerade recht. Das bunte Treiben einer großen Stadt wird man auch müde, nicht wahr? Ah gewiß! Zur Erholung war es der rechte Ort. – Rosa verstand das wohl.

Dann kam Fräulein Sally zurück und rief ihrem Vetter scherzhafte Abschiedsworte zu, die dunkel genug waren. Beide lachten jedoch, zum Zeichen, daß sie sich verstanden.

Arm in Arm wanderten die beiden Mädchen dem Stadtgarten zu. Von dem gestrigen Streit war keine Rede mehr, sondern Fräulein Sally begann sogleich den Charakter ihres Vetters zu besprechen. Sie hatte einiges über die Kunstreiterin – denn eine Kunstreiterin war sie, das stand jetzt fest – in Erfahrung gebracht. Sie war der Ansicht, es sei nur eine momentane Verirrung gewesen, die von keinen Folgen sein dürfte.

»Er tut mir leid!«, seufzte das gute Mädchen. »Siehst du, er hat ein gutes, sozusagen ein goldenes Herz. Heute morgen versuchte ich den zarten Punkt zu berühren. Du verstehst? Ich wollte andeuten, daß ich um die Sache weiß und ihn verstehe. Er wurde ganz ernst und sagte: ›Das ist vorüber, Cousine Sally.‹ Das klang im höchsten Grade beweglich. Dabei fuhr er sich mit der Hand über die Stirn: Das ist vorüber, Cousine Sally! Ist's nicht rührend?«

»Sehr rührend«, bestätigte Rosa sachverständig.

»Nun«, fuhr Fräulein Sally fort, »da sah ich ihn – so – an.« Fräulein Sally riß die Augen weit auf und sagte ernst: »Weißt du – ganz ernst: ›Ist es auch vorüber?‹«

»Sehr gut!«, schaltete Rosa ein.

»Also ist es auch vorüber? Da lächelte er – weißt du – so tief melancholisch und sagte: ›Ja nun, wie eben so etwas vorüber sein kann.‹ Auch sehr gut, nicht wahr?«

»Ja, ja«, meinte Rosa, »er glaubt, solche Wunden heilen nie ganz.«

»Natürlich! – Nun – ich nickte und fragte kurz und sanft: ›Der Name?‹ – Da seufzte er tief und sagte: – ›Rosina.‹ Aber wie er das Wort ›Rosina‹ sagte – das kannst du dir nicht denken.«

»Ich kann es mir denken«, versetzte Rosa gerührt.

»Nein – nein! Das kannst du dir nicht denken! – Rosina – Rosina.« Fräulein Sally legte in diesen Namen alle Andacht, über die sie gebot, daß er wie ein Gebet klang; es war aber doch nicht das Rechte: »Ich kann es dir eben nicht wiedergeben. ›Sprechen wir von etwas anderem‹, sagte er dann. Oh, er ist so sanguinisch, fast leichtfertig. So brach ich denn ab.«

Rosa ward nachdenklich. Dieser Ambrosius mit der Liebe zur schlechten Rosina erschien ihr anziehend. Das hübsche Gesicht, die schwungvollen Bewegungen; gewiß! Er hatte viel Einnehmendes. »Ich wüßte gern mehr hierüber«, sagte sie sinnend.

»Ja!«, erwiderte Fräulein Sally und zuckte die Achseln: »Es läßt sich auch nicht alles weitersagen, was er seinen Verwandten anvertraut.« Dabei machte sie eine geheimnisvolle Miene und kniff die Lippen zusammen, um ostentativ zu schweigen.

Ambrosius hatte sich, wie er es den Damen gesagt hatte, in das Geschäft begeben. Dieses war jedoch so unerträglich heiß und voll starker, dumpfer Gerüche, daß es ihn im höchsten Grade verstimmte. Er setzte sich mitten auf den Ladentisch, trommelte mit den Absätzen auf die morschen Bretter und schaukelte träumerisch mit seinem Stöckchen eine Wurst, die über ihm an der Decke hing. Hinter ihm stand Conrad Lurch, maßloses Staunen in den Mienen. Er hatte es nie versucht, sich auf den Ladentisch zu setzen; nie war ihm der Gedanke gekommen, man könne das tun. Sein Kollege beachtete ihn jedoch gar nicht, schaukelte die Wurst, gähnte und starrte auf die trüben Fensterscheiben. Eine große, unklare Mißstimmung hatte sich seiner bemächtigt. Noch war es kein ganzer Tag, daß er sich in der Stellung eines ersten Kommis der Firma Lanin befand, und doch war ihm diese Stellung schon gänzlich zuwider. Er langweilte sich, und Langeweile hielt er für ein

Unglück. Ein unüberwindlicher Durst nach lauten, ungeordneten Vergnügungen erfüllte diesen jungen Mann. Von jeher hatte er ohne zu zaudern nach allem gegriffen, was ihn reizte, was nur im Entferntesten einen Genuß versprach. Als sechsjähriger Bube bemächtigte er sich jedes Kuchens, dessen er habhaft werden konnte, war es auch noch so streng verboten. War der Kuchen verzehrt, dann erst gedachte der kleine Ambrosius der Strafe und weinte. Als zwanzigjähriger Junge war er ebenso achtlos und gedankenlos seinen Eltern davongelaufen, um einer Kunstreitertruppe zu folgen, nur weil ihm diese Welt der Tressen und Flitter in die Augen stach und weil eine alternde Kunstreiterin für vieles Geld sich herabließ, ihn zu lieben. Um einen Wunsch zu erfüllen, konnte er Entschlossenheit und Tatkraft zeigen, wuchsen aber aus seinem Leichtsinne Schwierigkeiten und Mühsal, dann war er ohnmächtig.

Sein weiches, nervöses Gemüt ließ sich von dem geringsten Unfall, von der kleinsten Widerwärtigkeit niederdrücken. Ja, fehlte es seiner Umgebung auch nur an besonderer Heiterkeit, umgab ihn ein gewöhnliches ruhiges Leben, so fühlte er sich schon melancholisch und klagte über Weltschmerz. Der enge Laden, die schwere Luft und die trüben Fensterscheiben waren denn auch nicht geeignet, gegen diesen Weltschmerz anzukämpfen. So versank Ambrosius immer tiefer in sein übellauniges Brüten. Plötzlich ließ sich Lurchs sanfte Stimme vernehmen: »Dieses ist eine Pariser Wurst.«

»Wie?«, fuhr Ambrosius auf, der vergessen hatte, daß er nicht allein sei.

»Ich meinte, Herr Tellerat...«, wiederholte Lurch. –

»Von Tellerat«, unterbrach ihn Ambrosius. »Von – es ist italienischer Adel; di – heißt es – eigentlich di Tellarda, daraus Tellerardo, und so...«

»So hat sich das herausgebildet«, ergänzte Lurch aufmerksam.

»Natürlich«, entgegnete Ambrosius und begann leise vor sich hin zu pfeifen, bis Lurch wieder das Wort nahm: »Ich meinte vorhin, Herr von Tellerat, daß diese Wurst eine sogenannte Pariser Wurst sei.«

»He, diese?« Ambrosius schlug mit dem Stöckchen auf die Wurst und bemerkte dann: »Hart.«

Lurch folgte mit besorgtem Blick den Schwingungen der Wurst: »Glauben Sie nicht«, fragte er und errötete, »daß es ihr schaden kann, wenn man sie schlägt und schaukelt?«

»Die da?« Ambrosius holte wieder mit dem Stöckchen aus, aber Lurch rief angstvoll: »Schlagen Sie sie nicht! Es kann ihr nicht gut sein.« Er blickte innig zur Wurst auf; er hatte um sie gelitten; die alte, ehrwürdige Wurst, die ganze Familie liebte sie. War sie nicht schon lange im Geschäft? Natürlich kaufte sie niemand; sie war zu gut für das Städtchen. Aber ein großes Geschäft muß eine echte Pariser Wurst haben. Sie repräsentierte die Firma und war fast ein Glied der Familie. Nein, es war Sünde, sie zu schlagen.

Endlich brach Ambrosius sein düsteres Schweigen und bemerkte, daß er noch keinen Kunden im Laden gesehen habe.

»Am Nachmittag kommen sie nicht«, erklärte Lurch. »Am Abend pflegen die Herrschaften die Dienstmägde herzuschicken, um Kerzen, Käse, Petroleum...«

»Hübsche?«, unterbrach ihn Ambrosius.

»Je nun, mein Gott! Hübsch sind sie nicht besonders. Eine vielleicht. Ja, die Käthe – die ist hübsch. Oh, ja! Die hat eine hübsche Nase, eine hübsche große Nase.«

»Ah! Aber womit vertreibt man sich hier denn die Zeit? An so etwas denkt hier niemand.«

»Doch«, erwiderte Lurch verlegen, obgleich er es nicht scheinen wollte. »Man unterhält sich hier recht gut. Ich – ja sehen Sie – an den Wochentagen bin ich hier beschäftigt. Aber Samstagabend – dann geh ich aus.«

»Wohin denn?«

»Wir haben nämlich«, Lurch dämpfte seine Stimme, »wir haben nämlich ein Kränzchen.«

»Kränzchen? Was für ein Kränzchen? Es gibt vielerlei Kränzchen!«, rief Ambrosius.

»O bitte, sprechen Sie nicht so laut!«, flehte Lurch. »Es ist eigentlich ein Geheimnis, obgleich nichts Böses daran ist.«

»Gut, gut! Ich sag's nicht weiter.«

»Also bei Steining, dem Konditor.« Lurch sprach dieses Wort sehr gepflegt und die Anfangssilbe ganz französisch aus. »Dort versammeln wir uns im hinteren Zimmer. Kennen Sie dieses Zimmer? Nicht? – Oh, ein wunderbares, einziges Zimmer! So traulich! Grüne Tapeten hat es und einen Kronleuchter. Recht elegant ist es. Alle möglichen Bequemlichkeiten finden Sie dort – drei Spucknäpfe, massiv von Messing.«

»Wer versammelt sich dort?«

»Wir sind unserer sechs. Da ist der Tomascher vom Advokaten Krug, dann Silt, Apfelbaum...«

»Was trinken Sie?«

»Bier, sehr feines Bier.«

»Hm –«, warf Ambrosius vornehm und kühl hin, »Sie führen mich dort einmal ein.« – Lurch floß über von Dankbarkeit und Begeisterung: »Sie werden sich gut unterhalten. Gewiß! Es wird Ihnen gefallen. Es geht dort sehr heiter zu. Silt ist ein gar zu witziger Mensch. Sie können sich so etwas gar nicht vorstellen.« Lurch mußte lachen, wenn er nur an Silt dachte: »Auch Apfelbaum wird Ihnen zusagen. Er ist ein wenig wüst, aber er erzählt sehr gut seine Raufereien mit den Metzgerburschen. Oh, und dann Waumer! Ein prächtiger Mensch. Was für Arme der hat! Den Armbrechen zu sehen, ist der höchste Genuß.«

»Gut, gut! Sie führen mich hin. Gott, was fängt man sonst an!« Ambrosius gähnte laut und streckte sich.

»Wir haben auch einen Namen für unser Kränzchen«, fuhr Lurch eifrig fort.

»Nun?«

»Gersten-Saft-Strauß. Ist das nicht einzig? Ein Strauß aus Gerstensaft. Wir sind die Blumen. Das hat sich Silt erdacht; wer wäre sonst darauf gekommen! Köstlich!«

»Allerdings!«, meinte Ambrosius. »Originell – hm – allerdings.«

Eine Pause trat ein, die nur zuweilen von einem gewaltsam aufprasselnden Lachen unterbrochen ward, gegen das Lurch vergebens ankämpfte. Rötliche, schräge Sonnenstrahlen drangen durch die Fensterscheiben und fielen auf ein großes Behältnis voll gedörrter Fische, ließen dieselben wie bräunliche Goldbarren erglänzen und legten um die kleinen toten Köpfe winzige Heiligenscheine. Ambrosius fand das poetisch und bemerkte: »Sehen Sie, Lurch, ganz allerliebst –«

»Ja! Strömlinge«, erwiderte Lurch.

Ambrosius zuckte die Achseln. Er fand, daß es seinem Kollegen an Schönheitssinn gebrach, dann sagte er plötzlich: »Und Sally, was halten Sie von Sally?«

Lurch ward verwirrt und murmelte: »Sehr hübsch – gewiß – sehr hübsch –«

»Sie schielt?«

»Nein, o nein!«, rief Lurch in großer Aufregung. »Ich habe das nicht bemerkt. Nein, ich glaube es nicht, daß sie schielt. –«

»Hm«, meinte Ambrosius. »Aber die Freundin?«

»Fräulein Rosa?« Bei diesem Namen ward Lurchs armes gelbes Gesicht ganz rot. »Fräulein Rosa ist sehr hübsch – sehr.«

Ambrosius blickte ihn spöttisch an. »Kommt sie zuweilen zu Ihnen?«

»Zuweilen, doch nicht zu mir. Sie besucht Fräulein Sally – dann ist Fräulein Sally zuweilen nicht hier – dann wartet Fräulein Rosa zuweilen im Laden.«

»Verliebt?«

»Nein, Herr von Tellerat! Gott, nein! Sie nimmt wohl hin und wieder einige Korinthen, aber das ist doch nicht Liebe.«

»Ich meinte auch nicht, daß sie Sie liebt –«

Lurch lachte gezwungen. »Das konnten sie natürlich nicht meinen. Nein! Einige Korinthen – weiter ist's nichts.«

Ambrosius dachte nach, und zwar sehr tief, denn er legte sich mit dem Bauch über den Ladentisch und stützte den Kopf in die Hände. Was war es denn mit diesem Mädchen? Es war hübsch, es war blond – und blond mußte nach seiner Ansicht ein Mädchen sein. Sollte er sich verlieben? Wäre Rosa Herz der geeignete Gegenstand? Es wollte ihm so scheinen, und er beschloß, Rosa Herz zu lieben. Er seufzte; das war der Anfang der Liebe; dann richtete er sich auf, schaute Lurch mitleidig an und sagte gefühlvoll: »Ja, hm – ein allerliebstes aschblondes Engelköpfchen.«

Der laute Ton von Kirchenglocken erscholl.

»Was gibt es?«, fragte Ambrosius.

»Abendgottesdienst«, erwiderte Lurch. »Heute ist Mittwoch!«

»Ah! Sally wollte hingehen.«

»Ja, Fräulein Sally ist fromm. Überhaupt die ganze Familie ist fromm«, bemerkte Lurch und lächelte.

»Ich gehe auch hin«, beschloß Ambrosius und eilte fort. In der Türe wandte er sich noch einmal um und sagte: »Zum Scherz – wissen Sie.«

Die Kirchenglocken riefen laut und ungeduldig durch die Gassen. Aus allen Häusern strömten Leute hervor – hastig – als fürchteten sie, gescholten zu werden, wenn sie säumten. Sie knüpften ihre Hutbänder oder zogen ihre Handschuhe erst auf der Straße an und eilten der Kirche zu. Nur einige Kommis und Schüler blieben sorglos stehen, rückten ihre Mützen schief, steckten ihre Hände in die Hosentaschen und pfiffen, als wollten sie zeigen, daß sie vom Kirchengehen nichts hielten.

Die Räume der kleinen Kirche waren ganz von Gläubigen erfüllt. Als Ambrosius hineintrat, stimmte die Orgel ein Lied an. Ein Chor dünner Frauenstimmen fiel ein und sandte langgezogene andächtige Noten zur Wölbung auf. Der Altar war mit einer reinlichen weißen Musselindecke und zwei Asternsträußen geschmückt. Über ihm erhob sich ein hohes Ölgemälde, Christus am Kreuz darstellend. Da das Kreuz und der Hintergrund dieselbe Farbe hatten, so machte der dürre gelbe Leib des Erlösers, einsam und tot im Leeren hängend, einen seltsam düsteren Eindruck. Vor dem Altar stand der Pfarrer, eine regungslose schwarze Gestalt.

Ambrosius lehnte an einem Kirchenstuhl und blickte forschend um sich. Neben ihm saß eine alte Dame in einem glänzenden Atlasmantel und mit einem großen Hut, überdeckt von roten Stachelbeeren. Sie sah Ambrosius streng und mißbilligend an, legte ihr Taschentuch auf das Pult des Kirchenstuhls, die Füße auf die Fußbank, rückte an ihrem Sonnenschirm, der an einem Nagel unterhalb des Pultes hing, als wollte sie beweisen, daß sie all diese Vorkehrungen kenne und sich hier sicher und wie zu Hause fühle. – Rosa und Sally saßen nicht weit von Ambrosius nebeneinander. Beide hatten ihn bemerkt. Sally sandte ihm einen langen, ernsten Blick zu, dann warf sie sich in plötzlicher Zerknirschung auf die Knie, barg ihr Gesicht in ihre Hände, verharrte eine Weile in dieser Stellung und richtete sich mit schmerzvoller Miene auf, als habe sie einen argen Seelenkampf bestanden. Rosa benahm sich leichtfertiger. Sie blickte oft zu Ambrosius hinüber, lächelte einmal ganz unverhohlen, strich sich die Löckchen aus der Stirn, beugte sich an das Ohr ihrer Freundin und flüsterte ihr etwas zu, erhielt jedoch nur einen strafenden Blick.

Der Gesang verstummte.

Aller Augen richteten sich auf den Pfarrer, der ruhig dastand und emporblickte. Als er jedoch mit einem lauten »O Herr!« begann, schien es unerwartet zu sein, denn die alte Dame zuckte erschrocken mit den Schultern. Jetzt waren die tiefe Stimme des Geistlichen und ein beständiges Hüsteln, das die Runde durch die Gestühle machte, die einzigen Laute im Raum. Blätterschatten fuhren über den Estrich. Sonnenstrahlen spielten an den Wänden und übergoldeten zuweilen jäh das andächtige, faltige Gesicht einer alten Frau. Ambrosius gab sich willig der ruhigen, behaglichen Stimmung hin, in der all diese Menschen einträchtig beieinandersaßen, wie eine große Familie in einem alten Familienzimmer. Bei seiner Vorliebe für abgegriffene Worte nannte er das »idyllisch«. Eine flüchtige Aufmerksamkeit schenkte er auch der Predigt, die den Gang der zwei Jünger nach Emmaus erörterte. Vielleicht empfand er etwas von der Poesie dieser schönen Erzählung. Das Einhergehen von Zweien auf der nächtlichen Landstraße, das Besprechen der wundersamen Ereignisse, die Begegnung mit dem Erlöser, bei dessen Worten ihre Herzen brennen, das gemeinschaftliche Mahl, endlich – das Fortschaffen einer so betrübenden Tatsache, wie der Tod eines großen und geliebten Freundes ist. All das fand Ambrosius heute »idyllisch«.

Endlich der blonde Mädchenkopf, der leichtfertig in das große Gesangbuch hineinlächelte – der war gewiß »idyllisch«.

9.

Ambrosius Tellerat liebte also Rosa, denn dieses dünkte ihn die einzige seiner würdige Beschäftigung in diesem kleinlichen Neste. Sobald Rosa sich auf der Straße zeigte, begegnete ihr Ambrosius und grüßte sie, bald mit dem höflich kalten Gruß des Weltmannes, bald mit einem innigen, vielsagenden Neigen des Kopfes. Er ging vor ihrem Fenster auf und ab und sandte ihr durch den Burschen seines Schusters einen Strauß. Was zu tun war, geschah.

Rosa freute sich natürlich ihres Triumphes; natürlich tat sie ihr Möglichstes, um Ambrosius aufzumuntern. Wenn er, sehr korrekt in einem dunklen Überzieher eingeknöpft, einen hohen, spiegelblanken Hut ein wenig schief auf dem Kopf, unter Rosas Fenster vorüberging, dann schaute sie jedesmal hinaus. Er grüßte hinauf, sie grüßte hinab, errötete – zog den Kopf vom Fenster zurück und steckte ihn gleich wieder hinaus. Ambrosius pflegte eine Weile dort stehenzubleiben. Er wiegte sich sachte in den Hüften, zog seine Manschetten weit über die Hände, die in neuen Handschuhen steckten, drehte seinen Spazierstock und blickte süß empor. Diese saubere, gepflegte Festtagserscheinung – denn einen so blanken Hut, so neue Handschuhe, so gute Kleider trug man im Städtchen nur an hohen Festtagen – diese Festtagserscheinung, die jeden Werktagsnachmittag vor Rosas Fenster stand und sie bewunderte, brachte einen großen und neuen Reiz in das Leben des Mädchens. Die selbstbewußte Kühnheit, mit der Ambrosius zu ihr emporstarrte, die gesuchten Stellungen, der Aufwand mit großen, sehr funkelnden Hemdknöpfen und breiten Manschetten, den er trieb, alles war ihr neu und anziehend; und die Sonnenstrahlen, die auf dem blanken Hut blitzten, umgaben den gefühlvollen Handlungsdiener der Firma Lanin mit einer leuchtenden Aureole.

Und mußte es nicht so sein? Mußte nicht dieses Mädchen, mit der fiebernden Phantasie und den fiebernden Sinnen seiner siebzehn Jahre, die ungeduldig über das stille bürgerliche Leben hinausdrängten, mußte es nicht allem Neuen, Ungewohnten begierig zuflattern, und war jenes Neue auch nur ein Kommis, der seinen Sonntagsrock am Werktage trug? Das Sinnen und Träumen, dem sich Rosa in einsamen Stunden gern ergab, verlor viel von seiner Unbestimmtheit. Ihre Gedanken verdichteten sich vielmehr um die eine Gestalt. Mit der naiven Umständlichkeit solcher jungen, nach Genuß verlangenden Visionäre malte sie sich Begegnungen und Zusammenkünfte mit Ambrosius aus – reiche, glänzende Kleider, die ihn in Erstaunen setzten; seltsame, unmögliche Lebenslagen, in denen sie ihm groß und bewunderungswürdig erschien. Bald war sie reich und fuhr in einer Kalesche durch die Straßen; Ambrosius stand am Wege und grüßte; sie ließ halten und sagte, mit dem nachlässigen Lächeln einer Weltdame: »Aber Herr von Tellerat; steigen Sie doch ein!« – Sie winkte dabei mit dem Fächer. Gott ja! Rosa warf ihren Kopf auf die Lehne des Stuhles zurück und schloß die Augen, diese Träume regten sie auf und erhitzten ihr Blut:

»Aber so steigen Sie doch ein, Herr von Tellerat«, flüsterte sie.

Um diese Zeit ward auch die Freundschaft mit Fräulein Sally besonders warm. Jeden Nachmittag fühlte Rosa das Bedürfnis, nach ihrer Freundin zu sehen. Saß Fräulein Sally nicht in sinnender Stellung am Fenster, so ging Rosa in den Laden, um nach ihr zu fragen. Lurch stand hinter dem Ladentisch, bleich, still, bestaubt, ganz wie er dort gestanden hatte, seit Rosa gelernt, ihn von den Fässern und Kisten zu unterscheiden. Ambrosius saß auf einer Kiste und hielt die Beine auf einer andern.

Wenn Rosa eintrat und einige unschlüssige Rebhuhnschritte im engen Raume machte, dann flog ein mattes Lächeln über Lurchs Gesicht, und Ambrosius richtete sich hastig aus seiner nachlässigen Stellung auf, zog seine Manschetten unter den Rockärmeln hervor und war ganz Salonmann. »Ah, Fräulein Herz! Gnädiges Fräulein – hm, Sie suchen wohl meine Cousine?«

»Ja, ich habe mit Sally zu sprechen.«

»Sally kommt sofort, gewiß, mein gnädiges Fräulein. Nicht wahr, Lurch? Gedulden Sie sich einen Augenblick, nehmen Sie mit unserer Klause vorlieb.«

»Oh, Herr von Tellerat, es hat keine Eile.«

»Aber Sally wird sogleich hier sein. Nehmen Sie Platz, gnädiges Fräulein. Sehr primitiv, nicht? Ja, ja, sehr arkadisch!«

Rosa setzte sich. Ambrosius stand neben ihr und führte die Unterhaltung. Rosa schlug ihre Augen voll zu ihm auf, und er blickte angestrengt in diese blauen runden Augen. Das machte für beide dieses Zusammensein zu einem bedeutungsvollen.

»Gute Augen!«, pflegte Ambrosius später zu Lurch zu sagen.

»Wer? Ah, Fräulein Rosa!«

»Ja – hm – Fräulein Herz. Man muß eben verstehen, den rechten Funken aus Weiberaugen herauszuschlagen.« Ambrosius kniff die Augenlider zusammen, um die Methode anzugeben. »Verstehen muß man das, damit die Mädel einen so recht anschauen; die Augen aufschlagen und einen so plötzlich ansehen, so – wissen Sie?«

»Ja.« Lurch verstand ihn.

Den guten Herweg hatte Lanins schöner Neffe aus Rosas Herzen verdrängt. Ambrosius hatte auch viel vor Herweg voraus, nicht nur den blanken Hut und die besser gemachten Kleider, sondern auch – was mehr war – er hatte vor Herweg den festen Glauben an seine Unwiderstehlichkeit, die große, wahre Bewunderung seiner selbst voraus. Er liebte Rosa, weil er es sich so vorgenommen hatte. Aber es lag nicht in seiner Art, sich mit dem bloßen Bewußtsein gegenseitiger Liebe zu begnügen, dazu erregte das lebhafte Mädchen mit dem schönen, klugen Lächeln, der naiven Kühnheit seiner Gefallsucht, den blanken, sinnlichen Augen viel zu lebhafte Wünsche in Ambrosius' weichem Gemüte. Halb war es die brutale Lüsternheit nervöser Menschen, halb die Beharrlichkeit des Gecken, der einen jeden zur Bewunderung zwingen will.

Eines Sonntags, als Rosa am Laninschen Hause vorüberging, stürmte Fräulein Sally an das Fenster und bat Rosa, sofort hereinzukommen, sie müsse ihren Rat einholen.

Rosa fand den Laninschen Salon in sonntäglicher Ruhe und Ordnung. Auf den Tischen lagen schwarze Andachtsbücher, die Möbel hatten sich der weißen Überzüge entledigt und prangten im Vollglanz des roten Manchesters. Der starke Duft der Sonntagskohlsuppe erfüllte das Gemach, und Fräulein Sally stand in dieser Atmosphäre fröhlich und unbefangen, als wäre das ihr Element. Sie hatte heute die Trauer um den Onkel abgelegt und trug ein nettes weißes Kleid, das bei jedem Schritt angenehm knisterte, als wäre Fräulein Sally ein Papierkorb.

»Ah, da bist du ja!«, rief sie Rosa entgegen. »Der Cousin und ich – wir beraten uns hier eben über das Fest.«

Ein stolzes Lächeln umspielte Fräulein Sallys Lippen. Ambrosius begrüßte Rosa mit einer hübschen Verbeugung und streckte sich dann wieder nachlässig in seinem Sessel aus. Rosa vermochte nur »Ah, wirklich!« zu erwidern.

»Ja, morgen – du weißt«, sagte Fräulein Sally. »Setz dich, mein Herz. Es kommt nämlich darauf an –«, sie rieb sich geschäftig das Knie und schaute ihren Vetter an.

»Ja«, versetzte dieser und lächelte gutmütig, »es kommt darauf an, wie man dieses – hm – dieses kleine Fest, diesen kleinen gemütlichen Tanzabend, eigentlich thé dansant, gehörig arrangiert. Nun, ich – wenn die Damen meine Meinung hören wollen, ich –« Er schwieg und blies den Rauch seiner Zigarette durch die Nase.

Die beiden Mädchen sahen ihn gespannt an, als aber nichts erfolgte, ergriff Fräulein Sally wieder das Wort: »Die Treppe muß geschmückt werden.«

»Das kann nichts schaden«, meinte Ambrosius.

»Ja, Pflanzen – tropische Pflanzen«, fuhr Fräulein Sally fort. »Ich habe vier Myrthenstöcke, du, Rosa, hast einen Geranium. Gott, es findet sich schon.«

»Vielleicht könnte man auch in den Salon Blumen stellen?«, schaltete Rosa ein.

Fräulein Sally war unschlüssig, Ambrosius begeisterte sich aber für diesen Gedanken. »Gewiß, Gruppen, warum nicht? Sehr gut – hm – Gruppen.«

»Gut also.« Fräulein Sally fuhr mit der Hand über ihr Knie, zum Zeichen, daß dieser Punkt abgetan sei. »Wir kommen jetzt zu den Erfrischungen. Zum Beginn Kaffee, natürlich. Ich habe mir gedacht, ein Viertel Zichorie, und so – du weißt? Während des Tanzes werden Butterbrote gereicht. Vielleicht – vielleicht erlaubt es der Papa, die Pariser anzuschneiden, das wäre himmlisch!« Fräulein Sally zählte alle Genüsse des Festes eifrig auf. Sie verstand es, den gewöhnlichsten Dingen einen Nimbus des Großartigen und Vornehmen zu geben, nur durch die Art, in der sie von ihnen sprach.

Ambrosius gab auch Ratschläge in seiner nachlässigen, mitleidigen Weise. Seine Pläne zeichneten sich jedoch durch zu große Überschwenglichkeit aus. So wollte er im Damenzimmer ein Zelt aus Seidengaze aufschlagen und es mit bunten Lampen erleuchten.

Fräulein Sally war dem nicht ganz abgeneigt; sie meinte, man könne dazu die baumwollenen Bettvorhänge ihrer Mutter und die Speisezimmerlampe verwenden.

Rosa machte hin und wieder auch einen Vorschlag, den Fräulein Sally gewöhnlich bekämpfte und den Ambrosius warm vertrat.

Es dämmerte; die Ecken des Gemaches wurden ganz finster, nur in der Nähe des Fensters lag noch ein unsicheres Licht.

Fräulein Sally sprach eifrig, die beiden anderen waren einsilbig. Nur selten schaltete Ambrosius ein »Hm« oder einen zusammenhanglosen Satz ein. Er war mit anderen Dingen beschäftigt. Vorsichtig hatte er Rosas Hand ergriffen und hielt nun dieses willenlose, warme kleine Ding, legte es dann wieder fort, um eine sehr heiße Wange zu streifen.

Fräulein Sally war bei ihrer Toilette angelangt. »Nicht wahr, denkst du nicht auch?«, wandte sie sich an ihre Freundin, die nur ein heiseres »Ja« verlauten ließ. Fräulein Sally wunderte sich nicht darüber. Sie wußte, ein hübsches Kleid war für Rosa ein unliebsames Thema. Natürlich, sie hatte ja nur das weiße Musselinkleid, das sie schon zu ihrer Einsegnung getragen, das arme Mädchen.

Der Mond kam plötzlich über dem Giebel des gegenüberliegenden Hauses zum Vorschein und zeichnete das Fensterkreuz auf den Estrich, groß und schwarz auf goldenem Grunde. Alle schwiegen. Fräulein Sally neigte das Köpfchen und blickte zum Fenster hinüber. Rosa rückte ihren Stuhl in den Mondschein hinein und saß still und feierlich da; sie fühlte, sie sei schön. Ambrosius starrte sie, rot vor Erregung, an; auch Fräulein Sally konnte ihre Bewunderung dieser blonden, mondbeglänzten Gestalt nicht versagen; um auch ihren Teil an dieser Schönheit zu haben, beugte sie sich an Rosa heran, legte die braunen Löckchen an die blonden Zöpfe und sagte zärtlich: »Mein liebes, liebes Herz!«

»Es ist spät«, versetzte Rosa ernst und gerührt, wie es Mädchen zu sein pflegen, die sich gerade schön wissen. Sie erhob sich, um heimzugehen. Das Mondlicht war so hell, daß es fast wie Tageslicht über dem Städtchen lag. Ein bläulicher Glanz erfüllte die Luft und blitzte auf den Fensterscheiben. Rosa ging langsam ihre Wege, sah in die Mondscheibe und atmete hastig und tief, als ließe sich das Licht trinken. Mitten auf dem Marktplatz stand der Apotheker und hielt seine Uhr gegen den Mond, um zu sehen, wie spät es sei. Aus dem Fenster eines Erdgeschosses beugte sich eine Dienstmagd heraus und legte ihre mächtigen nackten Arme vor sich auf das Fensterbrett, um sie in der Abendluft zu kühlen, neben ihr saß ein Bursche und hielt mit beiden Händen des Mädchens dicke, rote Backen. In einem Winkel zwischen zwei Häusern stand die Trödlerstochter Ida Wulf mit ihrem Schusterbuben. Sie drängten sich aneinander und kicherten.

Rosa hörte eilige Schritte hinter sich und blieb stehen. Ambrosius war es, außer Atem und sehr erregt: »Oh! Fräulein Herz, gnädiges Fräulein, gehen Sie schon heim?«

»Ja, es ist spät«, erwiderte Rosa und begann mit kleinen Schritten weiterzugehen.

»Ja! – hm – Oh, gnädiges Fräulein, ich wollte nur... ich muß. Sie sind mein Ideal; gewiß, mein Ideal!« Nun ward er feurig: »Vorhin – im Mondschein, Sie waren zu schön. Ich muß es Ihnen sagen. – Seien Sie nicht grausam, Sie sind ein Engel – hm – mein Engel.« – Rosa war bestürzt, dennoch kam ihr der Gedanke: »Jetzt ist der Augenblick gekommen, so muß es sein! Jetzt muß etwas geschehen, und wenn du nichts sagst und nichts tust, dann ist es vorüber.« Aber sie sagte und tat nichts.

»Müssen Sie wirklich nach Hause?«, fragte Ambrosius schmelzend.

»Ja, mein Vater erwartet mich.«

»Wir müssen also scheiden. Geben Sie mir Ihre Hand, o Liebe!« Ambrosius nahm Rosas Hand, dann Rosa selbst und küßte ihre Lippen, dann ließ er sie los. Schweigend und zitternd standen sich beide gegenüber. Schritte wurden hörbar. »Auf Wiedersehn«, flüsterte Ambrosius, »mein Ideal« – und hastig fuhren sie auseinander.

An der Treppe der Herzschen Wohnung fand Rosa Ida Wulf. Das Judenmädchen richtete seine schwarzen Augen forschend auf Rosa und lächelte ein altes, überlegenes Lächeln.

»Nun, Ida, was treibst du?«, fragte Rosa.

»Nichts, Fräulein Rosa. Schön ist es heute.« Rosa nickte. »Fräulein Rosa«, fuhr Ida leise fort und legte zwei magere braune Hände auf Rosas Arm. »Dieser junge Herr bei Lanins, der ist schön, nicht? Ich bin auch verliebt in ihn.« Rosa schlug die Augen nieder und sagte unsicher: »Du solltest um diese Zeit schon zu Bette sein, Ida.«

Das Judenmädchen lachte. »Nein! Ich bleibe lange draußen. Aber Fräulein Rosa, ich kenne viele, viele Stellen, wo man zusammen sein kann. Sie wissen, Fräulein Rosa, so allein. Der Peter, Sie wissen, Fräulein Rosa, der garstige Schusterbub und ich, wir wissen alle solche Stellen. Soll ich sie Ihnen zeigen, Fräulein Rosa?« Dabei nahm Ida einen von Rosas Zöpfen und wog ihn in der flachen Hand. »Wozu?«, erwiderte Rosa. »Was machst du denn dort mit dem Schusterbuben?«, fügte sie hinzu und blickte über das Judenmädchen hinweg.

»Wo?«, fragte Ida ernst.

»Nun – an – an jenen Stellen« –

»Oh, der Peter!«, kicherte Ida, »wie der garstig ist – das kann ich Ihnen gar nicht sagen, Fräulein Rosa.« Mit diesen Worten lief Ida davon. Rosa stand noch einen Augenblick sinnend an der Treppe und hörte die schweren Schuhe des Judenmädchens die Straße hinabklappern.

10.

Am Montage fand Fräulein Schank ihre Schülerinnen nicht allzu fleißig bei der Arbeit. Die pflichttreuesten – selbst Marianne Schulz – hatten Augenblicke gänzlicher Geistesabwesenheit. Fräulein Sally war stolz und sinnend, als laste eine große Verantwortung auf ihr. Fräulein Schank zeigte sich heute nachsichtig gegen den Mangel an Aufmerksamkeit. Sie benützte nur die Gelegenheit, um eine Rede zu halten, in der sie die These aufstellte: »Nur nach getaner Arbeit schmeckt das Vergnügen.« Diese Behauptung sollte auch das

Thema für die nächste schriftliche Arbeit sein. Die nächste Arbeit? Großer Gott, wie fern lag die! Die nächste Arbeit? – Also in einer Zeit, da der Ball längst vorüber sein wird. Nach dem Ball! Das war eine Zeitrechnung, die keiner begriff. Marianne Schulz riß ihre Augen auf, als Fräulein Schank die Aufgabe für den folgenden Tag stellte. Das Wort »Die Gesellschaft«, das Fräulein Sally so großartig auszusprechen verstand, erfüllte Marianne mit andächtiger Freude. Sie, die kaum an den großen Augenblick zu denken wagte, in dem sie wirklich das weiße Musselinkleid und den grünen Gürtel würde anlegen dürfen, sie sollte an einen Tag glauben, da alles vorüber sein würde? Das konnte sie nicht, Fräulein Schank dünkte ihr eine Kassandra, die unheimliche, traurige Schicksalssprüche in die Welt hinausruft.

Nun – und dann war er da, dieser große, beseligende Abend.

Der Kronleuchter des Laninschen Saales strahlte. Der Estrich war wohlgebohnt. Die Stiegen prangten im Schmuck der Girlanden, die den Eintretenden mit dem angenehmen Festduft welkender Kränze umwehten. Fräulein Sally, in einem blauen Tarlatankleide, stand regungslos unter dem Kronleuchter und harrte ihrer Gäste. Sie legte einen Finger an die Lippen und wandte den Kopf zurück, mit der zarten Anmut jener Damen in den Modeblättern, unter denen »Rückseite der Balltoilette« zu lesen ist.

Rosa war die erste, die in den Saal trat. Ja, sie trug das weiße Einsegnungskleid; aber einige rote Haubenbänder aus dem Nachlaß des Fräulein Ina gaben ihm ein neues, buntes Ansehen. Und dann – dieses kindliche Kleid, in dem Rosa fromm und andächtig vor dem Altar gestanden, es war soweit verweltlicht, daß es ihr Hals und Schultern frei ließ. Die Haare bildeten über dem Scheitel einen Strauß von Löckchen, und mitten in ihnen saß eine rote Kamelie, auf der sich eine blaue Libelle wiegte. Daß das Rot der Kamelie ein wenig vergilbt war, daß der Libelle ein Flügel fehlte – wer sah das? – außer Fräulein Sally, die mit einem Blick alle Mängel des Anzugs ihrer Freundin herausgefunden hatte. Mängel waren genug da; dennoch wollte es Fräulein Sally scheinen, als sei der Triumph des blauen Tarlatan über den weißen Musselin nicht vollständig. In Rosas Anzug lag etwas Gewolltes, Kühnes, etwas, das man an Schankschen Schülerinnen nicht gewohnt war. Statt des Inbegriffs einer Balltoilette, statt des weißen Kleides, der rosenfarbenen Schärpe und dem Rosenkranz auf dem glattgescheitelten Haar hatte dieses Kleid, das so weit von den Schultern herabfiel, hatten die roten Bänder, die nickenden Locken, hatte alles in Fräulein Sallys Augen das Überraschende und Abenteuerliche eines Maskenanzuges. Es war unschicklich, ja! – und doch...

»Ah! Rosa! Schön, daß du die erste bist«, rief Fräulein Sally und lächelte, als würden auch ihre Lippen von einem zu engen Schnürleib bedrückt. »Ich meinte, ich könnte dir helfen«, erwiderte Rosa. Sie küßten sich, langsam die Köpfe zueinander neigend – vorsichtig – um die Kleider nicht zu zerknittern. Dann gingen sie, mit kleinen Schritten, nebeneinander auf und ab, wehten sich Kühlung mit den Taschentüchern zu und unterhielten sich höflich – kurze Sätze, bei denen die Blicke zerstreut im Gemach umherirrten. Fräulein Sally erklärte die Einrichtung: »Hier das Damenzimmer. Sehr gut – nicht wahr? – – Hier das Zofenzimmer –; du weißt, jemand tritt einem auf die Schleppe – ein Band – oder sowas... eine Zofe ist immer nötig.« Das Zofenzimmer war ziemlich düster, nur eine Kerze brannte in demselben. Zwei Zofen waren bereits da. Agnes Stockmaier und Fräulein Suller, die Wirtschafterin der Lanins. Sie saßen vor ihren Kaffeetassen, steckten die greisen Köpfe zusammen und plauderten leise. »Gut?«, fragte Fräulein Sally.

»Ja, o ja!«, erwiderte Rosa, obgleich es ihr schien, als habe dieses Gemach, mit seiner tief brennenden Kerze, mit den beiden altbekannten Gesichtern, etwas Alltägliches an sich, das zu dem großen Abend nicht recht stimmen wollte. Sie hatte sich ein Zofenzimmer doch anders gedacht.

Die Gäste kamen. Ein Flüstern, ein Rauschen der Mäntel und Tücher – dann zogen sie ein in langen Reihen, die Damen in weißen Kleidern mit bunten Bändern. Runde Kränze lagen auf den spiegelblanken Locken; die Hände, in weißen Handschuhen, drückten sich fest an den Gürtel. Eine Schar Konfirmanden, die mit den weißen Kleidern auch die feierlich ernsten Gesichter angelegt hatten. Unsicher trippelten sie über den glatten Fußboden und blinzelten zum Kronleuchter auf. Hinter ihnen die Mütter in dunklen Seidenroben. Freundliche Gesichter, die aus großen Spitzenhauben hervorlächelten. Endlich die Herren – sehr korrekt in schwarzen Fräcken und mit stark geöltem Haar. Schüler gingen Arm in Arm im Saal umher, stießen sich in die Seite und kicherten. Handlungsdiener stellten sich an die Wand und machten Verbeugungen. Herr Klappekahl erschien mit seiner Tochter Ernestine, einem großen blonden Mädchen, das nicht mehr die Schule besuchte, ein gelbes Schleppkleid, einen Veilchenkranz und einen Fächer trug. Herr Lanin, ein Stück Ordensband im Knopfloch, begrüßte seine Gäste wohlwollend und würdig, während seine Gattin – in grauer Seide – mächtig und liebenswürdig grüßend durch die Menge schritt. Anfangs gab es ein steifes, unbehagliches Umherstehen, bis Fräulein Sally die Damen zu den Sitzen nötigte, einige bei den Händen nahm und sie zu den Stühlen führte – mit einer Miene, auf der deutlich die Pflichterfüllung zu lesen war. Die

Mütter setzten sich auf Sofas und begannen ihre Gespräche über Dienstboten; Gespräche, die den Töchtern eine Profanation des Abends dünkten. Herr Lanin klopfte dem Doktor auf den Rücken und forderte ihn zu einer Partie auf; »während die Jugend hüpft« – und sie taten beide der Jugend leid. Klappekahl blieb im Saal. Mit knarrenden Stiefeln ging er zwischen den Damen umher, lachte, scherzte – mit ritterlichen Bewegungen eines alten Salonhelden –, steckte sein Gesicht noch zu den errötenden Mädchengesichtern und weißen Kinderschultern und ergötzte sich als raffinierter Großstädter an all den aufblühenden Frauenreizen. Rosa stand mitten im Saal und sprach mit Herweg über die Hitze des heurigen Sommers: jedoch Ambrosius' Ausbleiben beunruhigte sie. Endlich kam er. Spät – natürlich! Er hatte einen Spaziergang gemacht, der Abend war so schön! Sein Anzug war untadelhaft. Wie eine weiße Rüstung wölbte sich die Wäsche aus der weitausgeschnittenen Weste hervor. Die Locken glänzten und dufteten zu beiden Seiten des Scheitels. Er fächelte sich Luft mit seinem Hute zu sprach mit den Müttern. Oh, er war bewunderungswürdig mit seiner heiteren, unbefangenen Ruhe in diesem Augenblick, der alle anderen mit andächtiger Steifheit erfüllte!

Erfrischungen waren gereicht worden. Die Damen wischten sich zart die Fingerspitzen an ihren Taschentüchern und saßen gerade da. Der Tanz sollte beginnen; es war jedoch nicht leicht, den Anfang zu machen, da meinte Ambrosius, unbefangen lächelnd, als handle es sich um einen geringfügigen, lustigen Umstand: »Nun, Cousine, tanzen wir nicht?« – »Oh, gewiß, Cousin! Machen Sie den Anfang, bitte – bitte.« Man rief nach Musik. Fräulein Wutter, die Musiklehrerin der Schankschen Schule, setzte sich an das Klavier, und die Musik spielte einen Walzer. Ambrosius ergriff seine Cousine und drehte sie anmutig im Saal herum. Der Bann war gebrochen! Die Mütter strichen sich die Seidenkleider glatt und schauten lächelnd in das wirre Durcheinander flatternder Bänder und weißer Kleider. Die Kavaliere stießen und drängten sich, um zu den Damen zu gelangen und sie mit hastigen, schiefen Verbeugungen zum Tanz aufzufordern; und die Damen, mit niedergeschlagenen Augen, erhitzten Wangen, ließen sich andächtig durch den Saal schwenken. – – Rosa tanzte mit Ambrosius. Er drückte ihre Hand mit einer abgerundeten Bewegung auf sein Herz und blickte gefühlvoll auf sie nieder. »Oh, gnädiges Fräulein! Ich habe viel an den gestrigen Abend gedacht – an Sie – an den Mond – es war köstlich!« – »Ich auch«, erwiderte Rosa und schlug ihre Augen langsam zu ihm auf, gehoben von dem Gefühl, daß sie etwas Kühnes, Unerhörtes beginne. Als sie an der Türe vorübertanzten, sah Rosa ihren Vater dort stehen. Lächelnd wiegte er sein weißes Haupt nach dem Takte der Musik und blickte kritisch auf die vorübertanzenden Füße. Dies greise, lächelnde Männlein erschien Rosa ein wenig verächtlich und ihrer nicht ganz würdig. – Der Kronleuchter warf durch den aufgewirbelten Staub ein rötliches Licht auf die wogende Schar. Das Lächeln auf den Lippen der zuschauenden älteren Leute nahm eine müde Stetigkeit an, während die Tanzenden schweigend, atemlos und eifrig dahinstürmten.

Fräulein Sally wurde sehr gefeiert, und bei jedem neuen Tänzer, der seinen Arm um ihre schlanke, feste Taille legte, betrieb sie das Tanzen ruhiger, geschäftsmäßiger. Sie machte einen äußerst routinierten Eindruck, und das wollte sie. Rosa war auch viel umworben, ihre Triumphe erregten sie jedoch, ihre Lippen wurden heiß und die Augen leuchtend, »wie Girandolen«, sagte Klappekahl mit einem großstädtischen Fremdwort. In der Tat! Sie fühlte sich heute schön und anziehend. Ihr war es, als stehe sie hoch über ihren Genossinnen, als käme sie aus einer fremden, vornehmen Welt in diese Gesellschaft beschränkter Schülerinnen und dürfte mit Verachtung auf die schüchternen Backfischmanieren und engen Vorurteile dieser kleinen Mädchen mit den hoch über die Schultern gehenden Kleidern herabsehen. Sie sprach während der Rundtänze. Sie wurde müde, und die Herren mußten lange neben ihr warten. Sie forderte den Apotheker zu einem Walzer auf, und als er ihr viel Liebenswürdiges zuflüsterte, gab sie neckische Antworten, die alle mit »mein Herr« begannen oder schlossen. Oh, viel hatte sie heute abend gelernt! War sie nicht eine ganz andere Person? Wie im Fieber, aber in einem beglückenden, erhebenden Fieber, flatterte sie durch den Saal. Die Überzeugung, der Mittelpunkt des Festes zu sein, verschönte sie.

Klappekahl beugte sich nah an Fräulein Schanks braune Bandeaux heran und flüsterte: »Sehen Sie doch die Rosa Herz. Welche verve! Die schaut nicht aus, als käme sie aus Ihrer Schule.«

»Ach was«, meinte das Fräulein und machte ein Gesicht, als habe Klappekahl wieder seine Aufgabe nicht gelernt. »Sie werden das Kind ganz zur Närrin machen; es ist ohnehin heute laut genug.«

»Bühnenblut!«, kicherte Klappekahl, »aber famos – diese Büste!« Fräulein Schank tat. als höre sie ihn nicht, und saß ernst und gerade da.

Es wurde eine Pause gemacht, die Damen sollten sich vor dem Souper erholen. Die Mädchen legten ihre nackten Arme ineinander und gingen langsam im Saale auf und ab. Die Herren lehnten an der Wand und flüsterten miteinander. Nur Ambrosius hatte sich den Damen angeschlossen. Mit kleinen Schritten neben ihnen einhergehend, führte er die Unterhaltung. Er schilderte Fräulein Klappekahl den Eindruck, den der erste Theaterabend auf ihn gemacht hatte, wie ein Traum sei ihm alles erschienen, er habe vor Aufregung fast mitgesprochen, und später habe er die ganze Nacht über geweint, denn er sei ein nervöses, phantastisches Kind gewesen, sozusagen »phantastisch-träumerisch«.

Rosa lehnte einsam in der Türe des Damenzimmers und schaute sinnend in den Saal hinein. Sie durfte heute nicht das tun, was ihre Genossinnen taten; sie hatte einen Nimbus zu wahren. Die Würde einer Ballkönigin war ihr noch zu neu, und sie fürchtete beständig, diese Würde zu verletzen. Jeder Augenblick, der sie an die gestrige, gewöhnliche Rosa Herz erinnerte, be-drückte sie. Die Kühnheit, mit der sie einige Schüler neben sich hatte warten lassen, mit der sie während des Tanzes gesprochen und gelacht, machte sie in ihren Augen – zu einer glänzenden, mutwilligen Gesellschaftsnixe, die alle Herzen betört und selbst ein geheimnisvolles Herz unter dem knappen Mieder trägt. Großer Gott! Wenige rote Bänder, einige Handlungsdiener, die sich um einen Walzer stoßen, einige neidische Freundinnenaugen machen aus einem glücksarmen Mädchen eine übermütige Ballkönigin! Gebt solch einem jungen Herzen, das in seinem kärglichen Leben stets von grenzenloser Seligkeit träumt, gebt ihm einen kleinen Augenblick ganz gewöhnlicher Lustigkeit, und es wird in diesem einen lustigen Augenblick eine ganze Seligkeit hineinzwängen. Rosa gab sich – dort am Türpfosten – einem tiefen wehmütigen Sinnen hin, das sie dennoch glücklich machte. Denn neben der schönen, gefeierten Rosa lebte noch Rosa, die Schanksche Schülerin im weißen Musselinkleide, und diese bewunderte das traurige Sinnen der gefeierten Rosa.

Ambrosius ward zerstreut und wiederholte sich in der Schilderung seines poetisch-träumerischen Kindergemütes. Er mußte beständig zu Rosa hinüber-schielen, den ganzen Abend schon nagte die Bewunderung für das Mädchen an seinem weichen Herzen. Die Anerkennung, die ihr andere zollten, erhöhte sein Verlangen, und dennoch war es ihm, als versagte Rosa durch die Huldigungen, die sie entgegennahm, ihm einen Teil der Verehrung, die sie ihm schuldete. »Ich meine, es ist Zeit, ein wenig nach dem Souper zu sehen«, meinte er neckisch und verließ Fräulein Klappekahl, die diese Neugier des Herrn von Tellerat köstlich fand.

Ernst und erregt trat Ambrosius an Rosa heran.

»So nachdenklich?«, fragte er.

Rosa blickte starr zum Kronleuchter auf.

»Soll ich in Ihren Augen lesen?«, fuhr er fort.

»Vielleicht«, meinte Rosa.

»Oh, ich lese schon – einen wahren Roman.«

»Roman? Wer weiß?«

»Ja – ich weiß es!« Ambrosius sprach mit halber Stimme und etwas heiser: »Ich erzähle ihn dir – später – hm – Liebchen.«

Rosa zuckte leicht mit den Schultern, errötete und warf einen scheuen Blick auf Ambrosius, der ebenfalls dunkelrot geworden war und mit brennenden Augen auf die Lippen des Mädchens starrte.

Man ging zum Souper.

Frau Lanin öffnete die Türen des Speisesaals und machte Komplimente wie ein Herr. Dieser Einladung folgend, erhoben sich die älteren Damen, schüttelten freudig die Müdigkeit ab, die auf ihnen lastete, und knüpften neue Gespräche an, während sie langsam in den Speisesaal einzogen, denn keine wollte zu eilig erscheinen. Die junge Schar drängte nach. Auch hier erwärmte die Erwartung des Mahles die Heiterkeit. Die Tafel reichte von einem Ende des Gemaches bis zum anderen. Viele Kerzen in silbernen Armleuchtern gaben ihr ein glänzendes Ansehen, und die Fülle der aufgetragenen Speisen hatte etwas Großartiges. Am unteren Ende der Tafel stand Fräulein Sally – ruhig, fast gleichgültig. Sie war mit all den Herrlichkeiten viel zu vertraut, um das freudige Staunen der Gäste zu teilen.

»Sallychen, Sie haben viel zu tun gehabt; aber dafür ist es auch schön«, sagte Fräulein Schank und legte zärtlich ihre strenge Hand auf Fräulein Sallys heiße Wangen.

»Ich hoffe, es ist nicht ganz mißlungen«, erwiderte Fräulein Sally kühl.

»Sehen Sie nur, liebe Schank!«, rief das alte Fräulein Katter, das sich von Fräulein Schank führen ließ, »sehen Sie nur, um des Himmels willen – ein ganzes Schweinchen! Wie lieb das ist!«

Ja, ein ganzes kleines Schweinchen lag auf der Schüssel, weich in Salatblätter gebettet. Sorglos seine braune Kindernacktheit zeigend, schien es zu schlummern.

»Welche Überraschung!«, meinte Fräulein Schank.

»Ja«, versetzte Fräulein Sally kurz und schob mit hartem, rücksichtslosem Finger den Kopf des kleinen Tieres auf den Salatblättern zurecht.

»Nur tapfer heran«, ermunterte Herr Lanin die jungen Leute und stieß einige von ihnen jovial in den Rücken. »Wenden Sie sich nur an meine Tochter. Sie – Toddels – Sie, Herr von Kollhardt – wenden Sie sich nur an Sally.«

»Sogleich, lieber Papa«, entgegnete Fräulein Sally gereizt. »Allen zugleich kann ich nicht dienen! Fräulein Katter, wünschen Sie ein Stück Ferkel?«

»Fast ist es schade, das liebe Tier anzuschneiden«, entgegnete das alte Fräulein, lachte und sah dabei Fräulein Schank an, diese aber wollte nicht mitlachen.

»Setzen wir uns, meine Herren!«, schrie Klappekahl und rückte seinen Stuhl ganz nahe an den Tisch heran. »Nur keine Bescheidenheit, das ist die schlechteste Politik; auf dem Ball muß ein jeder versuchen, den schönsten Bissen zu erwischen – sowohl beim Tanz sowie beim Souper. Das ist kalter Truthahn, nicht wahr, Fräulein Sally? Ah, superb! Ich bitte um ein Stück; von Ihrer Hand vorgelegt, schmeckt es um so besser. Ein gutes Stück ist in unserem Alter das einzige, was wir von jungen Schönen beanspruchen dürfen. Wie, Doktor? Ah! Fräulein Mariannchen, Sie setzen sich neben mich! Superb! Fräulein Sally, ich bitte um ein Stück Truthahn für meine Nachbarin.«

»Marianne!«, ertönte Fräulein Sallys Stimme im scharfen Geschäftston. »Wünschen Sie auch Aspik?«

Marianne schwieg und schaute Fräulein Sally andächtig aus ihren runden Augen an.

»Aspik?«, wiederholte Fräulein Sally und sprach dieses Wort so glatt und geübt aus, daß es wie einsilbig klang; als Marianne aber immer noch nicht verstehen wollte, zuckte Fräulein Sally die Achseln und reichte ihr den Teller.

»Ah, das ist Aspik?«, flüsterte Marianne und starrte den roten Gallert verklärt an. »Ist Aspik immer so?«, wandte sie sich schüchtern an den Apotheker.

»Ja – o ja!«, erwiderte dieser mit vollem Munde, »immer – von jeher –«

»Gewiß! Ich sage«, ertönte die gewichtige Stimme des Hausherrn, »hören Sie, Doktor, was ich sage. Ich sage also: Essen ist allerdings eine Arbeit, zu der man einen gewissen Ernst mitbringen muß. Essen rechne ich quasi unter die Pflichten.«

»Ich bitte um ein wenig Pastete. Ich kenne meine Pflicht. Ich vergrabe nicht mein Pfund«, rief Klappekahl dazwischen.

»Nein«, fuhr Herr Lanin fort, »ins Lächerliche kann man alles ziehen. Aber – abgesehen von allen Witzen – ich sage: der Mensch muß essen. Durch das Essen führen wir uns Lebensstoff zu. Das zweite ist: Bewegung. Da verarbeiten wir den empfangenen Stoff. Das dritte – sage ich – ist: Wissenschaft!« Dabei schlug er so kräftig auf den Tisch, daß Marianne Schulz erschrocken zusammenfuhr. »Wissenschaft! Denn den verarbeiteten Lebensstoff müssen wir dazu verwenden, uns Wissenschaft zu erwerben und unseren Geist zu bilden«, dabei machte Herr Lanin ein Handbewegung nach oben, als müßte der gebildete Geist sehr hoch aus seinem Kopfe herauswachsen.

»Ach, das sind Ihre systematisch-hegelschen Ideen, bester Lanin«, wandte Klappekahl ein.

Herr Lanin machte eine würdevolle Miene. Ja, seine Ideen waren vielleicht hegelsch, er wollte das nicht in Abrede stellen. Hegel aber, meinte er, habe auch manches Gute. Das ärgerte den Apotheker. Hegel war ein Phantast, behauptete er, nichts weiter. Heutzutage brauche man Positives. Er – Klappekahl – hielt es mit Darwin.

»O Gott!«, rief Fräulein Schank leise, und Fräulein Katter fragte teilnehmend:

»Ist Ihnen etwas in die falsche Kehle gekommen, liebe Schank?«

»Nein – aber Darwin. Hörten Sie denn nicht?«

»Pfui, pfui, der schlechte Affe!«, versetzte darauf das alte Fräulein erschrocken.

»Ja, ich stamme vom Affen ab!«, fuhr Klappekahl warm fort. »Ich bin stolz darauf, denn daß ich kein Affe bin, verdanke ich den Anstrengungen meiner Ahnen und – sozusagen – meinen eigenen Anstrengungen. Der Mensch ist ein Parvenü, aber er soll sich seiner Abkunft nicht schämen – er soll sich vielmehr der errungenen Stellung, des errungenen Vermögens freuen: des Intelligenzvermögens«, und der Redner streckte seine flache Hand über den Tisch, als läge das herrliche lange Wort darauf und sollte allen serviert werden.

»Moralisches Gefühl und Rechtsbewußtsein kann sich niemand erwerben, das wird uns von oben verliehen«, wandte Herr Lanin mit feierlicher Bestimmtheit ein, wie ein Priester bürgerlicher Moral – der er war.

Rosa hatte sich dicht unter einen Armleuchter gesetzt und aß. Ambrosius stand schweigend hinter ihr und bediente sie. Ein leichter Dampf, von den Speisen aufsteigend, trübte die Luft, und die Kerzen hatten mattgelbe Flammen, wie Lichter im Nebel. Es war heiß im Gemach. Mit roten Wangen und Augenlidern lehnten sich die Anwesenden in ihre Sessel zurück; vor ihnen das wirre Durcheinander großer Speisereste. Das Bild war häßlich, wie es ein zu Ende gehendes Festmahl zu sein pflegt. – Unter all den erhitzten satten Leuten schien Rosa, still über ihren Teller gebeugt, für Ambrosius, der sie aufmerksam und andächtig betrachtete, etwas Feierliches und Poesievolles an sich zu haben, etwas, das sie von ihrer Umgebung absonderte und sie mit wärmerem, zarterem Lichte verklärte. Legt in zwei ganz alltägliche Augen nur ein kleines Fünkchen junger Liebe und Leidenschaft, und diese Augen werden euch um vieles vornehmer erscheinen.

»Ich bin satt – und Sie«, sagte Rosa und wandte sich lächelnd nach Ambrosius um.

»Oh, ich«, erwiderte Ambrosius, »ich mag nicht!«

»Doch! Ich gebe Ihnen meinen Platz. Ich bin fertig.«

Wie sie das so einfach gesagt hatte, fand er nicht sogleich etwas Zierliches zu erwidern und setzte sich auf den Stuhl, den Rosa ihm überließ.

Im Saal nebenan waren die Fenster geöffnet worden, um frische Luft zuströmen zu lassen, und der Zugwind jagte den aufgewirbelten Staub um die Flammen des Kronleuchters. Rosa stellte sich an ein Fenster. Kühl schlug ihr die Nachtluft entgegen und erschreckte sie fast. – Ein heftiger Sommerregen fiel rauschend und duftend nieder. Der Marktplatz lag finster da, nur die feuchten Steine hatten einen matten, unsicheren Glanz. Im gegenüberliegenden Hause, hoch oben in einem Erkerfenster, war Licht. Eine Lampe stand auf einem Tisch. Rosa vermochte ihre Blicke von diesem ruhigen, schläfrigen Lichte nicht abzuwenden, obgleich es ihr zuwider war. Glänzte es nicht dort oben so dumm und fade, als wüßte es nichts von der aufregenden Welt des Laninschen Salons. Plötzlich erschien auf der Wand ein Schatten, eine jener großen, wunderlichen Figuren, wie wir sie an stillen Winterabenden mit müdem Auge zu betrachten lieben. Hierauf trat eine Frau an den Tisch. Sie trug ein geblümtes Kamisol und band sich eine Nachthaube um ihr ruhiges weißes Gesicht. Sie gähnte; deutlich sah Rosa den weitgeöffneten Mund. Die Frau ergriff die Lampe, und beide verschwanden. Rosa wandte sich schnell ab – dort im Speisesaal saßen sie noch alle beisammen in der trüben Luft, unter den Kerzen, die jetzt dunkel brannten. Herr Lanin beugte sich über den Tisch und starrte vor sich hin, sein Gesicht war dunkelrot, und er atmete schwer. Klappekahl rauchte eine Zigarette. Er hatte den Arm über die Lehne seines Stuhles gelegt und erzählte Marianne Schulz etwas, blickte jedoch beständig in den Spiegel, der ihm gegenüber hing. Ambrosius saß noch auf dem Stuhl, den Rosa ihm abgetreten hatte, und unterhielt sich mit Toddels. Aufmerksam betrachtete Rosa das Nicken dieses glattgekämmten Zopfes, und die Art, wie Ambrosius ein Brot über seinem Teller brach, fand sie schön. O ja, sie liebte ihn! Sie wußte das ganz gewiß. So und nicht anders war es, wenn man liebte. Nun konnte alles groß und herrlich werden; und war es nicht schon groß und herrlich? Der gefüllte Eßsaal, das Licht, das in den Bowlegläsern blitzte, das Stimmengesurre – der starke Duft von Speisen, Wein, Zigarren –, war das nicht schon ein Stück der großen Welt? Ein schläfriges weißes Gesicht, das sich mit seiner Nachthaube gähnend zu Bette legte, mußte man verachten und bemitleiden. Rosa stellte sich vor den Spiegel und drückte die gefalteten Hände auf den Gürtel. Hübsch war es, wie das rosige blonde Mädchen dort im Spiegel so tragisch die Hände auf das Herz preßte. »Liebchen«, sagte Rosa vor sich hin, und bei diesem Wort ward ihr zumut, als müßte sie etwas Tolles beginnen, ihr Kleid tiefer von der Schulter ziehn – laut aufschreien – sie wußte es selbst nicht...

»Sehr bedauerlich, daß in der Schule kein Spiegel hängt, sie würde dich dann vielleicht eher fesseln.« Fräulein Schank machte diese Bemerkung und musterte ihre Schülerin mit säuerlichem Blick: »Liebe Rosa«, fuhr sie fort, »benimm dich ein wenig gesetzter. Sich doch Sally an; wie ist sie heute aller-liebst! – Wer hat dein Kleid so toll ausgeschnitten? Es ist unerlaubt. Morgen bringst du's mir; ich werde es ändern. Bald ist es auch elf Uhr; man muß ans Schlafengehen denken.« Rosa warf einen bitterbösen Blick auf die alte Dame, sie hätte sie schlagen mögen und lief hastig fort – mit großer Entrü-stung im Herzen.

Im Zofenzimmer saß Agnes am Tisch und schlief, den Kopf auf die Brust gesenkt. Rosa kauerte sich auf dem Sofa hin, zog die Knie an sich, umfaßte sie mit beiden Armen, stützte ihren Kopf darauf und weinte. Zuweilen schaute sie auf, und dann ruhten ihre Blicke sinnend auf dem stillen Bilde vor ihr. Agnes' altes, schlummerndes Gesicht unter den trüben Flammen der Kerze, die durch Rosas Tränen mit wunderlich krausen Strahlen umringt schien. – – –

Musik scholl herüber. Fräulein Sally trat ins Gemach. »Rosa!«, rief sie, »bist du hier? Was treibst du?« Rosa erwiderte nichts und blickte starr vor sich hin, die Lebenslage, die sie eben noch so drückend empfunden hatte, dünkte ihr jetzt, da sie bemerkt ward, interessant.

»Warum so allein?«, fuhr Fräulein Sally fort und setzte sich neben ihre Freundin. »Du hast geweint? Sag, was gibt es?«

»Nichts«, entgegnete Rosa geheimnisvoll.

»Doch, mein Herz!« Fräulein Sally wurde zärtlich und strich Rosa das Haar an den Schläfen glatt. »Sag es mir.«

»Nichts. Es überkam mich so.«

»Ja, das passiert mir auch häufig. Eben noch dachte ich an den armen Onkel. Weißt du, mitten in all der Lust schnürte es mir das Herz zusammen. Es regnete, und ich mußte denken, jetzt liegt er in seinem Grabe, bei dem Wetter; und erst im Herbst, wenn der Sturm, weißt du, um den Grabhügel heult – oder Schnee... Ach, er war so gut!« Fräulein Sally wischte sich mit dem Taschentuch die Augen und trocknete dann auch Rosas Tränen.

»Komm! Man tanzt den Souper-Walzer. Unsere Abwesenheit könnte auffallen. Komm! Laß uns mutig sein.« Die Arme zärtlich ineinander verschlungen, kehrten die Freundinnen mit langsamen, müden Schritten in den Saal zurück. Dort drehten sich wieder die schwarzen Beine und weißen Röcke umeinander. Die tanzenden Füße übertönten mit ihrem scharrenden Geräusch die sechs sich stets wiederholenden Walzertakte des Fräulein Wutter. Die jungen Leute betrieben ihr lustiges Geschäft mit atemlosem Eifer, die rücksichtslose Hast, in der die Herren nach den erhitzten Dämchen griffen, zeigte, wie einem jeden die schnelle, tolle Bewegung das Wichtigste war, und im gemeinsamen Vergnügen vergaß einer des anderen Person. Dennoch zeigte sich nur selten ein Lächeln auf den jungen Gesichtern. Die Damen hatten rote Wangen und leuchtende, verwunderte Augen. Ihr Blut, von Wein und Bewegung erhitzt, schien den jungen Herzen etwas Ernsteres zu predigen, das sich in den Tanz mischte – etwas, das die wenigsten verstanden.

»Wir haben Sie gesucht, Fräulein Lanin!«, rief Toddels. »Bei Gott, wie eine Stecknadel haben wir Sie gesucht! Ich bitte um Ihren Walzer, Sie sind das mir und sich selbst schuldig.« Fräulein Sally nickte und warf sich hingebend in die langen schwarzen Arme des jungen Toddels. Rosa tanzte mit einem vierschrötigen Sekundaner, einem sogenannten »forschen« Tänzer, der laut mit den Absätzen aufklappte und mit zurückgeworfenem Kopf, die Augen halb geschlossen, durch den Saal rannte. Als sie an der Türe des Eßsaales vorübertanzten, sah Rosa Lurch an der halb abgedeckten Tafel sitzen. Herweg stand vor ihm und trank ihm zu; beide lachten, wobei Lurch den Mund weit und schmerzvoll öffnete.

»Aha! Kollhardt hat den Lurch vor. Das wird Scherz geben«, bemerkte der Sekundaner Georges – Rosas Tänzer.

»Was tut er ihm?«, fragte Rosa.

»Nichts, mein Fräulein, Sie können unbesorgt sein; er säuft ihn nur ein wenig ein«, erwiderte Georges sehr höflich.

Marianne Schulz saß kerzengerade auf ihrem Stuhl und wartete: »Wieviel Uhr ist's, Herr Toddels – bitte«, flüsterte sie. »Dreiviertel elf«, erwiderte er hochmütig und bat Fräulein Klappekahl um ihren Tanz. »Gott sei Dank, erst dreiviertel elf!«, rief Marianne aus. Sie faltete ihre roten Händchen, blickte mit den klaren runden Augen still vor sich hin und wartete auf das große Glück des Abends.

»Wie finden Sie die Rosa Herz heute Abend?«, fragte Frau Lanin den Apotheker.

»Süperb! Sie ist so – so –«, Klappekahl streckte seine fünf Finger empor, um etwas sehr feines anzudeuten, wofür er das rechte Wort nicht fand.

»Ja, o ja!«, nahm Frau Lanin wieder sanft und freundlich das Wort. »Sehr hübsch und munter. Finden Sie nicht, daß sie ein wenig –«, Frau Lanin lächelte fromm, »ein wenig unpassend ist? Sie hat etwas, das nicht hierher gehört. Natürlich nichts Schlechtes! Aber doch etwas Plebejisches.«

»So?«, meinte Klappekahl ernst. »O ja! Es ist so etwas – so...« Wieder hoben sich die fünf Finger, dieses Mal aber bewegten sie sich.

»Nichts Schlechtes!«, fuhr Frau Lanin fort. »Nein! Ich liebe das gute Kind. Ach Gott, es hat keine Mutter zur Seite gehabt, und ohne Mutter, da ist es schwer! Obgleich – die Mutter der Rosa, hätte die gelebt – wer weiß! Es ist vielleicht besser so, wie der liebe Gott es gefügt hat.« Frau Lanin seufzte und schaute der vorübertanzenden Rosa zärtlich nach. »Die gute Schank nimmt sich ihrer an. Ich – soviel ich konnte – ließ dem armen Kinde auch Rat und Hilfe angedeihen. Sie kommt oft zu Sally. Zuweilen ißt sie bei uns. Zu Hause wird sie nicht viel Gutes bekommen, so gönne ich ihr von Herzen einen Löffel Suppe, ein Stück Braten an unserem Tisch. Gott, man tut, was man kann, aber bei diesem Vater! Das arme Kind! Es ist recht – recht traurig!« Träumerisch blickte Frau Lanin auf ihren grauseidenen Leib nieder.

»Ja! Demimonde«, versetzte der Apotheker mit Heftigkeit.

Die Reihe der älteren Leute ward immer stiller und regungsloser, stumm saßen die Mütter da – verdrossene Karyatiden des Anstands. Plötzlich erhob Fräulein Schank ihre scharfe Stimme: »Liebe Mutter! Es ist wirklich genug. Bedenken wir, morgen ist kein Feiertag.« – Eine allgemeine Entrüstung machte sich Luft. »Was untersteht sich diese Person in meinem Hause«, flüsterte Fräulein Sally mit funkelnden Augen. Ein großes Getümmel entstand um das Klavier und Fräulein Schank. Rosa stand ruhig am Fenster. Sie wußte es wohl, dieser merkwürdige Abend konnte nicht – so ohne weiteres – zu Ende sein, nur weil morgen Schultag war. Nein! Aber was konnte noch geschehen? Ambrosius trat eilig an sie heran und sagte leise: »Jetzt – dort durch jene Tür.« Rosa verstand ihn nicht, er aber zog die Stirne kraus und wiederholte heftig: »Dort durch jene Tür – durch den Flur.« Rosa senkte den Kopf und ging auf den Flur hinaus. Die Türe zur Straße hin stand offen, und der Mond warf einen breiten gelben Streif auf die feuchten Steine des Fußbodens. Ein kalter Luftzug strömte herein, und man hörte den weichen Ton einiger Tropfen, die vom Dachrande auf das Pflaster fielen. Zitternd stand Rosa da und bedeckte mit den Armen ihre heißen Schultern. Was sollte geschehen? Sie hörte Schritte neben sich. Ambrosius war ihr gefolgt und zog sie zur gegenüberliegenden Türe, die er aufstieß. Sie standen in einem finsteren Raume. An dem Gewürz- und Fischgeruch erkannte Rosa den Laden. Ambrosius tappte durch das Gemach – schob etwas – räusperte sich; plötzlich fielen Mondstrahlen in die Nacht durch ein kleines Fenster, von dem Ambrosius eben den Laden entfernte, und dieses Licht, wie es so durch die engen, verstaubten Scheiben drang, erschien selbst grau und verkümmert. Nun machte sich Ambrosius mit der Lichtkiste zu schaffen, rückte sie aus ihrer Ecke heraus, befreite sie vom Staub, schob sie hin und her – geschäftig und ernst – mit der peinlichen Langsamkeit träger Leute, die mit großem Zeitaufwand alles für eine Arbeit vorbereiten, an die sie ungern gehen. »So – denke ich, wird es gut sein«, versetzte er endlich. Dann blickte er zu Rosa hinüber und sagte unsicher: »Kommen Sie.« Rosa fürchtete sich, am liebsten wäre sie davongelaufen, und doch hätten die Neugier und der Durst nach Erlebnissen dieses verwegene Mädchen bewogen, in noch wunderlicheren Augenblicken auszuharren. So setzte sie sich auch jetzt langsam auf die Lichtkiste und saß – mit dem scheu erwartungsvollen Blick eines Kindes, das gescholten werden soll – aufrecht da. Sie bedeckte noch immer ihre Schultern mit den Händen, und den Kopf gesenkt, blickte sie auf das gelbe, blasse Licht herab, das auf dem Fußboden zitterte. »Rosa – hm –«, begann Ambrosius leise, mühsam die Worte suchend, als habe er gewußt, was er sagen wollte, und müsse sich wieder darauf besinnen. »Sie – vielmehr du – weißt, daß ich dich – hm – liebe. Ich konnte dich heute nicht allein sprechen. Ich meinte, hier würden wir ungestört beisammen sein. Hier ist es zwar primitiv – aber – hm – warum sprichst du nicht – sage?«, fragte er dann in plötzlicher Hilflosigkeit. »Rosa, ist Ihnen bang?« – Rosa nickte. – »Bang? Aber ich tu Ihnen nichts – gewiß nicht!« Er setzte sich auf die Kiste und ergriff Rosas Hände: »Ich dir etwas tun? Ich lieb dich doch –« Er zog sie ganz nah zu sich heran: »Hier ist es traulich – nicht, Liebchen?«

Rosa lächelte; Ambrosius' Befangenheit gab ihr Mut, und sie blickte zu ihm auf, erschrak aber vor diesem schmerzvoll erregten Gesichte mit den starren Augen, den fest zusammengepreßten Lippen. Sie wollte sich aus den Armen befreien, die sie fest umschlungen hielten, und rief ängstlich: »Oh, Tellerat!« – Er aber hielt sie fest: »Rosa, Rosa«, flüsterte er und drückte mit heißen Händen die nackten Arme des Mädchens. »So ist's gut!... So sind wir beieinander.« Er lachte – er wußte nicht mehr, was er sprach; seine Finger, die krampfhaft sich an Rosa festklammerten, taten ihr weh – sie wollte schreien, dann kam es aber wie große Mutlosigkeit und Müdigkeit über sie – bleich lehnte sie sich zurück und starrte vor sich hin. Menschen, die angestrengt lauschen, etwas erwarten, haben diesen stetigen, abwesenden Blick. Willenlos in die Arme des jungen Mannes geschmiegt, ließ sie alles über sich ergehn, während Ambrosius mit fieberhafter Hast an ihr zerrte. Er bog den blonden Kopf zurück und küßte das ernste Antlitz – er riß das weiße Kleid von den Schultern – warf die ganze schlanke Gestalt in seinen Armen hin und her mit der Brutalität eines Jungen, der seine erste Liebe zu einer Dirne in die Schule geschickt hat. Dann plötzlich, als wäre er erschöpft, als machte die Leidenschaft ihn krank, ließ er die Hände sinken und saß, an das Mädchen gelehnt, ruhig da. Rosa hatte ihren Kopf auf Ambrosius' Schulter gestützt – ihr Gesicht war unbewegt – wie das einer Schlafenden, nur – daß die Augen weit offenstanden und an den Wimpern Tränen hingen. Nein, sie dachte an nichts. Sie fühlte nur das Fieber ihres Blutes, hörte nur das Pochen ihres Herzens. Mechanisch schweiften ihre Blicke im dämmerigen Raume umher. Fahl kroch das Mondlicht die Fässer und Ballen hinan. Mächtige Schatten wuchsen an den Wänden empor; auf einer Leiste erglomm in einer Flasche ein roter Funke und blinzelte. Von der Decke hing die Pariser Wurst nieder, ein rundes Ungeheuer, ein Riesenblutegel, der sich dort oben angezogen hatte. Ungeordnet, wie im Halbschlummer, begannen sich Rosas Gedanken um diese Gegenstände zu drehen, und unwillkürlich mühte sie sich ab, dieselben zu unterscheiden. Dort stand die Heringstonne – dahinter schimmerte es matt. – Oh, das waren die kleinen Fische! Dieser spitze Schatten kam von der Ecke des Ladentisches – – dort lag ein Tuch – dann ging es finster hinab, ein schwarzer Schacht – dort war noch etwas; etwas weißes – Rosa schaute es an; der Mehlsack war es nicht, der stand dort. Nein, sie vermochte es nicht zu erkennen, sosehr sie sich auch bemühte. Stünde die Tonne etwas mehr nach rechts – berechnete sie –, dann würde sie es unterscheiden können. Es hätte ein Gesicht sein können – die beiden Pünktchen die Augen –, das schwarze Loch der Mund. Ambrosius drückte Rosa stürmisch an sich und störte sie aus ihrem Hinbrüten auf; das weiße Ding – jetzt sah sie es deutlich – es war ein bleiches, verzerrtes Gesicht. Es stützte das Kinn auf den Rand der Tonne – hatte die Augen weit offen – es lachte. »Dort in der Ecke«, vermochte Rosa nur hervorzubringen, dann sank sie betäubt zusammen. Nun sah es auch Ambrosius. Fahl und lachend hing das Gesicht noch über der Tonne: »Lurch«, rief Ambrosius unsicher. »Herr von Tellerat«, antwortete eine leise, freundliche Stimme. Ambrosius beugte sich vor und starrte mit bitterböser Miene in die Ecke, aus der die Stimme kam. »Was tun Sie da? Wo kommen Sie her?«

»Ja, Herr von Tellerat«, erwiderte Lurch höflich. »Ich weiß das selbst kaum. Ich muß wohl müde gewesen sein. Jedenfalls verlangte mich – ganz plötzlich – nach meinem Bett. Ja – und nun – so glaube ich«, ein bleicher Finger tauchte aus dem Dunkel auf und legte sich an die bleiche Nase, »nun hab ich mein Zimmer wohl nicht finden können – das vermute ich –, so bin ich denn hier hereingeraten. Möglich ist es, daß ich geglaubt habe, dieses hier sei mein Bett, obgleich mir so etwas wohl schon am Samstag – Sie wissen – passiert ist – aber am Montag nie, von einem Montag ist mir kein solcher Fall erinnerlich – kein einziger. Ich kann es mir nicht recht erklären. Übrigens habe ich hier nicht übel geschlafen – bis auf das eine Bein, das stark gedrückt worden ist. Nun – Gott! Das ist auch natürlich, es wird auch gewiß nicht von Bedeutung sein.« Zwei dünne Beine schlängelten sich hinter der Tonne hervor, dann Lurchs ganze Gestalt – wunderlich zerknittert, verbogen, bestaubt. »Es ist wirklich seltsam«, meinte er mit seinem jungfräulich schüchternen Lächeln.

»Seltsam«, stieß Ambrosius hervor. »Sie haben sich unanständig betrunken und kommen jetzt, um mich zu stören, um mir aufzulauern.«

»O nein, Herr von Tellerat. Ich bitte sehr, nicht so unfreundlich mit Ihrem Kollegen zu sprechen.« Lurch protestierte mit mehr Sicherheit, als Ambrosius an ihm gewohnt war. »Auch sollten Sie nicht so laut sprechen, es könnte Sie jemand hören, und das wäre – Fräulein Rosa unangenehm, denn Sie haben Fräulein Rosa geküßt, mit Erlaubnis zu sagen; darum war ich so still, ich mochte Sie nicht stören. Wenn aber jemand käme...«

»Ah – hm«, ließ Ambrosius verlauten. »Ja so!« Er warf einen scheuen Blick auf seinen Kollegen, denn er fühlte, daß dieser unbequeme Mitwisser sich seiner Macht wohl bewußt war. Darum lachte Ambrosius und gab sich das Ansehen, als mache er sich aus der ganzen Geschichte nicht viel.

»Sie vergessen ja das arme Täubchen«, rief Lurch sentimental. »Da liegt es; ach, es ist ohnmächtig.«

Bewegungslos lag Rosa da, die Aufregung und der Schreck hatten ihrem bleichen Gesicht einen Ausdruck so tiefen Schmerzes aufgeprägt, daß die beiden jungen Männer bestürzt wurden.

»Was tun wir, Lurch?«, fragte Ambrosius hilflos und ärgerlich.

»Oh, mit ein wenig Spiritus ist ausgeholfen – hier hab ich die Flasche.«

Unschlüssig nagte Ambrosius an seiner Unterlippe. »Lurch«, begann er dann, »man wird uns im Saale vermissen.«

»Ja, Herr von Tellerat, das vermute ich allerdings«, erwiderte Lurch sehr undeutlich, denn er hielt den Korken der Flasche zwischen den Zähnen, während er den Spiritus auf sein Taschentuch goß.

»Das könnte uns kompromittieren?«, fragte Ambrosius weiter.

»Möglich, Herr von Tellerat, möglich wäre es immerhin«, war die Antwort. Ambrosius faßte seinen Entschluß, legte Rosas Kopf hastig auf die Kiste und eilte zur Türe. »Nicht wahr, bester Lurch«, rief er zurück, »Sie sehen nach Rosa – nach – hm dem Mädchen? Ich kehre in den Saal zurück. Meine Abwesenheit wird auffallen – –«

Er verschwand.

Freundlich, mild und gutgelaunt blickte Lurch auf das daliegende Mädchen; wunderlich aber war es, wie diese Freundlichkeit, diese Milde und gute Laune ihm übel standen und sein Gesicht verzerrten. Mit krummen Knien und auf den Fußspitzen näherte er sich der Kiste und drückte behutsam sein Taschentuch gegen Rosas Gesicht; dabei stieß er zuweilen einen klagenden Laut aus oder sprach leise vor sich hin in der weichen, lallenden Weise, in der Ammen ihre Säuglinge anzureden pflegen. »So – so – es wird besser. Legen wir das auf die kleine Stirn – die kleine, kleine Stirn –; ist's so gut, was?« Rosa bewegte sich. »Oh«, meinte Lurch ernst, hielt in seiner Beschäftigung inne, lauschte einen Augenblick und drückte dann seinen gelben Mittelfinger fest an Rosas Schulter.

Rosa seufzte, richtete sich halb auf und schaute verwundert um sich; sie verstand ihre Lebenslage nicht. Vor ihr stand Lurch, krumm vor Rührung und Verlegenheit.

»Ja, Fräulein Rosa, ich bin's, nur ich – Conrad Lurch – fürchten Sie sich nicht. Ihnen war nicht ganz wohl; der Spiritus hat Ihnen gutgetan. Sie wollen Ihr Füßchen von der Kiste herabziehen? Es könnte Sie ermüden, ich will Ihnen helfen – ah, es ist schon geschehen. Jetzt ist Ihnen besser, Fräulein Rosa, nicht?«

Rosa dachte nach – ließ die Arme schlaff niederhängen und streckte die Füße von sich. Das zerknitterte Kleid war tief von den Schultern herabgeglitten – wirr hingen ihr die Locken ins Gesicht –, und das ärmliche Mondlicht ließ die ganze Gestalt seltsam weiß und bleich erscheinen.

»Warum bin ich hier – im Laden? Und warum sind Sie hier?«, fragte sie langsam.

»Das kommt daher –«, erklärte Lurch. »Doch, Sie werden sich dessen schon entsinnen. Ich habe einiges gesehen, ich will nicht davon sprechen, es könnte Sie beleidigen. Herr von Tellerat ging in den Saal zurück.«

»Ah –«, jetzt wußte es Rosa, und ihr ward bange. »Fort will ich«, sagte sie rauh.

»Gewiß, Fräulein Rosa; erlauben Sie nur«, und behutsam faßte Lurch den Rand von Rosas Kleid. »Das ist nicht für alle Welt.«

Die kalten Finger, die sie berührten, ließen Rosa vor Widerwillen schaudern, und sie begann zu weinen.

»Hab ich Ihnen wehgetan?«, klagte Lurch, und in seinen trüben Augen standen auch Tränen.

»Ich kann die Türe nicht finden«, schluchzte Rosa.

»Weinen Sie darüber, Fräulein Rosa? Die Türe kann ich Ihnen zeigen; hier ist sie.«

Rosa lief hinaus, eilig, als würde sie gejagt. Der dunkle Raum, den sie verließ, erregte in ihr jenes peinvolle Gefühl, das Kinder erfaßt, wenn sie an finsteren Ecken vorüber müssen.

Der Saal war fast leer, nur in einer Ecke saß Frau Lanin und schlief, in der entgegengesetzten Ecke saß Herr Herz und schlief ebenfalls, und die beiden Schlummernden sandten sich abgerissene, schnurrende Kehllaute zu, daß es wie eine Unterhaltung in einer barbarischen Sprache klang. Auf einem Sessel kauerte etwas Weißes – Marianne Schulz. Sie schluchzte dort leise, denn seit dem Souper hatte keiner mit ihr getanzt. Sie konnte sich nicht entschließen, den Saal zu verlassen und das festliche Musselinkleid abzulegen.

Rosa ging zu ihrem Vater hinüber, legte ihre Arme um seinen Hals und weckte ihn mit einem Kuß.

»Komm –«, sagte sie.

»Gewiß, mein Kind; es ist schon spät, nicht?«

»Leiser, Papa, daß niemand uns hört.«

»Haha, wieder ein Spaß.«

Arm in Arm gingen sie hinaus. Eine Wolke zog über den Mond, und ein sanftes Dämmerlicht lag über der schlummernden Stadt, den stillen weißen Häusern, den leeren feuchten Straßen, wie das graue Zwielicht einer Krankenstube.

11.

Am folgenden Tage war Rosa krank. Ja, sie fühlte sich sehr krank. Abgehetzt und atemlos fuhr sie aus dem Schlaf auf. Wirre Träume, auf die sie sich nicht mehr besinnen konnte, hatten sie gejagt und verfolgt. In Fiebernächten wird das aufgeregte Blut eine Peitsche, die uns nimmer Ruhe gönnt; jede neue Welle ein neuer Schlag, der uns aus einem wüsten Traumort in den andern treibt, bis wir, zu Tode ermattet, erwachen. Die wilden Träume hatten Rosa so weit von ihrem friedlichen Zimmer fortgetragen, daß sie sich jetzt verwundert umschaute. Sonnenstrahlen stahlen sich lustig gelb durch die Spalten der Vorhänge und zitterten als mattblonde Flocken auf der Wand. Eine Fliege schwirrte, leise summend, den Lichtweg vom Vorhang zur Wand auf und ab. In der Türe stand Agnes Stockmaier und schaute Rosa mit ihren ruhigen, matten Augen an, und diese Augen taten Rosa wohl – übergossen sie mit warmem Behagen, sicherer Gemütlichkeit. Rosa lehnte sich in ihre Kissen zurück und ließ sich anschauen.

»Was gibt's, Kind?«, begann Agnes, und die sanfte, altgewohnte Stimme schien die Stille des Gemaches kaum zu unterbrechen. »Dir ist nicht gut? Im Schlaf hast du dich hin- und hergeworfen und hast gestöhnt. Was gibt's?«

»Nein, Agnes, mir ist nicht gut!«, erwiderte Rosa. »Ich bin so müde.«

»So schlaf, Kind.«

»Das mag ich nicht.«

»Gut! Bleib wenigstens liegen. Aus der Schule wird heute ohnehin nichts.« Agnes rückte Rosa die Kissen zurecht und strich die Bettdecke glatt. »Ich bringe das Frühstück. Das kommt vom Tanzen.«

»Ach ja!«

Agnes ging, und Rosa lag wieder ruhig da, die Hände über der Bettdecke gefaltet. Sie wollte sich selbst die Überzeugung aufdrängen, sie sei krank und durchaus nicht imstande, Geschehenes klar zu überdenken, einen Entschluß zu fassen, eine Verantwortung zu übernehmen.

Agnes brachte das Frühstück, richtete Rosa auf, strich ihr das Haar aus der Stirne, hielt ihr die Schale mit Milch; unwillkürlich geriet sie wieder in das Geschäft des Wartens hinein, das sie so lange an der kleinen Rosa geübt hatte; und Rosa fand sich auch schnell wieder in die Rolle, Agnes' Schützling zu sein, der noch nichts von der bösen Welt der Tellerats und der Lurchs weiß.

»Du bleibst liegen, bis der Papa kommt«, beschloß Agnes. »Liege nur still. Zu Mittag stehen wir auf.« Sie schob die Vorhänge zurück, öffnete das Fenster, warf einen prüfenden Blick auf das Gemach, wie sie es früher so oft getan, wenn sie das Kind allein ließ und sich vorher davon überzeugte, ob nichts im Gemach dem Kinde schaden könnte; dann ging sie mit dem gewohnten »Hübsch still! Ich bin gleich wieder da« hinaus.

Das Sonnenlicht drang jetzt voll in das Zimmer und beschien grell all die alten Sachen, die abgeblichenen Vorhänge, den struppigen Teppich – Rosas dunkles Werktagskleid. Durch das Fenster klang das eintönige Surren der heißen Mittagsstunde herein, und allerhand klingendes Sommergesindel mit flimmernden Flügeln verirrte sich in das Gemach. Rosas Gedanken gingen weit in frühe Kindertage zurück; immer wieder wollte sie den ereignislosen Frieden jener Zeit denken, es kostete sie jedoch Anstrengung, denn zuweilen entwichen die Gedanken zu einem Gegenstande, den Rosa vermeiden wollte. Nein, in jene Zeit wollte sie sich zurückversetzen, da sie auf dem Estrich der Küche saß und spielte, während Agnes die Suppe kochte und Blätterschatten über den weißen Küchentisch strichen, immer hin und her... doch ehe sie sich dessen versah, stand ein blasses, aufgeregtes Gesicht vor ihr – heiße Hände drückten ihren Arm – – –, gewaltsam mußte sie die Gedanken auf die frühere Bahn zurückdrängen; es gehörte jedoch eine Kraft des Willens dazu, die sie ermüdete, und sie ließ endlich von diesem unerquicklichen Ringen mit ihrer Phantasie ab. Gut, sie wollte an den gestrigen Abend denken, wenn es denn sein mußte! Nun, und als sie an ihn dachte, als sie sich jeden Augenblick, jedes Gefühl wieder in das Gedächtnis zurückrief – da war es so schlimm nicht. Über Lurch konnte sie lachen, und Ambrosius – – – der Gedanke an ihn machte sie unruhig, verleidete ihr die Stille des sonnigen Gemaches. Alle Mattigkeit war fort, neue Lebensungeduld ergriff sie.

Herr Herz kam: »Wie geht es, mein Kind? Die Agnes meint, du seist krank.«

»Es ist vorüber«, erwiderte Rosa. »Es war nur von gestern. Du weißt?«

»Ja, wir haben brav getanzt. Ein wenig gerader hättest du dich halten können; sonst war es gut. Du warst die Beste.« Herr Herz, frisch und rosig, mit klaren Augen und sehr weißer Wäsche, hatte schon viel erlebt. »Lanin«, erzählte er, »ist heute nicht im Magistrat gewesen. Der Doktor ging zur Frau Palton, die soll krank sein. Auch den jungen Tellerat habe ich gesehn; er stand dort beim Trödler Wulf und handelte um einen Pfeifenkopf. Der Kopf war nicht schlecht, aber der Wulf, der Schelm, betrügt all die jungen Leute.« Herr Herz wollte sich entfernen, öffnete aber noch einmal die Türe und rief: »Ich vergaß, dir zu erzählen, daß ich auch Klappekahl getroffen habe. Er klagt über Kopfweh – du verstehst, die gestrige Bowle.«

Auch das Mittagsmahl war sehr heiter. Rosa aß und sprach zwar wenig, dafür war sie aber stets zu einem lauten, herzlichen Lachen bereit, das ihren Vater glücklich machte. Um dieses ausgelassene Mädchenlachen zu erregen, wagte er alles, er hatte sogar einen Witz über seine selige Schwester Ina gemacht. Heute kritisierte er die gestrige Gesellschaft. Zuweilen steckte er seine Serviette fester hinter den Kragen, erhob sich und ahmte das Tanzen dieser oder jener Person nach. »Gott, die arme Ernestine Klappekahl; sie hat das Tanzen nie erlernt. Hast du sie beobachtet? Mit deiner lieben Mutter mußte ich vor vielen Jahren in einem Ballett einen Zikadenreigen tanzen. Wir hatten grüne Röcke an, lange, spitze, eckige Beine und hüpften umher. Grad so hat es gestern Ernestine Klappekahl gemacht. Ich mußte an den Zikadenreigen denken.« Und als Rosa lachte, wischte sich Herr Herz zufrieden die Lippen und meinte: »Ja – Kind, früher war ich ein arger Witzbold. Oh, sehr sarkastisch konnte ich sein. Das vergeht mit den Jahren. Aber ich *hatte* eine sehr scharfe Zunge.«

Am Nachmittag jedoch litt es Rosa nicht länger daheim. Eine innere Ungeduld trieb sie hinaus. Erst auf der Straße besann sie sich. Wohin eilte sie denn? Wo harrte – es – ihrer? Wo konnte sie es finden? – Zum Trödler Wulf wollte sie hinab.

Gerade dem Laninschen Laden gegenüber besaß der Trödler Wulf eine kleine Holzhütte. Sie lehnte sich an ein größeres Gebäude und sah mit ihren morschen Bretterwänden, ihrem Dach aus gesprungenen, ungeordnet übereinandergeschobenen Dachpfannen wie eine alte Schaubude aus, die man vergessen hatte abzureißen. Die Türe, in den engen Laden führend, stand immer offen. An den Türpfosten hingen alte Kleider, welke Hosen, die noch treu irgendeine wunderliche Krümmung, irgendeine Stellung ihres früheren Besitzers festhielten. Abgetragene Röcke spannten dort ihre Arme aus und sonnten ihre Fettflecken und Risse. Drinnen, im Laden, lag allerhand Gerät aufgehäuft. Die Ecken standen voll rostiger Eisensachen, an den Wänden hingen alte Tapisseriearbeiten, auf denen die Motten den gestickten Damen die blauseidenen Augen aus dem Kopf und die Rosen aus der Hand gefressen hatten. Stöße verbrauchter Schulbücher türmten sich bis zur Decke auf, trübe, zerknitterte Gesellen mit staubfarbigen Umschlägen und großen Rissen. Auf dem Ladentisch standen Glaskasten voll unechten Schmuckes, daneben Seifen, bunte Taschentücher, Messer, Kämme, Pfeifenköpfe, alles warm beschienen, dicht mit unsteten Lichtflocken übersät. Hinter dem Ladentisch saß der Trödler selbst, ganz in sich zusammengesunken, und schlief. Ein hageres gelbes Gesicht; aller Art Vertiefungen, Schrammen, wie das verbrauchte Gerät ringsum – braune Flecken, wie Rost. Ein dünner, abgeblichener Bart fiel ihm auf die Brust herab, und zwei fest zusammengerollte Löckchen hingen zu beiden Seiten des nackten Schädels. So schlief der Trödler Wulf inmitten seiner modernden Ware – in der schweren Luft voll Staub, Fliegengesumme und dem Geruch von Kräuterseife und alten Hosen. Draußen an der Türe lehnte Ida, seine Tochter, und unterhielt sich damit, Kieselsteine mit dem Fuße über die Straße zu schnellen. Ernst und sorgenvoll folgten ihre schwarzen Augen jedem dahinfliegenden Stein. Rosa blieb vor dem Judenmädchen stehen. »Warum tust du das, Ida?«, fragte sie.

»Ich übe mich«, erwiderte Ida, ohne aufzublicken. »Wenn der Peter kommt, spielen wir das um Geld. Sie verstehen, Fräulein Rosa: Wenn ich's gut kann, dann gewinne ich dem Peter das Geld ab. Dort den Laternenpfahl gilt es zu treffen. So! – Sehen Sie, Fräulein Rosa –«, sie preßte die Lippen zusammen, zielte und schnellte den Stein gegen den benachbarten Laternenpfahl. »So hätte ich gewonnen.« Sie kreuzte die Arme über der Brust und blickte Rosa scharf ins Gesicht: »Gestern waren Sie schön, Fräulein Rosa. Durchs Fenster hab ich Sie gesehen.«

Rosa lachte. »Du hättest wohl gern mitgetanzt.«

»Hätte ich schöne Kleider, dann ja«, meinte Ida; »aber er war auch schön!«

»Wer?« Rosa errötete.

»Der junge Herr dort von Lanins. Mit dem hätte ich gern getanzt. Er war der Allerschönste. Nicht?«

»Was verstehst du davon?«, versetzte Rosa unsicher.

»Schon recht«, erwiderte Ida ruhig; »wenn ich auch nichts davon verstehe, so weiß ich doch, daß er schön ist. Wenn er mit Ihnen tanzte, Fräulein Rosa, dann machte er ganz große Augen, das habe ich auch gesehen. Soll ich ihn rufen?«

»Ihn rufen? Warum?«

»Von drüben kann er ja leicht herüberkommen. Ich meinte, Sie wollen ihn sehen.«

»Oh, ich nicht!«, rief Rosa und blickte zerstreut zu den Dächern auf. »Tu, was du willst.«

»Wollen Sie hier warten, Fräulein Rosa?«

»Ich weiß es nicht. Vielleicht ruhe ich mich hier noch aus. Aber – du weißt, Ida – mir ist es gleichgültig, ob jemand kommt oder nicht. Ich wollte nur mit dir sprechen.«

»Schon recht«, bemerkte Ida und schurrte mit ihren abgetragenen Schuhen über die Straße, die Laninsche Treppe hinan. Rosa trippelte unschlüssig hin und her. Sollte sie weitergehen? Sollte sie bleiben? Sie lehnte sich an die Türe des Trödlerladens und schaute den Schwalben nach – mit einem hübschen Gesicht, das an nichts Besonderes zu denken schien. Endlich kam Ida wieder – langsam und gähnend herangeschlichen. »Er wird gleich kommen«, berichtete sie und setzte sich auf die Türschwelle.

»Ida – du hast doch nicht...?«, rief Rosa. »Nun, mir gilt es gleich, ob jemand kommt oder nicht. Ich habe niemanden rufen lassen. Ich nicht.«

»Gut! So kommt er zu mir.« Dabei zuckte Ida die Achseln, schloß halb die Augen und saß schläfrig und ruhig da, wie ein altes, bleiches Weib, das all die Jugendtorheiten kennt und verachtet. Die Glocke an Lanins Ladentür erklang, und Ambrosius eilte auf die Straße hinab, ohne Hut, buntgestickte Pantoffeln an den Füßen und ein stolzes Lächeln auf den Lippen.

»Ein wenig in Negligé«, schrie er schon von weitem. Dann stellte er sich vor Rosa hin, eine Hand in die Seite gestemmt. »Aber bei Gott! Ich habe wunde Füße von gestern. Wie geht es dir? Hm – ach so, wir sind nicht allein. Wie geht es Ihnen, mein gnädiges Fräulein?« Dabei lachte er geheimnisvoll.

»Gut, recht gut, Herr von Tellerat«, erwiderte Rosa und wiegte verlegen ihren Oberkörper.

»Kommen Sie«, fuhr Ambrosius fort. »Stellen wir uns hier in die Nische zwischen die Tür und das Haus. Hier sieht uns kein Mensch, höchstens dort vom Salon aus; aber um diese Zeit geht niemand ans Fenster, das weiß ich! Ha – ha! Hier ist es nett, sozusagen gemütlich. Hat Ihnen der gestrige Schreck nicht geschadet? Ich war um Sie in Todesangst. Aber ich mußte fort, um Sie nicht zu kompromittieren. Der Lurch soll mir diesen Streich bezahlen. Er hat mich furchtbar angegriffen. Mitten in unserem Beisammensein, mitten in – hm«, er warf den Kopf zurück und suchte nach einem poetischen Ausdruck. »Mitten – sozusagen in der arkadischen Schäferstunde gestört zu werden, das zog mir das Herz zusammen.«

»Sie hätten es nicht tun sollen«, sagte Rosa leise.

»Warum nicht?« Ambrosius' Gesicht ward rot und böse. »Dazu mußte es kommen, liebste Rosa, du mußtest einmal erfahren, wie sehr ich dich liebe. Glaubst du, es hat mich nicht gekränkt, den ganzen Abend mit ansehen zu müssen, wie jeder Schulbub den Arm um ein Mädchen legen darf, das – hm, ja – das mir gehört? Dir war's vielleicht recht, ich aber litt darunter. Ich wollte dich für mich ganz allein haben.« Als er sah, daß Rosa über seine Heftigkeit erschrak, ward er ruhiger, gefühlvoller. Ach Gott! Rosa ahnte nicht, wie heiß er sie liebte, wie sie sein ganzes Glück in ihrer kleinen, leichtfertigen Hand hielt. Er kannte nicht flüchtige, oberflächliche Gefühle. Das war es, was ihm oft Unheil brachte, daß er es mit jeder Leidenschaft zu ernst nahm. Er war zu tief angelegt, zu treu; er dachte zu gut von den Menschen. All dieses trug er mit ruhiger Stimme vor, wiegte sich von einem Bein auf das andere, blickte über das Mädchen hinweg die alten Kleider an und verzog ein wenig das Gesicht, weil die Sonne ihm in die Augen schien.

Rosa, sich fest an die Wand des Hauses lehnend, lauschte andächtig den klingenden, abgegriffenen Liebesphrasen. Der weiche, gedämpfte Stimmenton des jungen Mannes wiegte sie in eine angenehme Schlaffheit. Sie achtete kaum mehr auf den Sinn der Worte, der Klang allein schien ihr schon etwas Schwüles, Bestrickendes an sich zu haben, etwas, das zu Kopf steigt und die Gedanken einschläfert.

Die Straße vor ihnen war leer, in den hellbeschienenen Häusern waren die Vorhänge herabgelassen, auf dem sonnigen Marktplatze trieben sich nur die Spatzen um, sanfte, abgerissene Vogellaute einander zuwerfend, und schaute man in die Ferne, dann glaubte man ein flimmerndes Zittern der Luft wahrzunehmen.

Ambrosius war jetzt bei der Schilderung seines wunderbar wechselvollen Herzens angelangt, wechselvoll in toller Lust und rätselhafter Melancholie; aber immer beständig in – hm, der Neigung zur Geliebten. Von jeher war es sein Wunsch gewesen, mit einem Weib, das mit ihm sympathisierte, nach einer unbewohnten Insel zu entfliehen, um nur der Liebe zu leben, und Rosa war dieses Weib.

Die Geschichte mit der unbewohnten Insel ergriff und begeisterte Rosa. Groß und zärtlich richtete sie ihre Augen auf Ambrosius, als er aber leidenschaftlich ausrief: »Du bist dieses Weib, das ich suche!«, da lachte Rosa. Niemand hatte sie bis jetzt noch »Weib« genannt, das war ihr zu neu. Sie fühlte es wohl, wie unpassend es war, zu lachen, wie sehr Ambrosius das übelnehmen mußte, und dennoch tat sie es – noch dazu das törichte, herausplatzende Lachen der Schankschen Schülerinnen. Ida, an die niemand gedacht hatte, stimmte laut und rauh in dieses Lachen ein. Ambrosius ward dunkelrot, die Ader auf seiner Stirn schwoll an, und in maßloser Wut fuhr er auf das Judenmädchen los, stieß es mit dem Fuß. »Was? Du bist noch hier? Ich will dich lehren, hier horchen.« Ida erhob sich und schlich langsam und krumm fort, mit ihren blanken Augen schiefe, giftige Blicke auf Ambrosius werfend. »Kanaille!«, rief dieser ihr nach.

»Oh, lassen Sie sie!«, flehte Rosa. »Sie erzählt sonst alles weiter.«

»Sie möge!«, rief Ambrosius heftig. »Ich mache mir nichts daraus. Ich fürchte mich vor niemandem. Mir ist alles gleich, und dir – dir ist auch alles gleich. Alles – alles.«

Er ergriff Rosas Hand und hielt sein zorniges, erhitztes Gesicht nahe an das Gesicht des Mädchens. »Ist dir nicht alles gleich – sage –!« Rosa schwieg – sie fürchtete sich, er aber faßte sie an die Schultern und küßte sie fest auf die Lippen, als wollte er ihr wehtun; dann seufzte er, fuhr sich mit der Hand über die Stirn und versetzte düster: »Wenn ich einen Herzkrampf bekomme, so ist es deine Schuld. Ja, in meiner Jugend habe ich eine Herzbeutelentzündung gehabt. Nun – auch das ist gleich!«, fügte er hinzu – und schritt langsam über die Straße, die Arme über der Brust gekreuzt, den Kopf sinnend niedergebeugt. Von der Laninschen Treppe aus warf er noch einen traurigen Blick zurück und trat dann stolz und hochaufgerichtet in den Laden.

Erschrocken und betrübt blieb Rosa auf ihrem Platz stehen. Sie hatte ihn beleidigt! Zornig hatte er sie verlassen, um – dort drinnen – vielleicht einen Herzkrampf zu bekommen. Sie empfand tiefes Mitleid. Oh, wenn er jetzt wiederkäme – alles wollte sie für ihn tun; alles könnte er sagen, und sie würde gewiß nicht mehr so kindisch und kleinstädtisch lachen. Sie wollte gleich mit ihm auf seine einsame Insel fliehen – wollte ihn verstehen und bewundern. Wie schön hatte er ausgesehen, als er sie so grimmig küßte!

An die schmutzige Trödlerbude gelehnt, stand das arme Mädchen – bleich vor Aufregung – die Augen voller Tränen auf den garstigen Mohren des Laninschen Ladens gerichtet, und sagte sich, wie sehr es Lanins großen, unglücklichen, herzkranken Ladendiener liebte. –

Diese Zusammenkünfte an der Trödlerbude wurden zur täglichen Gewohnheit. Jeder Tag hatte für Rosa jetzt nur eine goldene Stunde, die sie nicht müde ward, mit Herzklopfen herbeizusehnen, und das nannte sie »ihre große Liebe«.

Wenn die Stunde kam, wenn die Straßen stiller und das Heer der Fliegen und Mücken in der heißen Luft lauter wurde, dann duldete es Rosa nicht länger daheim. Oft – wenn Herr Herz mit dem Aufheben der Tafel zögerte, um noch eine Geschichte zu erzählen – ward Rosa von stürmischer Ungeduld geschüttelt. Sie zerknitterte das Tischtuch zwischen ihren Fingern, stieß mit dem Absatz gegen den Stuhlfuß; sie hatte nur die Trödlerbude im Sinn, das liebe kleine Haus, ganz warm von Sonnenschein – mit seinen alten Kleidern, seinem Geruch nach Kräuterseife und Staub. – Ach Gott, wäre sie nur schon dort! Kaum war die Geschichte auserzählt, als Rosa schon von ihrem Stuhl aufsprang; pfeilschnell ging es die Treppe hinab, und unten auf der Straße trank Rosa in einem langen Atemzug die schwüle Luft der Mittagsstunde, die Luft ihrer Liebesgeschichte. Wie verachtete sie all die Menschen hinter den niedergelassenen Vorhängen. Dort, in den engen Stuben wohnte die fade, eintönige Philisterwelt – die Schanks – die Klappekahls – die Rasers. – Hier, durch das Geflimmer der Mittagsstunde, schwirrten wunderliche, kichernde Gestalten, deren jede ein heiteres Geheimnis bewahrte – hier wohnten die Liebenden; hier drängte sich Ida in den Häusernischen an ihren Schusterbuben – hier war Ambrosius zu finden. Er erwartete Rosa hinter der Türe des Trödlerhauses. Am Tage nach dem ersten Zusammentreffen war er noch ernst und weich gestimmt. Rosa habe, sagte er, mit ihrem Lachen sein Herz gerade in dem Augenblick tief verletzt, da er es ihr ganz erschließen wollte: »Es war mir, als hätte jemand mir ein Glas Wasser über den Kopf gegossen – würde ein Dichter sagen.« Hiermit war die Versöhnung besiegelt und die Liebe begann, denn es war von ihr nicht mehr so viel die Rede. Lange, trauliche Plaudereien kamen an die Reihe. Die Geheimnisse der Schankschen Schule und des Laninschen Haushaltes wurden erörtert, und wenn Ambrosius sich ganz nah an Rosas Ohr heranbeugte, um etwas besonders Wichtiges zu erzählen, dann kicherte Rosa jenes unterdrückte Lachen, das man von Kindern an solchen Orten hört, wo das Lachen verboten ist. Am häufigsten drehte sich das Gespräch um Fräulein Sally, und dabei konnten die Liebenden am herzlichsten lachen, als wäre Fräulein Sallys Leben das beste Lustspiel. Ein römisches Mädchen, das in den Ehestand trat, weihte ihr Kinderspielzeug der Venus; heute opfert ein Mädchen der Liebe ihre Schulfreundin, das artige Spielzeug der Backfischjahre.

Zuweilen ward Ambrosius wieder weihevoll und poetisch und sprach von seinem leidenschaftlichen Herzen, von der Herzbeutelentzündung, von einem dämonischen Weibe, das er geliebt hatte. Rosa hörte ihm bewundernd zu, obgleich sie der Gedanke quälte: »Welch ein Unglück, wenn ich jetzt lachen müßte.« – Sobald es sich aber tun ließ, lenkte sie das Gespräch auf seine frühere Bahn zurück: »Was hat Sally noch gesagt? Was tut sie noch? Erzähle!« Und Ambrosius konnte nur selten den blauen Augen widerstehen, die ihn lustig erwartungsvoll anschauten, und dem spöttischen Munde, der bereit war, beim ersten Wort einer Sally-Anekdote zu lachen.

Wenn endlich die Sonnenstrahlen gar zu heiß herniederbrannten, wurden beide des Sprechens müde. Schweigend standen sie beieinander, Schulter an Schulter, Hand in Hand, und blinzelten sich schläfrig in die Augen. Aus dieser süßen Erschlaffung erwachten sie dann mit doppelt zärtlichen Herzen. Sie drängten sich in der Ecke der Trödlerbude aneinander und schworen sich ihre Liebe zu: »Rosa – Rosa! Ich liebe dich. Bei Gott! Du bist mir das Höchste.« – »Ja, Amby, ich bin dir sehr gut – sehr!« Und sie umarmten sich vor dem ganzen Marktplatz und all den dummen Fenstern mit den fest zugezogenen Vorhängen.

12.

Frau Lanin hatte sich zur Ruhe begeben. Das Gesicht, von der großen weißen Schlafhaube umrahmt, verzog sich sorgenvoll, denn die rechte Stellung für jedes der mächtigen Glieder zu finden, kostete Frau Lanin allabendlich Mühe und Nachdenken.

Auch Fräulein Sally war schon im Nachtkleide, trug ein lichtblaues Kamisol, und ihre Locken vereinigten sich in zwei großen Knollen zu beiden Seiten der Stirn; sinnend stocherte sie mit ihrer Haarnadel an der Kerze herum und erzählte:

»Gut! Sie standen also dort an der Türe der Trödlerbude, mir gegenüber. Ich konnte sie gut beobachten, denn anfangs schob ich den Vorhang ein wenig zurück, später machte ich mit einer Stecknadel ein kleines Loch in den Vorhang.«

»Ein Loch in den Vorhang?«, fuhr Frau Lanin auf.

»Mein Gott, ein ganz kleines Loch! Wer sieht das!«, meinte Fräulein Sally ungeduldig.»In solchen Augenblicken können alte Vorhänge nicht verschont werden. Anfangs sprachen sie miteinander. Sie lachten recht widerwärtig; verstehst du, so widerwärtig frech – er kehrte mir den Rücken zu...«

»Mehr hast du nicht gesehen?«, fragte Frau Lanin enttäuscht.

»So warte doch, wenn du dich beständig rührst, kann ich nicht erzählen.« Dann fuhr sie fort: »Sie lachten also widerwärtig frech und sprachen miteinander«, nahm Fräulein Sally ihren Bericht wieder auf und bohrte ihre Haarnadel tief in die Kerze.

»Konntest du etwas verstehen?«

»Gott sei Dank nicht! Ich sah, wie sie sich plötzlich in die Ecke drückten und – du verstehst? Sie natürlich machte den Anfang.«

»Was denn?«

»Nun – du verstehst –; ich mag es nicht sagen.«

»Großer Gott! Was denn? Sag es nur.«

»Verstehst du denn nicht? Sie, nun, sie...« Fräulein Sally küßte ihre eigene Hand: »Ja, das sah ich!«

»Sie küßten sich also?«

»Das ist es, da du es gesagt haben willst; sie küßten sich –« Ordentlich zischend stieß Fräulein Sally dieses Wort hervor.

»O Gott, o Gott!«, jammerte Frau Lanin.

»Für Klagen ist es zu spät«, schalt Fräulein Sally. »Wer trägt die Schuld? Wer hat die Person immer eingeladen? Wenn der Papa und du es wollen, ich kann nicht nein sagen. Ich weiß ja, Gott sei Dank, von all diesen häßlichen Sachen nichts. Jetzt aber, da ich erkannt habe, mit welch einer Person ihr mich umgehen laßt, jetzt fühlt sich meine Mädchenwürde verletzt. Was ihn betrifft, so hättest du oder der Papa ihn wohl vor den Fallstricken dieser Person warnen können – den Fallstricken – ja«; Fräulein Sally fand Gefallen an diesem Wort und wiederholte es mehrere Male – denn Fallstricke waren es. Sie hatte diese Fallstricke dunkel geahnt; aber was wußte sie denn von Fallstricken!

»Beste Sally«, wandte Frau Lanin ein, »ich habe selbst ja von alledem nichts gewußt.«

»Du hättest es aber wissen sollen«, rief das empörte Mädchen. »Konntest du ihm nicht Andeutungen machen, daß... nun, mein Gott! Du weißt es ja besser als ich. Ganz verdammen kann ich ihn nicht; er ist leichtsinnig, aber nicht schlecht. Weil ihr ihm gar keine Andeutungen gemacht habt, so hielt er seine... seine Achtung für mich für aussichtslos; denn Achtung hegt er wenigstens für mich. Ich bin anfangs natürlich zurückhaltend gegen ihn gewesen; zuweilen fast streng. Ja, aber das ist so mein keusches Wesen. Ich bin keusch durch und durch. Einmal griff er mit mir zugleich in den Brotkorb und streifte meinen Finger; du verstehst? Da schaute ich ihn vorwurfsvoll und ernst an. Vielleicht glaubte er, ich weise ihn ab, und geriet – in seiner Verzweiflung auf Abwege. Alles ist möglich. Er kann noch gerettet werden; nur darf er sie nicht wiedersehen.«

»Bestes Kind«, begann Frau Lanin, »warum bist du auch so abweisend gegen ihn gewesen? Du hättest doch freundlicher sein können. Ich sehe nichts darin, daß er deinen Finger berührt; daraus macht man einen Scherz. Du konntest zum Beispiel ihn neckend auf die Hand schlagen, das macht sich ganz gut, oder so etwas.«

»Nein, nein«, rief Fräulein Sally entschlossen. Sie hüllte sich in das blaue Kamisol wie in einen Vestalinnenschleier, und die Knollen auf ihrer Stirn bebten. »Nein, das kann ich nicht, das ist gegen mein Naturell. Ich bin ernst und sinnig angelegt. So etwas tue ich nicht.«

»Schön, liebes Kind«, meinte Frau Lanin gereizt. »Man darf nur nicht so ernst und sinnig sein, daß man sitzen bleibt.«

»Sitzen bleibt?« Fräulein Sally ward feuerrot. »Gut – du beleidigst mich? Ach, sehr mütterlich, sehr christlich! Du nimmst den Menschen ins Haus, damit ich mich an ihn gewöhne; du machst mir Andeutungen und Hoffnungen, und läuft er endlich irgendeiner Person nach, dann beleidigst du mich noch. Sehr gut, daß ich das weiß. Jetzt erst fühle ich es, daß ich ganz allein auf mich selbst angewiesen bin, wie eine Waise.«

Tragisch strich sie sich die Knollen aus der Stirn und wollte stolz das Zimmer verlassen, ihre Mutter hielt sie jedoch mit schmelzender Stimme zurück. »Warte, Kind, so schlimm war's ja nicht gemeint. Morgen sprechen wir mehr hierüber. Wir belauschen sie, weißt du. Vor allem aber verbiete ich der Rosa das Haus.«

»Nenne sie nicht Rosa«, befahl Fräulein Sally.

»Sie heißt doch so.«

»Nein, für mich gibt es keine Rosa mehr, für mich ist sie nur noch eine – Person.«

»Ah so –«

»Ja. Gute Nacht – ich muß allein sein. Wahrscheinlich werde ich weinen.«

Fräulein Sally verließ das Zimmer.

Sehr wahrscheinlich ist es, daß Fräulein Sally noch in ihrem Zimmer geweint hat, denn sie war am folgenden Morgen nicht imstande auszugehen. Sie saß hinter geschlossenen Vorhängen und zankte mit dem kleinen Dienstmädchen, weil es die armen Nerven seiner Herrin mit seinem lauten Wesen auf die Folter spannte.

Zu Mittag erschien Fräulein Sally im blauen Kamisol und mit Haarknollen, und auf Ambrosius' liebenswürdige Frage, was ihr fehle, erwiderte sie ein »Nichts«, das ebensogut bedeuten konnte: Ich habe die Pest.

Sofort nach dem Mittagessen eilte Fräulein Sally, den Zahnstocher noch zwischen den Lippen, in das Wohnzimmer, zog die Vorhänge zurecht, vergrößerte das gestern gemachte Loch, rückte zwei Sessel heran und wartete. An die Fensterbank gelehnt, biß sie an ihrem Zahnstocher herum, schüttelte die Haarknollen und schaute vor sich nieder. Die Aufregung, die sie bisher beseelt hatte, schwand in der heißen Stille dieses Gemaches. Die ehrwürdig solide Welt der Firma Lanin, über der jetzt eine Wolke von Sonnenstäubchen und der Duft der Mittagssuppe lag, machte Fräulein Sally traurig. An die Stelle der Verachtung für die freche Person, die sich am Trödlerhause von Ambrosius küssen ließ, trat der Neid. Gern hätte Fräulein Sally auch eine heimliche Liebe gehabt, um sie in einem sonnigen Winkel zu verbergen. Ihr Herz ward sehr schwer bei dem Gedanken an die belauschte Liebesszene. Es mußte guttun, wenn er einen so umfaßte, wenn er...

»Geht es schon an?«, fragte Frau Lanin und schurrte herbei.

»Nein«, erwiderte Fräulein Sally kurz und wandte sich ab, denn sie fühlte, daß ihre Augen voller Tränen standen.

»So!«, meinte Frau Lanin und gähnte.

Dieses Gähnen empörte Fräulein Sally; sie bezwang sich jedoch und sagte nur bitter: »Ja – so –«

Mutter und Tochter saßen nun einander gegenüber und schauten die Arabesken des Vorhanges an. Zuweilen erhob sich Fräulein Sally, spähte durch das Guckloch auf die Straße hinaus und meldete: »Nichts.«

»Wo bleiben sie nur?«, seufzte Frau Lanin schläfrig.

Endlich, als Fräulein Sally wieder ihr Auge an das Löchlein brachte, blieb sie daran kleben.

»Was gibt es?«, forschte Frau Lanin. Ihre Tochter schwieg. »Siehst du etwas?« Fräulein Sally antwortete nicht. »Geh, sag, sind sie da?«, rief Frau Lanin und erhob sich. Sie preßte ihre schlaffe, weiche Wange an die heiße Wange ihrer Tochter, um zu dem Guckloch zu gelangen; die heiße Wange hielt jedoch stand, und die beiden fest aneinandergedrückten Gesichter verzogen sich seltsam, ein jedes aus Ärger über das andere. »Sag, sind sie da oder nicht?«, befahl Frau Lanin jetzt streng.

»Ja doch!«, erwiderte Fräulein Sally ungeduldig.

»So laß es mich sehen!«

»Warte.«

»Du hast lange genug hinausgeschaut.«

Vergebens! Unentschlossen und unglücklich blickte Frau Lanin um sich. Was sollte sie tun? Wie sollte sie den Starrsinn ihrer Tochter brechen? Die Zeit verstrich, während sich draußen die interessantesten Dinge abspielten. »Sallychen«, begann sie wieder – im ernsten Ton der Ermahnung, »verlaß das Fenster, ich wünsche es. Du siehst Dinge mit an, die sich für ein junges Mädchen nicht schicken. Bisher habe ich dich sorgsam behütet, habe alles Böse von dir ferne gehalten. Ich habe es sogar verboten, daß du dich mit Hühnerzucht abgibst, du weißt, der Papa war auch dagegen. Und nun so was! Sally – Kind – höre.« Das Kind rührte sich nicht. »Sally«, fuhr Frau Lanin in inbrünstigem Gebetston fort, »gehorche deiner Mutter. Ich muß für deine Seele dort oben verantworten. Sally! Bedenke, daß ein höherer Richter auf dich herabsieht. Denke daran, was Raser vorigen Sonntag in der Kirche sagte.«

Fräulein Sally wurde unruhig und drückte ihren Kopf fester gegen den Vorhang.

»So sage wenigstens, was du siehst«, flüsterte Frau Lanin weinerlich.

»Still! Sie küssen sich«, berichtete Sally.

»Wo?«

»Er nimmt ihre Hand.«

»Was noch?«

»Vorläufig nur die Hand.«

»So geht es nicht«, murmelte Frau Lanin, trat einige Schritte zurück und rannte mit der ganzen Wucht ihres Körpers gegen ihre Tochter an. Diese fiel auf einen Sessel. »Es ist empörend«, rief sie mit bleichen Lippen und fügte höhnisch hinzu, das sehe der höhere Richter auch. Frau Lanin legte ihr Gesicht in viele dicke Falten, schaute auf die Straße hinaus und hörte nicht auf ihr zorniges Töchterchen. Plötzlich legte sich eine schwere Hand auf Frau Lanins Rücken, eine zweite schob sie sachte beiseite, und eine würdige leise Stimme fragte: »Was gibt es?« Herr Lanin war auf weichen Hausschuhen herangeschlichen und nahm ruhig von dem Guckloch Besitz. Er ließ ein knurrendes »Oh!« hören, dann schwieg er, stand mit gekrümmtem Rücken da, die Hände auf die Fensterbank gestützt, und spähte hinaus. Mit Antipathie schauten Mutter und Tochter auf den breiten Rücken des Hausherrn. »Der geht gewiß nicht fort!«, meinte Frau Lanin.

»Es ist deine Schuld, du warst zu laut«, erwiderte Fräulein Sally kühl und lachte bitter, doch, schnell gefaßt, beschloß sie, im anderen Vorhang ein Loch für sich – für sich ganz allein zu machen.

»Das kann ich auch tun«, sagte Frau Lanin, und beide eilten an das andere Fenster.

Ein jeder hatte jetzt sein Guckloch, und es herrschte Frieden in der Familie Lanin. Regungslos klebten die drei Profile an den Vorhängen, und ein jedes hatte ein fest zugedrücktes Auge und einen schief verzogenen Mund.

»Das ist zu stark!«, stöhnte Fräulein Sally plötzlich auf und eilte zur Türe. Vater und Mutter blickten verwundert auf.

»Was will sie? Sie ist toll«, meinte Herr Lanin.

Aber Fräulein Sally wußte wohl, was sie wollte. Sie riß die Haustüre auf, steckte ihren Kopf hinaus, sandte ein schrilles, hohes Lachen auf die Straße hinab und verschwand wieder. Das erleichterte ein wenig ihr bedrücktes Jungfrauenherz.

Fräulein Sallys Gelächter schreckte die Liebenden aus einer engen Umarmung auf. »War das nicht Sally?«, fragte Rosa. »Jawohl, sie war es«, bestätigte Ambrosius. Sie schauten sich an und begannen zu lachen: »Sally! Mein Gott! Sally!« Das Lachen wollte kein Ende nehmen. Rosa mußte sich an Ambrosius lehnen, weil das unbändige Gelächter sie aller Kraft beraubte. »Dort hinter dem Vorhang hat sie gesessen. Gott, wie mag sie geschielt haben.« Endlich drängte sich jedoch die Frage auf, was sollte geschehen? Rosa ward besorgt; Ambrosius aber machte sich aus alledem nichts. »Wir gehen ins Haus. Die tolle Sally soll uns nicht stören; die gewiß nicht!« Er war entschlossen, sich diese Liebesstunde nicht nehmen zu lassen, das wußte er!

Sie gingen durch den Hof in die Trödlerwohnung hinein, Ida saß auf der Fensterbank und sah die Eintretenden so ruhig an, als hätte sie sie erwartet.

»Ida, wir kommen dich besuchen«, rief Ambrosius gutgelaunt.

»Müssen die Vorhänge vorgezogen werden?«, fragte Ida in gleichgültigem Geschäftston.

»Gewiß«, erwiderte Ambrosius. »Es ist Gefahr im Anzuge.«

Das Zimmer war äußerst klein und finster. In einer Ecke stand ein geräumiges Bett, halb von einer gelben Gardine verhüllt; daneben ein Kasten, an dessen Ecken welke Unterröcke hingen. Auf einem dünnbeinigen Tischchen am Fenster war allerhand Gerät zur Schau gestellt, silberne Kannen, zerbrochene Teller, golddurchwirkte Fetzen. Davor auf einem abgeriebenen roten Samtsessel saß die alte Jüdin und schlummerte – eine große, farblose Masse. Wo die schmutzigen Fetzen ihrer Kleidung aufhörten und wo der Körper begann, war nicht zu unterscheiden; alles schien gleich schlaff und von gleich gelbgrauer Farbe. Nur zuweilen blitzten unter dem Tuch düstere Funken auf – das waren dann die Augen. Frau Wulf nahm von ihren Gästen keine Notiz, sondern schlummerte weiter. Ida stäubte mit ihrem Kleide zwei Stühle ab, stellte sie mürrisch vor Ambrosius hin, zog die Vorhänge vor das Fenster und setzte sich schweigend auf das Bett.

»Hm – sehr romantisch«, sagte Ambrosius. Dennoch saßen sie ein wenig befangen mitten im Zimmer. Die fröhliche Laune war fort, und in beiden regte sich die Sorge. »Ich sollte vielleicht heimgehen«, bemerkte Rosa kleinlaut.

»Heimgehen? Jetzt?«, rief Ambrosius entrüstet aus. Rosas niedergeschlagener Ton, ihr melancholisch mutloses Gesicht verdarben vollends seine Laune, und nichts verzieh er schwerer, als wenn man ihn verstimmte und in seinem Herzen den Weltschmerz weckte, das heißt den Gedanken an gewöhnliche Werktage, an seinen Onkel, an seine Pflicht im Geschäft. Gut! Rosa sollte gehen; die Überzeugung aber konnte sie mitnehmen, daß sie seinen Plänen und Anschauungen nicht gewachsen war. Hätte er gewußt, daß Rosa sich von einer so albernen Person wie Sally einschüchtern ließ, er wäre ihr aus dem Wege gegangen. – Er erhob sich, machte mit den Armen weite Bewegungen; seine Stimme nahm einen angenehmen Baritonklang an, und seine Ausdrücke waren gewählt und volltönend. Er wollte sich über seine Mißstimmung hinwegreden.

»Nein! Ich hätte dein ruhiges – ich möchte sagen – friedlich-unschuldiges Leben nicht gestört, hätte ich gewußt, du seist nicht besser als die anderen. Ich kenne meinen unglücklichen Charakter. Ich weiß, auf der großen Heerstraße vermag ich nicht einherzugehen. Ich kann das eben nicht. Es liegt nicht in meinem Naturell! Ganz glücklich werde ich nie sein; und die – die ich liebe – wird es auch nicht sein. Das ist, möchte ich sagen, der Fluch, der auf uns, quasi abnormen Geistern, ruht, daß wir jedem, den wir lieben, unser Verhängnis mitteilen.« – Das Bewußtsein, ein abnormer Geist zu sein, ein Verhängnis und einen Fluch zu haben, gab Ambrosius wieder seine gute Laune zurück. Er war stets der erste, den seine Reden überzeugten. Während des Sprechens wandte er sich öfters an Ida, und als er die Hand auf das Herz legte, blickte er die alte schlummernde Jüdin an. »Darum eben suche ich ein tapferes Herz, das willig meinen – hm – Fluch teilt. Bist du dieses Herz? Sage! Bist du es?«

Rosa neigte den Kopf. Was sie hörte, gefiel ihr sehr gut, aber antworten! Ähnliches hatte sie schon in Romanen gelesen, es war ihr jedoch nie eingefallen, daß man auf so etwas eine Antwort geben konnte. Da jedoch Ambrosius schwieg, sagte sie leise: »O ja!« mit dem deutlichen Bewußtsein, daß ein nacktes »O ja« auf eine so hübsche Frage eine lächerliche Antwort sei. Ambrosius genügte es. Gut, war Rosa dieses Herz, dann durfte sie sich nicht vor Sally oder sonst jemandem in diesem dummen Neste fürchten.

Der Nachmittag war weit vorgerückt. Über die Wände zogen blaßrote Lichter, und draußen auf dem Pflaster klapperten die Schritte der Abendspaziergänger.

Ambrosius seufzte und ergriff Rosas Hand. »Nein, das darfst du nicht, mich verlassen darfst du nicht.«

Rosa drängte sich an ihn heran. Sie fürchtete sich vor der Welt, die draußen zu lärmen begann und den Ton bekannter Stimmen, eiliger Schritte hereinsandte. Es tat wohl, traulich beieinander zu sitzen und sich langsam von der Dämmerung überdecken zu lassen.

Ambrosius sprach jetzt mit gedämpfter Stimme, dicht auf die wirren blonden Haare des Mädchens niedergebeugt. Er wollte sie schützen. Er liebte sie nur zu sehr. Fort, in eine große Stadt wollten sie flüchten. Dort, im Gedränge und Lärm, würde sich das Band zwischen ihnen enger noch und fester knüpfen. Journalist, Schriftsteller wollte er werden, das war, er fühlte es wohl, sein Beruf.

So ging es mit halblauter Leidenschaft fort. Rosa hielt die Augen geschlossen, und jedes Wort, das sie hörte, nahm die Anschaulichkeit eines Traumes an – endlose Straßen voller Sonnenschein, Paläste, Menschengetümmel – und überall ein gefeiertes, geliebtes blondes Mädchen. Als es ganz dunkel war, schwieg Ambrosius; nur noch das Schnarchen der Jüdin war im Gemache vernehmbar.

Plötzlich verlautete eine schläfrige Stimme: »Ida, bring die Lampe.«

Rosa fuhr auf. Ja, sie war noch immer im Hinterstübchen des Trödlers. »Es muß spät sein«, sagte sie beklommen. Eine große Angst bemächtigte sich ihrer. Sie mußte fort – und draußen harrte etwas Böses, Feindliches ihrer.

Ida brachte die Lampe, und das harte gelbe Licht verbreitete furchtbare Traurigkeit um sich. Idas forschende Augen, das verschlafene Gesicht der alten Jüdin, das Zimmer mit seinen schäbigen Sachen – alles war niederdrückend, und doch hätte das bange Mädchen viel darum gegeben, nicht aus dieser garstigen Stube hinaus zu müssen. Aber es mußte ja doch sein. »Ich gehe«, sagte sie hastig und bot ihre sorgenvolle Stirn Ambrosius zum Kusse dar, dann war sie fort.

Ambrosius saß noch da. Ihm war unbehaglich genug ums Herz; hielte ihn nicht die Scham ab, er hätte, wie ein Kind, aus übler Laune geweint. Hinaus sollte er? Lanins entgegentreten? Das war zu fatal. Er ging nicht, er blieb sitzen.

13.

Herrn Klappekahls Apotheke war ein äußerst freundlicher Aufenthalt. Geräumig, weiße Spitzenvorhänge an den Fenstern, ein Mosaikfußboden, der auf blaugrauem Grunde weiße Sterne zeigte, allenthalben eine Verschwendung an Mahagoni, die Türe, die Schränke, die Fensterbänke, die Stühle – alles von Mahagoni und spiegelblank. Auf der grauen Marmorplatte des Ladentisches standen in musterhafter Ordnung Waagen, Mörser, Gewichte von jeder Größe. Die Schränke waren voll schneeweißer Büchsen und klarer Flaschen, und alles das von goldenem Morgensonnenschein überflutet, von einem scharfen Geruch von Medikamenten umweht, zu dem ein Rosenstrauß auf dem Fensterbrett seinen zarten Duft gesellte. Vor diesem Rosenstrauß stand Herr Klappekahl, frisch gekämmt, rosig, in seinem leinenen Sommeranzug, so rein und blank wie seine Büchsen oben in den Fächern. Er suchte sich gerade eine Rose aus, um sie in sein Knopfloch zu stecken. In dem Blick, den er auf den kleinen Platz vor dem Hause warf, lag eine Welt von Güte und Frieden. Jetzt war der Entschluß gefaßt, jetzt wußte er es, jetzt war ihm die gute Tat eingefallen, mit der er diesen schönen Sommermorgen beginnen wollte. Er ging zur Türe, öffnete sie und rief sanft: »Zapper!«

Zapper kam; ein schmaler, bleicher Junge mit hervortretenden blauen Augen und einem stark entwickelten Kehlkopf, auf dem sich ein Ansatz von Bart befand. Das blonde Haar hing ungeordnet um den Kopf und war voller Federn. Auf seinen Anzug hatte Zapper gar keine Sorgfalt verwandt. Der Rock war nicht gebürstet, die Hosenträger fehlten ganz. Beinkleid und Weste schieden sich und ließen einen weißen Streif sehen, der Zapper Ähnlichkeit mit jenen Puppen gab, die eine grausame Kinderhand mitten durchgebrochen hat und die nun hilflos ihr Inneres von weißer Watte sehen lassen. Zapper gefiel seinem Prinzipal auch nicht. »Zapper«, sagte Klappekahl und zog die Nase kraus. »Wie haben Sie vorige Nacht wieder gelebt?« Zapper schwieg und zog seine Beinkleider mit beiden Händen empor. »Junger Mann«, fuhr Herr Klappekahl fort, »sehen Sie sich vor. Ich sage Ihnen nur dieses. Sie kennen meinen Grundsatz: Ein jedes zu seiner Zeit. Der Mensch muß in alles Harmonie zu bringen wissen. Hier, in mein Haus, paßt die Unsolidität nicht hinein. Solange Sie bei mir sind, müssen Sie sich dem Ton des Hauses fügen. Dieser Ton, Sie wissen es ja, ist strenge Moralität. Dafür gestehe ich Ihnen das Recht zu, wenn Sie einmal selbständig sind und in eine größere Stadt kommen, sich das Leben von der anderen Seite anzusehen. Harmonie – das ist's, hat schon ein – ein großer Denker gesagt.«

Zapper empfand es wohl, wie wenig er in Harmonie stand mit der reinlichen Apotheke und mit seinem schneeweißen Herrn; reumütig schlug er die Augen nieder. »Frisieren Sie sich vor allem«, versetzte der Apotheker väterlich. »Dann gehen Sie ins Freie; das wird Sie ermuntern.«

»Ja – Herr Prinzipal.«

»Gehen Sie nur; merken Sie sich meine Worte. Der Mensch muß sich erst eine moralische Basis erwerben, ehe er darangeht, die Tiefen des Lebens kennenzulernen. Übrigens können Sie beim Trödler Wulf anspringen. Die alte Frau soll krank sein. Sie hat ihren Husten, sagte mir der Jude. Ich habe hier einen Rest Brustpastillen; den kann sie haben, wenn die Ida ihn holt. So, Sie können gehen. – Die Ida soll gleich kommen«, rief er noch dem hinausschlüpfenden Zapper nach.

Herr Klappekahl war wieder allein in seiner schönen Apotheke. Mit kleinen Schritten ging er auf und ab, fuhr zuweilen mit der Hand über die Marmorplatte des Ladentisches, ergriff diesen oder jenen Gegenstand und ließ ihn in der Sonne funkeln, strich mit dem Fuß den grünen Laufteppich glatt – bedächtig und zart, jede Bewegung eine Liebkosung.

Plötzlich ward die Türe aufgestoßen, und Fräulein Ernestine steckte einen Kopf mit sehr hoher Frisur ins Zimmer. »Vater –«

»Nun« – Herr Klappekahl schaute nicht auf, sondern rieb ein Gewicht an seinem Ärmel blank.

»Der junge Mensch ist um zwei Uhr morgens nach Hause gekommen; ich hab ihn gehört.«

»Ich weiß es, ich habe darüber mit ihm gesprochen.«

»Es ist ein Skandal! In seinem Zimmer habe ich soeben ein zerbrochenes Glas gefunden.«

»Setze es ihm auf die Rechnung.«

»Es ist schon das dritte.«

»Seine Sache.«

»Vater! Was hast du über die Rosa Neues erfahren?«

»Nichts.«

»Ach so! Ich dachte mir's.«

Bums – Fräulein Ernestine warf die Türe ins Schloß und verschwand. Der Apotheker rückte einen Stuhl in den Sonnenschein, setzte sich und gab sich dem stillen Vergnügen hin, die Sonnenstrahlen bald auf dem rechten, bald auf dem linken Stiefel spielen zu lassen. Endlich gab die Türglocke einen hellen Ton von sich, und Ida Wulf erschien.

»Du bist's, Ida? Komm näher, mein Kind«, sagte Herr Klappekahl und lächelte ermutigend.

»Der Herr Zapper«, berichtete Ida mit lauter Stimme, »schickt mich her. Der Herr Apotheker, sagt er, wollen etwas für die Mutter geben.«

»Ja, mein Kind! Hier nimm«, Herr Klappekahl hielt dem Mädchen eine kleine blaue Papiertüte hin, »gegen den Husten ist das.«

»Ich danke schön, Herr Apotheker«, versetzte Ida und wog die Tüte in der flachen Hand. »Ich werd's der Mutter sagen.«

»Tu das, mein Kind.« Herr Klappekahl setzte sich wieder bequem zurecht und fuhr fort, seine Stiefel zu sonnen. »Nichts Neues, Ida?« Das Mädchen stand breitbeinig da und versuchte die Namen auf den Büchsen zu entziffern.

»Bei uns? Nein, nichts Neues, Herr Apotheker.«

»So – so! Sonst alles gut? Kommt der junge Herr von Tellerat noch oft zu euch?«

»Der, ja, zum Vater.«

»Er schenkt dir wohl zuweilen etwas?«

Heiter blinzelte Klappekahl zum Judenmädchen hinüber. Ida aber blieb ernst. »Mir?«, sagte sie. »Nein! Fußtritte gibt er mir.«

»Warum das?«

»Weiß ich's?«

Herr Klappekahl ward unruhig. »Fußtritte also – hm –«, wiederholte er; dann rief er plötzlich: »Da fällt mir etwas ein! Was war denn gestern bei euch los? – Die Rosa Herz... nicht?« Ida nickte. »Was wollte sie denn bei euch?«

»Ja, sie war da«, bestätigte Ida.

»Gut, erzähle!«

Ida dachte nach. »Der Schusterbub Peter«, begann sie langsam, »hat sich die Hand zerschnitten. Ich wollte den Herrn Apotheker um ein Stück von dem guten Pflaster für den Peter bitten.«

»Gewiß, gewiß.« Herr Klappekahl lächelte, aber nicht mehr so heiter wie vorhin. Während er das Pflaster zurechtschnitt, berichtete Ida mit eintöniger Stimme und wiegte sich auf ihren schiefgetretenen Absätzen hin und her.

»Was sie getan hat? Der junge Herr hat vor der Tür auf sie gewartet – sie ist gekommen – dann hat er sie um die Mitte genommen, und sie haben miteinander gesprochen. Später sind sie zu uns ins Zimmer gekommen.« Herr Klappekahl hielt im Schneiden inne und hörte zu. »Die Vorhänge habe ich zugezogen. Die Mutter und ich blieben im Zimmer.« Herr Klappekahl schnitt weiter. »Gesprochen haben sie, aber ganz leise. Jetzt ist das Pflaster groß genug, Herr Apotheker.«

»Gut, gut, Ida! Hier hast du es. Sei recht brav. Behüte dich Gott!«

»Danke, Herr Apotheker.« Mit diesen Worten schob sich Ida zur Tür hinaus.

Nun ward Herr Klappekahl ungeduldig, und als Zapper ins Zimmer trat, rief er ihm ärgerlich entgegen: »Wo bleiben Sie? Sie wissen doch, daß ich in den Magistrat muß. Ich kann die Stadtangelegenheiten nicht versäumen, weil Sie ihren Katzenjammer spazierenführen wollen.« Geläufig fortscheltend suchte er seinen Spazierstock aus der Ecke hervor, nahm seinen Strohhut vom Nagel, stellte sich vor den Spiegel, er begriff wirklich nicht, wie ein junger Mensch so wenig Moralität haben konnte! Den Strohhut rückte er keck auf die linke Seite, schlug mit dem Stock auf den Ladentisch, er hoffte,

Zapper würde in seiner Abwesenheit nicht einschlafen. Dann warf er noch einen Blick in den Spiegel und verließ das Gemach.

Bei Gott, dieser liederliche Zapper war schuld daran, daß Herr Klappekahl die Sitzung versäumte. Es war schon zwölf Uhr vorbei, und als der Apotheker auf den Marktplatz gelangte, standen die Herren vom Magistrate schon alle auf der Rathaustreppe, im Begriff heimzugehen. Vordem sie sich trennten, unterhielten sie sich noch einen Augenblick. Der kleine Kaufmann Paltow mit dem schlauen, glattrasierten Gesicht und der mächtigen Nase zündete sich gerade eine Zigarre an, wiegte sich auf seinen krummen Beinen hin und her und hörte eine Geschichte an, die der Sekretär, Herr von Feiergroschen, erzählte – ein sehr adretter junger Mann mit einem rotgoldenen Backenbart, einem goldenen Kneifer auf der Nase und Lackstiefeln an den Füßen. Da war ja auch Lanin! Er verabschiedete sich gerade von dem dicken Bäckermeister Vogt und dem Advokaten Grupe.

»Die Ehre, Lanin!«, rief Klappekahl. »Die Ehre – die Ehre«, erwiderte Lanin und lüftete seinen Hut. Klappekahl fand es natürlich, daß er nicht stehenblieb, um zu plaudern. Wenn man solche Geschichten im Hause hat!

Auf der Rathaustreppe ward der Apotheker mit lauten Rufen empfangen. »Da kommt unser pünktlicher Stadtvater!«, meinte Herr von Feiergroschen, und Paltow fand, daß Klappekahl heute zu lange Toilette gemacht habe.

»Es ist nicht meine Schuld«, entschuldigte sich Klappekahl. »Dieser unglückliche Zapper macht mir viel Sorge. Wenn man solch einen jungen Menschen im Geschäft hat, geht nichts vorwärts.« Dann nahm er den Sekretär beiseite. »Wie sah denn Lanin heute aus?«

»Ich habe nichts bemerkt. Warum?«

»Wie? Sie wissen's noch nicht?« Herr Klappekahl rückte dem Sekretär nahe auf den Leib, steckte sein Gesicht in den rotgoldenen Backenbart und erzählte die Geschichte von der Rosa. – Belustigt hörte der schöne Sekretär zu.

»Nicht möglich!« Er lachte, vorsichtig den Kopf zurückbiegend, damit die Gläser ihm nicht von der Nase fielen. Die anderen Herren kamen auch heran – sie wollten auch hören, und Klappekahl erzählte immer wieder die Angelegenheit. Er war gut unterrichtet, fügte neue Einzelheiten hinzu, und die alten Herren, die Hände in den Taschen, gaben ihrer Entrüstung Ausdruck, während ein Lächeln ihre blassen Lippen kitzelte. Nur der Sekretär nahm die Sache nicht so ernst. Er fand das alles ganz in der Ordnung. »Gott, ich habe nie etwas anderes erwartet. Der Rosa Herz sah man ja die Lebensneugierde an den Augen an. Sie hat die erste Gelegenheit benützt, sich zu belehren. Dieser – oder ein anderer, einer mußte es sein. Mir hat sie genug Blicke zugeworfen. Soll der junge Tellerat vielleicht den Spröden spielen? Lächerlich! Er ist ein sympathischer Junge, ich kenne ihn. Sie ist ein hübsches Mädchen. Ich finde nichts Merkwürdiges an der Geschichte!«

»Ja, aber Lanin«, warf Paltow ein. »Der hat doch auf den jungen Mann für seine Tochter gerechnet, sagt man.«

»Gut! Warum nicht?« Herr von Feiergroschen fand, daß die Affäre mit der Rosa Lanins Pläne nicht durchkreuzte. Man sollte doch nicht glauben, der junge Tellerat würde die Rosa heiraten. Gewiß nicht! Er konnte ja noch immer reuig zu Sally Lanin zurückkehren. Solche Jugendverhältnisse sind für beide Teile nur Vorstudien für das spätere Leben. Die Stadtväter schüttelten die Köpfe, sie fanden das frivol. War der alte Herz nicht ein anständiger Mann und Bürger der Stadt, trotz seiner Ballettvergangenheit? Wurde er nicht in den besten Häusern empfangen? Nein, man durfte die Geschichte nicht so beurteilen, als wäre Rosa Herz die erstbeste. Gehört man zur guten Gesellschaft, so muß man sich auch danach benehmen, nicht wahr? Über Ambrosius waren alle einig, daß er ein liebenswürdiger, netter junger Mann sei. Leichtsinnig – ja! Aber er war jung und reicher Leute Kind. Der alte Herz, Rosa, Lanin, das waren die Schuldigen. Breitbeinig standen die erhitzten alten Herren auf der Rathaustreppe, ließen die Breloques auf den spitzen Bäuchen klirren und machten bedächtige Gesichter. Vor ihnen lag – in der Mittagsglut – der Marktplatz. Unter den leinenen Schutzdächern schlummerten die Verkäuferinnen mitten unter den Haufen grünen Gemüses. Landleute hatten sich auf das Pflaster gesetzt; einen Korb mit Eiern neben sich, ein mattes Huhn unter dem Arm, steckten sie ihre Köpfe über einem Suppentopf zusammen, kauten langsam und bedächtig, müde zu den sonnbeglänzten Dächern aufschauend. Nur wenige Käufer waren zu sehen. Hier und da ging eine alte Dame mit einer Handtasche am Arm kostend von Korb zu Korb, oder ein Kind stellte sich vor der Obstbude auf die Fußspitzen, um sich die größte Birne auszusuchen. Leute, die an der Rathaustreppe vorüber mußten, grüßten ehrerbietig hinauf, und die Stadtväter dankten, zogen ruhig und mechanisch, als Männer, die das Grüßen gewohnt sind, die Hüte ab und zeigten ihre blanken Glatzen.

»Meiner Seel! Da ist sie!«, rief der Sekretär plötzlich.

»Wo – wo?« Alle reckten die Hälse, schützten mit der flachen Hand die Augen vor der Sonne.

Auf der anderen Seite des Platzes erschien Rosa; den grauen Sommermantel lose um die Schulter geworfen, den Strohhut im Nacken, die Stirn voll wilder blonder Haarbüschel, ging sie träge und ein wenig mißmutig einher. Als sie an den Herren vorüberkam, grüßte zuerst der Sekretär, und die anderen griffen unwillkürlich auch an die Hüte. Rosa dankte mit einem artigen Kopfnicken.

»Da kann man sagen, was man will«, bemerkte Klappekahl, »sie hat eben nicht solides Blut in den Adern. Das habe ich schon erkannt, als sie noch so – groß war. Sie ist aus anderem Teig gebacken wie unsereins – Bühnenblut.«

Das war's. Alle stimmten dem bei, bis auf den Sekretär, der nachdenklich seinen goldenen Bart zupfte. Man trennte sich: »Auf Wiedersehen! – Bonjour! – Habe die Ehre!« Ein jeder wollte heim; die Suppe wartete, und ein jeder war froh, Rosas Liebesgeschichte als hübsche Überraschung nach Hause bringen zu können. Ja, dieser Liebesgeschichte gehörte der Tag. Sie wurde nicht nur bei den Mittagstischen der guten Gesellschaft mit jedem neuen Gang immer wieder neu aufgetragen, sie war auch die Gratiszugabe für jede Flasche Soda, für jedes Pillenschächtelchen, das in der Apotheke verabreicht ward, für jedes Band, das Herr Paltow verkaufte. Natürlich, so etwas war seit Menschengedenken nicht passiert! Wenn man sich am hellen lichten Tage hinter die Türe einer Trödlerbude stellt und sich küßt, wenn man guter Sitte und althergebrachter Moral achtlos in das Gesicht schlägt, dann kann man nicht erwarten, daß die Leute ruhig zusehen und schweigen. Man küßt sich in hohen Bürgerkreisen bei der Verlobung und gleich nach der Verheiratung, das muß jedes guterzogene Bürgermädchen wissen. Wenn aber zwei Kinder aus guten Häusern es unternehmen, im Angesicht der Firma Lanin einen abenteuerlichen Roman abzuspielen, dann müssen sie sich auch darauf gefaßt machen, daß die Bürgerschaft, um die Würde des Standes zu wahren, ernstlich dagegen Protest einlegt. Dennoch war all dieses Rosa durchaus nicht klar. Daß Sally sie belauscht hatte, war lächerlich und widerwärtig, gewiß! Und dennoch war etwas daran, das Rosa nicht mißfiel. Sally, die immer so großtat, die alle Welt glauben machen wollte, Ambrosius sei in sie verliebt – nun hatte sie eine Niederlage erlitten, die ihr wohl zu gönnen war. Jetzt sollte Sally einmal Rosa beneiden, während Rosa bisher immer Sally beneidet hatte um Kleider, Bänder, Taschengeld, Bonbons. Wie prosaisch und arm mußte Sally sich selbst jetzt erscheinen. Ihr entgegentreten, davor scheute Rosa noch zurück und hatte sich bei Fräulein Schank krankmelden lassen.

Nachdem sie den Morgen über in ihrem Zimmer auf dem Sofa gelegen hatte, um nachzudenken, entschloß sie sich, um zwölf Uhr auszugehen. Die

Zeit des großen Sonnenscheins war ja ihre Stunde. Das Laninsche Haus, Wulfs Laden vermeidend, ging sie über den Marktplatz und irrte in entlegenen kleinen Gassen umher, die heiß und leer zwischen niedrigen Holzhäusern und Gemüsegärten lagen. Oft blieb Rosa stehen, lehnte sich an einen Gartenzaun und schaute die Reihe der Salatbeete entlang. Eine Wolke weißer Schmetterlinge wogte über den krausen Blättern. In den Nesseln am Zaun regten sich zahllose Hummeln und sandten ihr eigensinniges Brummen zu Rosa empor. Seltsam! Dieses Gärtchen mit seinem gelben Sonnenschein verstimmte Rosa, raubte ihr das erwartungsvolle Festtagsgefühl, dem sie heute morgen noch nachgeträumt hatte. Ambrosius' Liebe war als etwas Neues und Hübsches in ihr Leben hineingekommen; etwas, das blank wie sein Hut, süß wie der Duft seiner Haarpomade war. Was aber mehr war, diese Liebe erschien Rosa wie der Anfang eines besseren, glücklicheren Lebens, und daher dieses angenehme Gefühl, wie wir es am Vorabend eines Festes haben.

Ob sie heute oder morgen einige Widerwärtigkeiten zu ertragen hatte, was lag daran, das große Ereignis würde auch die beseitigen. Nun aber, vor der Alltäglichkeit des kargen Gärtchens, vor dem gähnenden Frieden der grauen Häuser, im regelmäßigen Sumsen der Mittagsstunde, begann sie zu zweifeln. Wird Lanin der Schank nicht alles erzählen? Wird es nicht Demütigungen und Widerwärtigkeiten geben? Und der Vater? Was wird er sagen? Wird er nicht traurig und ergeben die grauen Haarbüschel über den Augen emporziehen, was Rosa immer ärgerte und betrübte? Morgen oder übermorgen mußte sie doch wieder in den abgestandenen Tintengeruch der Schulstube hinein, und nichts – nichts hatte sich geändert! Furcht vor Strafe und Schelte stieg in Rosa auf, jenes lose, ungeordnete und unsichere Gefühl kleiner Mädchen, die etwas Unrechtes zu verbergen haben. Wo war denn Ambrosius? Warum schützte und tröstete er sie nicht? Warum nahm er sie nicht und führte sie weit fort? Rosa begann zu weinen, von der Sonne angeglühte Tränen, die ihr auf der Wange brannten. Sie sehnte sich nach Ambrosius. Wäre er nur da mit seinen sonntäglichen Kleidern, seinem hübschen, leichtsinnigen Gesicht, seinen schönen Redensarten, in denen immer das Wort »Liebe« vorkam! »Ja! Liebe – Liebe – Liebe«, sprach Rosa eigensinnig vor sich hin und schlug mit der Faust auf die Bretter des Zaunes. Liebe wollte sie – sie liebte Ambrosius – Ambrosius liebte sie – sollte sie heiraten, reich und vornehm machen – Hochzeit und Reisen, und gleich jetzt mußte es geschehen, ehe die Schank und Sally und Lanin über sie herfielen. Eilig trat Rosa den Rückweg an. Wenn sie sich unbemerkt glaubte, lief sie – das

Gesicht glühend, Schweißtropfen auf der Stirn und die Augenwinkel noch feucht von Tränen.

Zu Hause fand Rosa einen Brief vor.

»Liebchen! Ich leide furchtbar. Wo kann ich Dich sprechen? Der Peter holt die Antwort. Unserem Verhältnis droht Gefahr. Schreibe mir sogleich. Mit schwerem, aber Dir ewig treuem Herzen *A. v. T.* 28. August.« –

»Lieber Amby!«, antwortete Rosa. »Komme heute um acht Uhr zum Fluß hinab. Hinter der Hütte des alten Raute erwarte ich Dich. Ich habe auch große Sehnsucht, Dich zu sehen. Lebe wohl. Einen Kuß von deiner *R.* 28. August.«

14.

Die Hütte des alten Raute lag hart am Fluß, halb in die steilen Sandmassen des Ufers hineingebaut. Sie bestand aus grauen, moosbewachsenen Brettern, besaß nur ein ganz kleines Fenster und eine morsche Türe, die an einer Angel hing. Auf einigen Handvoll Gartenerde neben der Hütte gediehen Levkojen, Georginen und wohlriechende Erbsen. Oben, auf dem Dach, unter dem Schutz der Sandlehne, machte sich ein Holunderstrauch breit und klopfte mit seinen blau-schwarzen Fruchttroddeln an das Fenster. Vor der Hütte, auf dem Fluß, lag das lange Boot für die Überfahrt, in dem der alte Raute einen jeden, der über das Wasser wollte, an einem von einem Ufer zum anderen gespannten Seil hinüberschob. Außer dem Gewerbe des städtischen Fährmanns besaß Raute als Einnahmequelle noch zwei kleine Kähne, die er vermietete, und all dieses mußte ihm ein behagliches Leben dort unter seinem Holunderstrauch sichern, denn er zeigte ein zufriedenes braunrotes Gesicht unter den kurzgeschnittenen Haaren, und die grünlichen Augen hatten den klaren Blick der Leute, die gewohnt sind, auf weiter Fläche in einen freien Horizont hinabzusehen. Er lehnte am Türpfosten seiner Hütte und rauchte. Vor ihm, auf einem großen Stein, saß Rosa. Sie hatte sich heute abend schön gemacht und trug ihren neuen Strohhut, einen runden Knabenhut mit schwarzen Bändern. Die Füße in den ausgeschnittenen Schuhen streckte sie von sich, um die schönen blau- und weißgestreiften Strümpfe sehen zu lassen, die sie sich gestern heimlich bei Paltow gekauft hatte.

»Sie dürfen nie von hier fortgehen, Herr Raute?«, fragte Rosa höflich. »Sie müssen immer warten, ob nicht jemand über den Fluß will, nicht wahr?«

»Ach was!«, erwiderte Raute, ohne die Pfeife aus dem Munde zu nehmen. »Ich dürfte schon! Am Nachmittag will keiner hinüber. In der Früh und um die Mittagszeit, da gibt es zu tun. Aber, mein Gott, ich geh nicht fort. Was hab ich in der Stadt zu suchen? Ich bin froh, wenn ich meine Ruh habe.«

»Hier bei Ihnen sieht man den Himmel gut«, meinte Rosa. »Sind Sie, Herr Raute, dort – weit jenseits gewesen, dort, wo der Mann geht?«

»Dort? ja.«

»Was ist dort?«

»Oh, nichts, Fräulein! Arme Leute wohnen dort. Es geht ihnen schlimm, die Steine und der Sand lassen nichts Rechtes aufkommen.«

»Und der Fluß?«, fragte Rosa weiter. »Wohin geht der? Sind Sie den schon ganz hinabgefahren?«

»Freilich! In dem Kahn da. Drei Tage sind wir gefahren, eh wir an die See kamen.«

»An die See?«

»Ja, es geht gut. Nur eine halbe Stunde unterwärts ist eine schlimme Stelle. Vor Gestrüpp und Schilf kommt man nicht weiter. Da muß der Kahn auf dem Lande fortgezogen werden.«

»Wenn man also immer weiter und weiter hinabfährt, dann kommt man ins Meer?«

Raute blinzelte bejahend mit den Augenlidern.

»Dort liegt es also?« Rosa zeigte mit dem Finger den Fluß hinab und zuckte mit den Wimpern. Das Wort »Meer« erweckte in ihr die Vision einer weiten, lichtblauen Fläche, die wogt und rauscht und flimmert. Sie kannte es nicht, aber das Wort allein machte sie froh, erregte ein kitzelndes, unruhiges Wonnegefühl in der Herzgrube. Dann mußte sie wieder über ihren Finger lachen, der klein und kindisch in die Ferne, auf jenes große, unbekannte Wunder – das Meer – hinausdeutete.

Endlich kam Ambrosius den Abhang herab. Er jodelte wie ein steyrischer Bua und schwenkte seinen Hut. Rosa blieb sitzen und streckte dem Geliebten kameradschaftlich die Hand entgegen. »Grüß dich Gott!«, sagte Ambrosius und drückte die dargereichte Hand. Sie gefielen sich beide in der geschmackvollen Zurückhaltung dieses Händedruckes. Er gab ihrer Liebe das Ansehen einer ausgemachten Sache.

»Bleiben wir hier?«, fragte Ambrosius.

»Wie du willst«, erwiderte Rosa. »Aber hier ist's gut.« Die gefühlvolle Schlaffheit, in der sie auf dem Stein saß, behagte ihr. Die Hände auf den

Knien, den Oberkörper leicht nach vorne gebeugt, die Blicke in den Glanz des Abendhimmels verloren.

»Nein – nein«, sagte Ambrosius, schüttelte den Kopf und dachte nach. Da, jetzt hatte er's! »Wir fahren mit dem Kahn den Fluß hinaus.«

»Ja Amby, wenn du willst?«

Raute richtete den Kahn her, und als alles bereit war, führte Ambrosius Rosa zum Ufer hinab, stieg zuerst in den Kahn und wollte Rosa hineinhelfen; Raute aber schob ihn ruhig beiseite, nahm Rosa in seine Arme, hob sie in den Kahn und setzte sie auf die Bank vor dem Steuer nieder. Ambrosius lachte gezwungen. Er wußte nicht, ärgerte es ihn, daß er Rosa nicht selbst trug, oder daß er selbst nicht wie Rosa getragen ward.

»Halten Sie sich hübsch in der Mitte«, mahnte Raute, »dabei haben Sie nicht viel Arbeit. Hinab geht es ohnehin von selbst.«

»Mir brauchen Sie das nicht zu sagen«, antwortete Ambrosius gereizt. »Stoßen Sie nur den Kahn ab.«

Mit leisem Geplätscher schoß das Boot in den Fluß hinaus, und Ambrosius begann eifrig und sehr regelrecht zu rudern. Er gab viel darauf, die Ruder genau zu gleicher Zeit in das Wasser zu tauchen und sie flach und geräuschlos wieder herauszuziehen. Bei jedem Ruck stemmte er seinen kräftigen, strammen Oberkörper gegen die Ruder, wölbte die Brust, ließ seine Muskeln spielen, freute sich seiner jungen Glieder. Die Anstrengung rötete seine Wangen und gab seinen Augen einen gesunden, fröhlichen Glanz. »Eins, zwei – eins, zwei« zählte er und schaute stolz zu Rosa hinüber. »Das geht gut, nicht? Oh, das Rudern versteh ich. Ich war immer der Erste in unserem Ruderklub. Die Hauptsache ist: das Ruder flach hinein – ein Ruck – flach heraus. Kein Geplätscher und Spritzen. So: eins – zwei, eins – zwei. Komm, willst du's lernen?«

»Jetzt nicht«, erwiderte Rosa. Sie sah lieber zu und fühlte sich gar so wohl dort an ihrem Steuer. Der Kahn wiegte sie sachte hin und her, ein kühles, feuchtes Wehen schüttelte an ihren Haaren. Vor ihr die Wasserbahn mit ihrem metalligen Glanz, in den die Abendwolken eine welke Rosenfarbe mischten, wie das Spiegelbild einer Hand auf einer Stahlklinge. Die Häuser am Ufer, mit ihren geöffneten Fenstern, glichen großen durchlöcherten Kästen, in deren schwarzen Öffnungen sich fleischfarbige Punkte regten, grelle Farbenflocken aufleuchteten. Dazu kam ein beständiges Klingen über das Wasser, Stimmen, Hundegebell, Glockengeläute, und es schien Rosa, als empfingen die Töne vom Wasser eine hellere, sanftere Note, etwas von dem leisen Rauschen am Kiel des Bootes. Endlich war ihr, auf dem Hintergrunde des bunten Abendhimmels, der rege, kräftige Junge mit seinem geröteten Gesicht, der feuchten Stirn, den regelmäßigen, elastischen Bewegungen der geraden Schultern – ja, so war es recht! Rosas Augen wurden feucht und blickten vor sich hin in der verträumten Geistesabwesenheit der Frauen, die sich wohlfühlen und nur ihrer Empfindung lauschen.

Ambrosius war des Ruderns müde. »Wir kommen auch so fort«, meinte er, ordnete seine Krawatte, warf Rosa eine korrekte Kußhand zu, kreuzte die Arme über den Rudern und sagte ernst: »Ja, ich wollte von unseren Angelegenheiten sprechen. Es ist wirklich zu dumm...«

»Jetzt nicht«, unterbrach ihn Rosa.

Verwundert blickte Ambrosius auf. Zum zweiten Mal schon kam dieses bittende, weiche: »Jetzt nicht.« Was war's? Rosa saß ja da, als ginge sie die ganze Welt nichts an. Aber die Unannehmlichkeiten, die Lanin ihm bereitete, waren doch gewiß wichtig genug.

»Wie du meinst«, versetzte er, zuckte die Achseln, schwieg und dachte nach. Was war es nur? Machte die Kahnfahrt wirklich solch einen Eindruck auf Rosa? Poetisch war es, gewiß; er hatte aber den Kopf so voll von Lanin, daß er das ganz vergessen hatte. Und Rosa? Teufel, war das Kind heute schön! Er begann das ernste Gesichtchen sorgsam und gründlich zu studieren und freute sich darüber, daß es seine Blicke zu fühlen schien. Sah er auf die Lippen, dann lächelten sie, als striche jemand sachte mit einer Feder über sie hin, schaute er auf die Augen, dann zuckten die Wimpern.

Diese gefühlvolle Versunkenheit imponierte Ambrosius; er wollte auch zeigen, daß er poetisch gestimmt sei. »Sieh doch, Schatz«, rief er, »die rosa Wolke dort, wie blaß sie geworden ist. Ich beobachte sie schon lange, sie wird immer blasser, sie stirbt. Wirklich, sie kommt mir vor wie eine junge Dame, die langsam stirbt. Nicht wahr?« Rosa nickte; sie fand es auch, daß die Wolke einem sterbenden jungen Mädchen zu vergleichen war. »Die Wolken beobachten«, fuhr Ambrosius fort, »war von jeher meine Passion, da konnte ich stundenlang träumen. Und dann – hast du bemerkt, wie die Stadt sich im Wasser spiegelt? Schau, da sieht man's noch. Allerliebst! Das dort ist das Kollhardtsche Haus; man sollte meinen, es stehe hart am Fluß, und doch ist es ein gutes Stück davon. Eine reizende optische Täuschung! Ach ja, überhaupt die Natur, sie ist meine einzige Erquickung.«

Der Fluß machte eine scharfe Biegung. Die Ufer wurden flach, und dichtes Erlengesträuch trat hart bis an das Wasser heran. Unter den Bäumen dämmerte es bereits, und die Tagesschwüle hielt hier länger stand. Zuweilen langte ein Zweig in den Kahn hinab und streifte Rosas Wange; die krausen, graugrünen Blätter fühlten sich trocken und noch warm von der Sonne an. Der Strom verlor hier seine Kraft, kaum merklich bewegte sich der Kahn fort, und das Wasser ringsum war, wie ein Teich, ruhig und schwarz. Wasserspinnen und Mücken zeichneten ihre Arabesken auf den dunklen Grund, die Ufer atmeten einen warmen Heugeruch aus, und die Luft war voll des durchdringenden Geklingels der sommerlichen Insekten.

»Hier ist's gut.« Ambrosius knöpfte sich die Weste auf, streckte sich im Boot aus, den Kopf auf die Bank gestützt, schaute empor und lachte. »Wie das seltsam ist, wenn man so emporschaut. Oh, oh, schwindlig wird man. Es ist, als flögen viele kleine blanke Punkte durcheinander, immer schneller, immer schneller.«

»So?« Rosa mußte das auch sehen. Eilig erhob sie sich und streckte sich neben Ambrosius hin. So lagen sie beide auf dem Rücken, den Blick in das sanfte Blau des Himmels verloren, und bei dem starren Emporschauen zu dem lichten Raume wurden sie von einem angenehmen Gefühl des Schwindels geschüttelt und gewiegt.

»Es ist, als hinge man frei in der Luft – ganz frei – – ganz – ganz«; Rosa wiederholte dieses Wort, dehnte es, ließ es klingen, »ganz... ganz«, als wollte sie mit der Eintönigkeit ihrer Stimme der Unermeßlichkeit dort oben erwidern,

»Willst du jetzt die Geschichte hören?«, sagte Ambrosius plötzlich.

»Welche?«, versetzte Rosa zerstreut.

»Welche? Wie kannst du so fragen? Ich meine, ob du hören willst, was Lanins gesagt haben?«

»Ja – erzähle deine Geschichte.«

»Meine Geschichte?«

Wirklich, sagte Rosa das nicht, als ginge sie die ganze Angelegenheit nichts an? Wo hatte sie nur plötzlich diesen hochmütigen Protektionston her? Er richtete sich auf und wollte etwas sagen – schwieg aber und starrte Rosa verwundert an. Wie verzückt lag sie da – die Augen weit aufgerissen, die Lippen halb geöffnet, die Wangen heißrot und rings um sie auf der Bank das Flimmern der blonden Haare.

In Ambrosius' Augen regten sich blanke gelbe Punkte, er kniete auf den Boden des Kahnes nieder, beugte sich über Rosa und bedeckte sie mit stürmischen Liebkosungen, die ihr wehetaten; anfangs lachte sie, noch halb bewußtlos vom Emporstarren, sie wehrte sich nur matt und stieß kurze ausgelassene Rufe aus, wie ein Schulmädchen, das sich mit seiner Kameradin hetzt; plötzlich aber ward sie ernst, stellte sich gerade auf die Füße, strich sich das Haar aus dem heißen Gesicht und sagte leise: »O nein!«

»Nein – nein«, wiederholte Ambrosius. Er kniete noch auf dem Boden des Kahnes, ließ die Arme schlaff niederhängen und hob zu Rosa ein böses und dennoch klägliches Gesicht auf, wie ein Kind, dem man sein Spielzeug fortgenommen hat. »Warum nicht?«, fragte er. Rosa blickte zur Seite und streifte nachdenklich die Blätter von den Erlenzweigen, endlich lächelte sie wieder, strich die Falten ihres Kleides glatt und setzte sich auf die Bank. »Komm! Sei vernünftig! Erzähle, was haben Lanins gesagt?« Sie strich ihm das Haar aus der Stirn, nahm seine Hände in die ihren und streichelte sie: »Komm« – sie versuchte es, ihn an den Rockaufschlägen emporzuziehn. Er aber fand in ihr wieder jene überlegene Protektionsmiene, die ihn verdroß und der er sich – er fühlte es wohl – dennoch beugen mußte. Seufzend ließ er sich emporziehen, ließ sich den Hut aufsetzen und die Krawatte zurechtrücken und nahm die ruhige, einschmeichelnde Zärtlichkeit, die Rosa über ihn breitete, mit der Würde eines Pascha entgegen.

»Erzähle also.«

Ambrosius ließ sein weltmännisches Räuspern hören, um sich wieder die vornehme Haltung eines ernsten Kommis zu geben, und lächelte verächtlich: »Gott, Lanins! Ich kümmere mich verdammt wenig darum, was die sagen!«

»Was ist denn geschehen?«

»Nun, ihre Gesichter waren sauer genug. Ich sah sie erst beim Nachtmahl. Der Onkel, die Tante und Sally saßen um den Tisch mit Gesichtern – so traurig, als läge ein Toter statt des Kalbsbratens auf der Schüssel. Ich wurde natürlich sehr kühl empfangen, und während des Essens sprach keiner; nur die Tante flüsterte zwei, drei Mal: ›Nimm doch, Ambrosius! Hier ist Butter, Ambrosius! Ich will, daß jeder Hausgenosse genug hat – unter allen Umständen.‹ Gott, und wie sie das herausbrachte! Scheußlich!«

»Und Sally?«, fragte Rosa.

»Sally war noch immer in ihrer Nachtjacke und mit den Knollen. Sie war sehr erhitzt; ich glaube, sie hatte geweint. Appetit hatte sie keinen, das weiß ich! Allerhand kleine Speisen standen für sie ganz allein auf dem Tisch, und die Tante jammerte: ›Kind iß, nimm davon; es wird dir guttun.‹

Sally aber schüttelte nur den Kopf und seufzte. Nicht um eine Million, glaube ich, hätte sie vor mir einen Bissen über die Lippen gebracht. Das sollte rührend sein. Auf mich hat es gar keinen Eindruck gemacht. Gemütlich war die Lebenslage nicht, das kannst du dir denken. Gleich nach dem Nachtmahl wollte ich verschwinden, da flötete die Tante: ›Lieber Ambrosius, der Onkel hat mit dir zu sprechen‹, dabei schaute sie den Onkel an, als wollte sie sagen: ›Nun – marsch – vorwärts.‹ Die dumme Sally nickte dazu. Im Zimmer des Onkels ging die Predigt an. Dreiviertel Stunden hat er gesprochen, ganz glatt. Ich glaube, er hatte es aufgeschrieben und auswendig gelernt. Was er da sagte, habe ich natürlich nicht behalten. Von der Würde des Hauses war die Rede, dann lobte er sich selbst, endlich die Sally.«

»Von mir war nicht die Rede?«

»Warte nur, dann kam deine Reihe. ›Eine junge Person‹, sagte er, ›die ihrer eigenen Würde uneingedenk, meiner Seel'!‹ Er sagte uneingedenk, wo der das nur her hat? ›Eine Person, die wir aus dunklen Verhältnissen in unsere Kreise gezogen haben, und zwar aus Mitleid, hat dich zu einem unbedachten Schritt verleitet. Ich hoffe, du wirst einsehen, daß diese junge Person, nach den letzten Ereignissen, zu tief steht, um der geeignete Umgang für den Neffen des Hauses Lanin zu sein. Ich hoffe, du wirst einsehen, daß das Unmoralische eines solchen Verhältnisses dich kompromittiert, mich kompromittiert, uns kompromittiert.‹«

Ambrosius ahmte seinen Onkel ganz treffend nach, dabei erließ er Rosa jedoch nichts von all den Beleidigungen, die Herr Lanin gegen sie ausgestoßen hatte. Vielleicht war das eine Art Rache für die Protektionsmiene und für die Macht, die das Mädchen sich über ihn angeeignet hatte. Aber als er bemerkte, daß Rosas Augen voller Tränen standen, ward er bestürzt. »Du wirst doch nicht über solchen Unsinn weinen?«, rief er hastig.

»Das könnte mir einfallen!‹«, erwiderte Rosa und lächelte; die Tränen aber hörten nicht auf zu fließen. Ambrosius' Erzählung betrübte sie, es schien ihr, als erniedrigten Lanins Worte sie vor Ambrosius, als könnten sie diese von ihm trennen, und ohne ihn – was dann? Traten die großen, schönen Ereignisse nicht ein, die sie erwartete, an die sie fest glaubte; ging Ambrosius und ließ sie allein, oh, dann fielen Lanins, Klappekahls – alle über sie her, hetzten und beschimpften und quälten sie; dann wurde sie eine niedrigstehende Person. Nein! Ambrosius durfte sie nicht verlassen, auf ihn war ihr Leben gestellt – das verstand sie plötzlich und umklammerte ihn fest. Ambrosius war tief gerührt, es schmeichelte ihm, daß Rosa so leidenschaftlich von ihm Besitz ergriff, und dennoch mischte sich in dieses Gefühl ein gewisses Bangen, wie es ein schwaches Gemüt einem kraftvollen Willen gegenüber empfindet, dem es unterliegen wird. »Weine nicht, Geliebte«, sagte er mit dem weichsten Baritonklang seiner Stimme. »Wir halten zusammen. Ich beschütze dich, ich bin – hm – sozusagen – dein ein und alles.«

»Ja, Amby«, erwiderte Rosa und küßte ihn fest auf die Lippen. »Zeig, wie machte Sally, als sie ihre kleinen Speisen nicht essen mochte?«

Unter den Erlenstämmen war es finster geworden. Ein kühler Luftzug flüsterte in den Blättern, und hinter den Bäumen erschollen langgezogene Töne, ein rauhes, melancholisches Gejohle der heimziehenden Arbeiter. »Jetzt fahren wir weiter«, schlug Rosa vor, und Ambrosius machte sich munter ans Rudern.

Jenseits der Erlenbüsche ward der Fluß breiter, zu beiden Seiten dehnte sich flaches Land aus, abgemähte Wiesen, hie und da ein Kornfeld, wie ein Stück gelber Seide, in der Ferne ein Dorf, in dem rote Lichtpünktchen erwachten. Immer mehr weitete der Fluß sich aus. Die Blätter der Wasserrosen bildeten blanke Inseln auf dem Wasser, oder eine Gesellschaft von Schachtelhalmen stand beieinander – viele dünne grüne Linien. Das Gewirre der Pflanzen nahm zu. Wasseriris, Kalmusstauden, Kolbenrohr gesellten sich zu den Schachtelhalmen und Wasserrosen, der ganze Fluß war nur noch ein weites Feld für diese wunderlichen Halme, allerort spitze, zitternde Blätter und Stengel, weit – weit – bis dort an die Wiese, die voller Vergißmeinnicht und Ried stand.

In dem Röhricht festgefahren, fast ganz von ihm überdeckt, hielt der Kahn; er konnte nicht weiter. Rosa jubelte. Hier war es schön! Nichts als nickende grüne Spitzen und ein heimliches Flüstern. Hinter dem schwarzen Streif des fernen Waldes stieg der Mond auf – übergroß, und dichte Wolkenstriche legten sich horizontal über den Himmel, schmal und rot, wie Messerstiche. Vor diesem gewaltsamen Aufleuchten wurden die Sterne matt und flimmerten ängstlich.

»Ganz prächtig!«, bemerkte Ambrosius. »Hier kann man in des Wortes verwegenster Bedeutung sagen: großartig.«

Schön war es, und dennoch machte es das Herz schwer. Rosa lehnte ihren Kopf an Ambrosius' Schulter und blickte stumm den fortflatternden Enten nach. Als Ambrosius sich räusperte, um eine Rede zu halten, legte sie ihm die Hand auf den Mund. Schweigen wollte sie; dasitzen und zusehen, wie der Mond langsam den Himmel hinaufstieg, wie die Nacht sich über das Land breitete, wie die Spitzen des Rohrs dunkel und regungslos wurden; lauschen wollte sie den Tönen ringsum, dem Gurgeln des Wassers, dem schläfrigen Singsang des Erdkrebses, lauschen und nichts denken. Jenseits dieser stillen, verträumten Welt lag etwas Hartes, Schmerzhaftes, an das Rosa nicht denken mochte. Immer hätte sie so dasitzen mögen, zugedeckt von grünen Halmen, eingeschläfert vom halblauten Sprechen der Sommernacht.

Ambrosius hatte den Arm um die Schultern seiner Geliebten gelegt. Der Mond, die schöne Nacht begeisterten ihn und machten ihn zärtlich; der starke Duft der Wasserpflanzen, die grüne Dämmerung, in die das Schilf den Kahn hüllte wie grüne Vorhänge ein Ehebett, das heimliche Rauschen, das wie heimliches Küssen, wie abgerissene Laute eines lüsternen Geheimnisses klang. All dieses stieg ihm zu Kopf, erhitzte sein Blut. Mit heißen Lippen und zitternden Händen tastete er an dem Mädchen hin. Rosa wehrte ihn ruhig ab. »Still!«, sagte sie. »Sieh, Amby, du mußt das nicht tun. Sie sollen nicht recht behalten. Wenn du wüßtest, wie traurig ich bin, wie sehr ich mich vor morgen, vor Lanins, vor allem fürchte, du würdest nicht solche Dummheiten machen. Weißt du, wir müssen fort, ganz fortgehen, dann tue ich alles, was du willst. Aber zuerst fort; wir beide ganz allein. Du heiratest mich schnell, und wir gehen in eine große Stadt, wo du Dichter werden kannst. Nicht wahr?«

»Ja«, erwiderte Ambrosius ein wenig betroffen.

»Morgen schon kommst du zu uns und sprichst mit Papa«, fuhr Rosa eifrig fort. Dieses Mädchenhirn, mit seiner Virtuosität im Träumen und Pläneschmieden, hatte sich bereits alles zurechtgelegt. Lanins sollten sehen, daß sie nicht tief unter Ambrosius stand; geachtet, reich und glücklich wollte sie sein.

Ambrosius nahm diese Eröffnungen mit Unbehagen entgegen. Es ging ihm durch den Sinn, daß er diese Sache anders aufgefaßt habe, als Rosa sie zu nehmen schien. Er sah Schwierigkeiten, Streit, allerhand Widerwärtigkeiten daraus entstehen. Aber das schöne Mädchen an seiner Seite erregte zu sehr seine Sinne, er fühlte sich wie im Rausch, und wie im Rausch erschien ihm jedes Hindernis klein und jedes Unternehmen ausführbar. Um Rosa zu besitzen, konnte er alles tun, das war sein einziger klarer Gedanke. »Ja – wenn du denkst«, sagte er leise. Er hätte zu allem ja gesagt.

»Wir wollen uns sehr – sehr liebhaben«, versetzte Rosa feierlich. Ambrosius tat ihr leid; wie betrübt er dasaß, mit seinen roten Wangen und heißen Händen.

»Du darfst nicht traurig sein«, tröstete sie ihn und küßte mütterlich seine Stirne, dann mahnte sie zur Heimfahrt.

Mühsam mußte der Kahn sich aus dem Gestrüpp hinausarbeiten. Wie harte, kalte Finger schlug das Schilf an Rosas Gesicht und badete es in Tau. Im Fahren pflückte sie Wasserrosen, die schwer von Tropfen waren, und wenn Rosa ihre Hand in das Wasser tauchte, mitten in die Pflanzendecke hinein, erschrak sie, denn die schlüpfrigen Wurzeln waren weich und lau wie Menschenhände.

Mit großem Kraftaufwand mußte Ambrosius gegen den Strom rudern, und er verrichtete seine Arbeit schweigend und ingrimmig. Plötzlich schaute er auf und sagte: »Du meinst also, wir sollen fort?«

»O ja, weit fort!«

»Gut.«

Rosa lächelte; gewiß, sie wollte noch sehr glücklich werden.

15.

Die Morgensonne brannte unerbittlich auf das unregelmäßige Pflaster der Schulstraße nieder, auf die grauen Latten der Zäune, auf die kläglich bestäubten Baumzweige, die aus den Gärten auf die Straße niederzulangen wagten. So einsam, so drückend schwül wie heute war diese Straße Rosa noch nie erschienen. Müde die Schultasche hin und her schwenkend, ging Rosa auf das Schulgebäude zu. Es war ein schwerer Gang! Dieses rote Haus mit den grünen Fensterläden, den herabgelassenen Vorhängen, den tintebefleckten Papierfetzen, die sich auf den Treppenstufen herumtrieben, es erfüllte sie mit Widerwillen und Bangen. Wann war es? Wie lange war sie nicht dort gewesen? Sie rechnete nach. Unmöglich! Nur drei Tage? Es schien ihr eine Ewigkeit zu sein. In diesen drei Tagen war aus der ausgelassensten Schank- schen Schülerin ein sehr ernstes Mädchen geworden, das die wunderlichsten Pläne und ein schweres Herz mit sich herumtrug.

An der Treppe zögerte Rosa. Eine kleine rote Hand schob den Vorhang zurück, zwei braune Augen schauten heraus, verschwanden wieder, und gleich darauf regten sich alle Vorhänge, und hinter allen spähten neugierige Mädchenaugen hervor. »Warum tun sie so ängstlich?«, fragte sich Rosa, »sollte Fräulein Schank schon da sein?« – Sie trat in das Schulzimmer. Die Mädchen standen in Gruppen an den Fenstern oder saßen auf den Bänken und Tischen beieinander. Rosa sah es den Stellungen und Mienen sofort an, daß etwas Interessantes vorgefallen war. So pflegte es in der Schulstube auszusehen, wenn irgendein Ereignis die Mädchenköpfe erhitzte. Jetzt herrschte tiefe Stille, alle Augen richteten sich auf Rosa, und in diesen neu- gierigen, halbbefangenen Blicken lag etwas Feindseliges, das Rosa kalt bis in die Fingerspitzen drang. Sie machte ihr leichtsinniges Gesicht und rief leichthin und munter ein »guten Morgen« in das Gemach hinein. Leise und so nebenher bekam sie hier und da ein »Morgen«, »Grüß dich« zur Antwort. Die Mädchen griffen nach ihren Büchern, sprachen über gleichgültige Dinge, als wäre nichts passiert, aber der gezwungene, ruhige Ton, die verständnisvollen Blicke ließen es wohl erkennen, daß hier ein gewichtiges Geheimnis in der Luft schwebte, von dem jetzt nicht gesprochen werden konnte.

Rosa setzte sich auf ihren Platz und begann ihre Aufgabe zu überlernen, sie wendete dabei einen fanatischen Fleiß an. Indem sie sich die Regeln der französischen Syntax einprägte, hoffte sie ihre Umgebung und die ganze ärgerliche Lebenslage zu vergessen.

Fräulein Schank ließ lange auf sich warten. Die Schülerinnen gaben sich schon der leisen Hoffnung hin, eine Krankheit oder ein Familienunglück ihrer Lehrerin würde den französischen Unterricht heute ausfallen lassen. »Nein, es ist der Lehrerkonferenz wegen, und die kann noch lange dauern.«

War das nicht Sallys Stimme? Rosa blickte auf. Richtig! Sally saß auf Fräulein Schanks Stuhl vor dem Pulte, die Wange auf die Hand gestützt, und schaute gütig auf ihre Kameradinnen herab, die sie eifrig umringten. Als sie Rosas Blick begegnete, lächelte sie verächtlich und wandte den Kopf ostentativ ab. Eine der Schülerinnen flüsterte Sally kichernd etwas zu, sie schüttelte aber den Kopf und sagte streng: »Lassen wir das jetzt.«

Das Wort »Lehrerkonferenz« hatte Rosa erschreckt. Es klang wie ein Unglück, das ihr drohte, und sie glaubte auf Sallys Gesicht schon die Schadenfreude zu lesen. Mit einem lauten, zornigen »Klapp« schlug sie ihre Grammatik zu, erhob sich, stellte sich an das Fenster, und die Arme über der Brust gekreuzt, schaute sie Sally böse an. Allerhand Pläne gingen ihr durch den Kopf; sie wollte sich an diesen herzlosen Mädchen rächen, wollte ihnen imponieren; sie beschloß, eine große, pathetische Rede zu halten, Sally tödlich zu beleidigen – und dann schwieg sie doch.

»Unglaubliche Keckheit«, wandte sich Sally an ihre Nachbarin, »aber tut so, als wäre sie gar nicht da.«

Rosa hörte diese Worte ganz deutlich und erwiderte mit bebender Stimme: »Ich glaube es schon, dir wäre es recht, wenn ich nicht auf der Welt wäre; wenn es überhaupt kein Mädchen gäbe, das nicht auf beiden Augen schielt.«

»Das ist zu arg!«, rief Sally und schlug mit der Hand auf das Pult; weiter konnte sie nicht sprechen. Diese Beleidigung war so giftig und bitterböse, daß sie weit über die gewöhnlichen Zänkereien der Schulstube hinausging. »Die abscheuliche Person!«, stöhnte Sally und begann zu weinen. Rosa aber wollte nun ihrer ganzen Entrüstung Luft machen. Die heiß in ihr aufsteigende Wut bereitete ihr eine Art Lust. »Laßt euch nur von Sally gegen mich aufhetzen«, fuhr sie fort, »ich mache mir nichts daraus; für mich existiert ihr schon lange nicht mehr. Geht, tanzt nach Sallys Pfeife! Ich brauche euch nicht. Meine Wege führen in ein anderes Reich.« Scheu blickten die Mädchen von der seltsam veränderten Rosa auf die weinende Sally. Sie fürchteten sich vor diesem rücksichtslosen Weiberhaß, der sich plötzlich in die friedliche Schulstube eingeschlichen hatte. Rosa wollte noch mehr sagen. Der Zorn machte sie schön und beredt, das fühlte sie, aber Fräulein Schank erschien. Die Schülerinnen setzten sich auf die Bänke. Sally sah leidend und ergeben aus; zuweilen preßte sie die Hand auf das Herz, als litte sie dort unendlich. Als Fräulein Schank jedoch ihren elenden Zustand nicht bemerkte, erhob sie sich und bat, die Schule verlassen zu dürfen. »Gehen Sie«, sagte Fräulein Schank trocken. Sally raffte ihre Bücher zusammen und verließ das Gemach. Auf dem Weg zur Türe stützte sie sich mit zitternden Händen auf den Schultisch, um nicht zusammenzusinken, und das Öffnen der Türe machte ihr Schwierigkeiten, denn sie mußte mit beiden Händen ihr Herz halten.

Der Unterricht nahm seinen regelrechten Verlauf. Fräulein Schank war ernst, aber ungewöhnlich milde. Von Rosa ward heute nichts verlangt. Den Kopf tief auf ihr Buch herabgebeugt, saß sie da und versank in ein unklares, wirres Träumen, und wenn irgend etwas sie aus ihrem Hinbrüten aufstörte, dann sah sie das altbekannte Schulzimmer seltsam an, und als der Unterricht zu Ende war, merkte Rosa es nicht und blieb sitzen; erst als ihr Name genannt ward, blickte sie auf. »Komm!«, sagte Fräulein Schank feierlich, aber nicht böse. Rosa gehorchte. Draußen vor der Türe des Schulzimmers sagte Fräulein Schank milde: »Geh! Nimm deine Bücher. Dir ist heute nicht wohl. Geh nach Hause. Am Nachmittage komme ich zu euch. Behüte dich Gott!« Mit ihrer dürren Hand fuhr sie leicht über Rosas Haar. »Geh, mein Kind!« In dem allen lag etwas kummervoll Zärtliches, das Rosa die Tränen in die Augen trieb. Rosa kehrte in die Schulstube zurück, packte ruhig ihre Bücher zusammen, warf ihren Kameradinnen einen hochmütigen Blick zu und verließ die Schule; draußen aber ging es ihr, sie wußte es selbst nicht wie, durch den Kopf:

»Es ist wohl das letzte Mal, daß du drin gewesen bist?« Das rührte sie. Gefühlvoll legte sie die flache Hand auf die alte gelbe Türe, als wäre diese die Wange eines guten Freundes.

Auf der Straße fragte sich Rosa: Was nun? Nach Hause wollte sie nicht. In der engen Stube würde sie nicht Ruhe finden, das wußte sie, und dann sollte Agnes nicht wissen, daß Rosa wieder die Schule versäumte. Die alte Frau hatte sich in der letzten Zeit eine wunderlich vorwurfsvolle Art, Rosa anzuschauen, angewöhnt. Rosa entschied sich für den Stadtgarten; dort wollte sie ihre Lage überdenken. Sie zog die Augenbrauen zusammen, richtete sich stramm auf, wie jemand, der den Entschluß faßt, an eine schwere Arbeit zu gehen.

Was gab es denn? Ambrosius liebte sie, und sie liebte Ambrosius; dagegen ließ sich doch nichts einwenden. Ein Mädchen ist doch dazu da, damit es einen Mann bekommt, das weiß jedes Kind. Warum aber schickte Fräulein Schank Rosa fort? Ja – nun! Ein verlobtes Mädchen paßt nicht mehr in die Schule. Rosa konnte es ganz recht sein, daß es mit dem ewigen Lernen sein Ende nahm. Das große Gouvernantenexamen brauchte sie ja jetzt nicht mehr zu machen, da sie Ambrosius heiratete. Diese Heirat löste alle Schwierigkeiten leicht und schön und sollte Rosa für alle Demütigungen reichlich entschädigen. Sally und ihr Gefolge sollten Augen machen! Rosa sah es schon, wie der Hochzeitszug sich über den Marktplatz bewegte – sah sich selbst im weißen Atlaskleide vor dem Altar stehen. Ein sehr schönes Kleid! Ganz einfacher Schnitt, vorne ein wenig kurz, damit die weißen Atlasschuhe gesehen werden können. Als einzige Verzierung ein Tablier von Brüsseler Spitzen. Sehr wenig Schmuck; nur eine Diamantriviere – »Nichts weiter«, sagte Rosa vor sich hin. Neben ihr ihr Vater, froh und rosig, Fräulein Schank, die Schar der weißen Brautjungfern. Sally war nicht darunter; nein, sie war überhaupt gar nicht geladen, sondern saß in ihrem Werktagskleide auf einem fernen Kirchenstuhl und schaute neidisch zu.

Rosa hatte sich in die Laube gesetzt und die Augen geschlossen, um sich ungestörter ihren Visionen hingeben zu können, diese Visionen wurden zu Träumen, Rosa schlief ein.

Sie erwachte vom leisen Knirschen des Sandes, als sie sich aber erschrocken umschaute, sah sie niemanden. »Es waren aber doch Schritte«, sagte sie sich. »Jemand muß hier gewesen sein.« Richtig! Neben ihr auf der Bank lag ein zusammengefaltetes Papier, das die Aufschrift »An Fräulein R. H.« trug. Hastig griff Rosa danach und öffnete es. Der Bogen war mit schönen deutlichen Schriftzügen bedeckt, als Unterschrift war zu lesen: »Conrad Lurch«. Der Brief lautete:

»Geehrtes Fräulein R. Herz! Ich belästige Sie mit diesen Zeilen nur, damit Sie erfahren: 1. was hinter Ihrem Rücken – und zu Ihrem Nachteil – vielleicht – über Sie gesprochen wird. 2. daß Sie in mir den ergebensten Diener haben, der stets alles für Sie zu tun bereit sein wird. Was also Punkt 1 betrifft, so wissen Sie, Fräulein Rosa, daß man bei Lanins mit dem Schließen der Türen nicht eben pedantisch ist und daß man im Laden jedes Wort hört, das im großen Zimmer gesprochen wird, wenn die Türe nur angelehnt ist. Heute hatte der Prinzipal mit Herrn von Tellerat eine Unterredung, die Sie, Fräulein Rosa, betraf. Es wurde in einer Weise über Sie gesprochen, die meinem Herzen wehtat. All dieses Unpassende und Verletzende werde ich Ihnen nicht wiederholen. Wozu auch? Nur folgendes wird für Sie wichtig sein. Daß es mit allem, was ich gehört habe, auch ernstgemeint war, glaube ich nicht. Sie, Fräulein Rosa, werden ja selbst am besten wissen, was Sie davon zu denken haben. Nachdem also der Prinzipal sich über Sie in anstößiger Weise geäußert hatte, fragte er den Herrn T.: ›Willst du sie denn heiraten?‹ ›Ich weiß das noch nicht‹, sagte besagter Herr. ›Ich muß dich darauf aufmerksam machen‹, sagte der Prinzipal, ›daß ich deine Eltern von dem Geschehenen verständigt habe. Deine Eltern werden eine solche skandalöse Verbindung nie zugeben.‹ – ›Wieso – skandalös?‹, fragte Herr v. T. (mit vollem Recht, meiner Ansicht nach). ›Skandalös‹, sagte der Prinzipal, ›weil dieses Mädchen, an und für sich keine passende Partie für einen Tellerat, sich unverantwortlich kompromittiert hat. Die ganze Gesellschaft sagt sich von einem jungen Mädchen los, das durch seine frechen Unziemlichkeiten (ein sehr gemeiner Ausdruck!) jede Achtung verscherzt hat. Und solch eine Person (sic!) willst du heiraten?‹ – ›Ich sage nicht, daß ich sie heiraten werde‹, meinte Herr v. T. ›Du wirst sie also nicht heiraten‹, sagte der Prinzipal. – ›Nein‹, antwortete Herr v. T. ›Du gibst mir dein Wort darauf?‹, sagte der Prinzipal. ›Damit ihr das Mädchen nicht länger quält, gebe ich dir mein Wort‹, sagte Herr v. T. ›Gut!‹, sagte der Prinzipal. ›Du versprichst mir, das Mädchen nicht wiederzusehen.‹ ›Das habe ich nicht gesagt‹, meinte Herr v. T. (mit Recht). ›Nun‹, sagte der Prinzipal. ›Du kehrst ohnehin morgen oder übermorgen zu deinen Eltern zurück.‹ Damit hatte das Gespräch sein Ende erreicht, denn Fräulein Sally kam mit ihren Geschichten dazwischen. Sie, bei Ihrer Gescheitheit, werden gewiß wissen, was davon zu halten ist. Ich aber hielt es für meine Pflicht, obiges Ihnen mitzuteilen. Kann ich Ihnen von Nutzen sein, Fräulein Rosa, und hier komme ich auf Punkt 2 zu sprechen, so bitte ich nach Gefallen über mich zu verfügen, denn mit nie wankender Achtung und (wenn es erlaubt ist) mit Liebe bleibe ich Ihr treuester Diener.

Konrad Lurch, zweiter Kommis bei Lanin und –«

Langsam faltete Rosa das Blatt wieder zusammen. Wie? Ambrosius gab das Versprechen, sie nicht heiraten zu wollen? Ambrosius sollte fort? Das war unmöglich; sie verstand von alledem kein Wort. »Unsinn!«, sagte sie laut vor sich hin, zerknitterte energisch den Brief und steckte ihn in die Tasche.

Unsinn war es vielleicht, aber als Rosa zu Hause beim Mittagsmahl saß und die bekannten Geschichten ihres Vaters anhörte, da wollte ihr dieser Unsinn doch nicht aus dem Kopf, denn wenn sie auch alles Unwahrscheinliche und Lächerliche von Lurchs Bericht in Rechnung zog, es blieb immer noch ein bitterer Rest quälender Sorge übrig.

Nach der Mahlzeit zog sich Rosa auf ihr Zimmer zurück, setzte sich auf einen Sessel, faltete die Hände im Schoß und wartete. Fräulein Schank sollte ja kommen, um dem Vater alles zu sagen, und was wurde dann aus dem schläfrigen Frieden der Herzschen Wohnung? Vielleicht wäre es besser, den Vater auf alles vorzubereiten? Rosa aber fand dazu nicht den Mut. Sie wollte lieber warten. Gar so schlimm konnte es ja nicht kommen.

Um vier Uhr gab die Türglocke einen kurzen, harten Laut von sich. Das war Fräulein Schanks energische Art zu schellen. Agnes schurrte heran, die Außentüre, die Agnes immer zu ölen vergaß, knarrte. »Guten Abend, Fräulein!«, sagte Agnes.

»Grüß Sie Gott«, antwortete Fräulein Schanks feste, metallige Stimme. »Ist der Herr zu Hause?«

»Ja, er schläft drinnen im Wohnzimmer.«

Jetzt ward die Türe des Wohnzimmers geöffnet.

»Störe ich?«, fragte Fräulein Schank.

Herr Herz schien eben aus dem Schlafe aufgefahren zu sein, denn seine Stimme war noch heiser. »Ach, liebe Schank, Sie stören nie. Ich schlafe jetzt immer so lange und bin froh, wenn jemand mich weckt. Diese Schlafsucht kommt, denke ich, mit dem zunehmenden Alter.«

Er wollte sich noch weiter über seinen Zustand auslassen, aber Fräulein Schank unterbrach ihn: »Ist Rosa zu Hause?«

»Ja; sie schläft, denke ich. Sie sah mir heute nicht ganz gesund aus.«

An der zaghaften Art, in der der Vater sprach, erkannte Rosa, daß Fräulein Schank ihr unheilverkündendes Gesicht aufgesetzt hatte. Übrigens wollte sie ihren Vater nicht Lügen strafen; sie warf sich auf ihr Bett und stellte sich schlafend.

Im Nebenzimmer wurden Sessel gerückt, dann begann Fräulein Schank zu sprechen, aber so leise, daß Rosa sie nicht verstehen konnte. Herr Herz schwieg, nur zuweilen ließ er ein leises Husten hören. »Geben wir uns keinen Illusionen hin«, das war der einzige Satz, der bis zu Rosa drang, und er genügte, um Rosa gegen Fräulein Schank aufzubringen. »Ah, die Alte hält die

Heirat mit Ambrosius für eine Illusion! Natürlich, was weiß diese alte, auf dem Katheder vertrocknete Frau von Liebe? Sie soll da einen Lehrer Streber gehabt haben, mit dem sie verlobt war, er ließ sie aber sitzen und reiste ab. Und das ist auch schon so lange her – und kann denn bei einem Lehrer Streber überhaupt von Liebe die Rede sein? Lächerlich!«

»Sie sprechen also mit Rosa?«, sagte Herr Herz jetzt leise.

»Ja, ich will wenigstens zu ihr hineinschauen«, entgegnete Fräulein Schank und öffnete die Türe zu Rosas Zimmer. Rosa schloß die Augen und regte sich nicht. »Sie schläft«, flüsterte Fräulein Schank; »sollen wir sie wecken?«

»Nein, lassen Sie sie schlafen«, flehte Herr Herz; »sie erfährt es ja ohnehin früh genug.«

»Gut, ich komme morgen wieder«, meinte Fräulein Schank. »Auf Wiedersehen, lieber Herz! Sie verzeihen, daß ich die Überbringerin so schlechter Nachrichten bin; ich hielt es aber für meine Pflicht.«

»Im Gegenteil, ich bin Ihnen dankbar, liebe Schank«, antwortete Herr Herz. »Verlassen Sie das Kind nicht; ich unbeholfener Alter, was kann ich tun?«

»Der liebe Gott wird schon alles zum Guten wenden«, tröstete Fräulein Schank. Dann kam Agnes wieder mit ihrem »Guten Abend, Fräulein!«, die Außentüre knarrte, und es ward still, ganz still.

Abendliche Schatten zogen in die Wohnung des Ballettänzers ein – es wurde finster. Rosa lag noch immer auf ihrem Bett und starrte in die Dunkelheit hinein.

Im Wohnzimmer saß der alte Mann, faltete seine Hände über den spitzen Knien und weinte; und draußen, in der Küche, lehnte Agnes Stockmaier am Fenster und blickte traurig auf den leeren Hof hinab.

Spät abends erst entschloß sich Rosa, zu ihrem Vater hinüberzugehen. Im Wohnzimmer war es so finster, daß Rosa unsicher umhertappte.

»Kind, bist du's?«, fragte Herr Herz leise und heiser.

»Ja, Papa.«

»Gehst du fort?«

»Nein.«

»Ah, ich glaubte, du suchst deinen Hut. Es ist auch besser so; ich habe ohnehin mit dir zu sprechen.«

»Soll Agnes die Lampe bringen?«

»Nein. Wozu? Komm setz dich her.« Rosa drückte sich in eine Sofaecke, preßte die Arme gegen die Brust und war bereit.

»Du sitzt schon, mein Kind; nicht wahr?«, begann Herr Herz. »Was wollte ich dir doch sagen? Ja – so! Die Schank war hier.« Er hielt inne, da Rosa aber schwieg, fuhr er mühsam und ein wenig unzusammenhängend zu sprechen fort. »Sie hat mir da allerhand erzählt – – Dinge, die mir ganz, ganz fremd waren, und die mich – einigermaßen – alteriert haben. So sagt sie unter anderem, die ganze Stadt spricht von – von – wie sie sagt – von heimlichen Zusammenkünften zwischen dir und dem jungen Tellerat. – Du hast mir nichts davon gesagt, liebes Kind. An der ganzen Geschichte ist vielleicht nichts daran?«

»Doch«, sagte Rosa, und ihre Stimme nahm eine erzwungene Festigkeit und Ruhe an. »Ich komme mit Ambrosius Tellerat zusammen, weil ich mit ihm verlobt bin.« Tiefe Stille folgte dieser Erklärung; nur die alte Wanduhr ließ ihr asthmatisches Tiktak vernehmen.

»Davon habe ich nichts gewußt«, ergriff Herr Herz endlich kleinlaut wieder das Wort.

»Ich wollte es dir heute sagen«, antwortete Rosa, und nun – den Kopf auf die Sofalehne zurückgeworfen, die Füße von sich gestreckt – begann sie, dem ganzen Unwillen, allem Ärger, all der Angst, die sie den ganzen Tag über mit sich herumgetragen hatte, in der unlogischen, übersprudelnden Weise weiblicher Beredsamkeit Luft zu machen. Natürlich! Der Vater hatte es sich auch von der Schank einreden lassen, daß sie mit Ambrosius weiß Gott was für Sachen trieb, daß sie ein schlechtes, leichtsinniges Mädchen sei. Wenn alle auch übel von ihr dachten, so hatte sie doch wenigstens gehofft, von ihrem Vater verstanden zu werden. Hunderte von Mädchen verlobten sich jedes Jahr, nur sie – Rosa – durfte es nicht; bei ihr war es ein Verbrechen. Und warum? Weil Sally Ambrosius heiraten wollte. Aber welches Recht hatte Sally auf Ambrosius? Hatte sie ihn vielleicht gepachtet? Konnte sie ihn zwingen, ein widerliches schielendes Mädchen zu lieben? Nein! Ambrosius liebte Rosa – und Rosa liebte Ambrosius, das war doch einfach genug. Oder war es vielleicht etwas so Ungeheuerliches, daß jemand Rosa Herz heiraten wollte? Gleichviel! Geschehen würde es doch. Als Rosa auf den Höhepunkt ihrer Rede gelangt war, brach sie in Tränen aus, schluchzte laut und eigensinnig, wie ein ungezogenes Kind.

»Rosa – Kind, weine nicht!«, versuchte Herr Herz sie zu beruhigen. »Ich sage ja nichts! Ich berichte dir nur, was die Schank mir erzählt hat. Aber du gerätst gleich in Feuer – und nun dieses Weinen! Was hab ich denn gesagt? Ich habe es nicht gewußt, daß ihr miteinander verlobt seid. Wenn das so ist, wie du sagst, werde ich mich darüber freuen.«

»Du glaubst doch nicht an die Heirat!«, warf Rosa ein und weinte fort.

»O ja! Warum nicht! Wir werden ja sehen! Nur müssen diese Angelegenheiten besprochen und bedacht werden. Mit dem unverständigen Weinen richten wir nichts aus. Weine nicht, sei vernünftig! Wenn man heiraten will, muß man gescheit sein. Komm!«

Rosa richtete sich auf. »Was sagt denn eigentlich die alte Schank?«, fragte sie.

»So gefällst du mir!« Herr Herz versuchte es, seiner Stimme einen munteren Klang zu geben. »Nun – sie erzählt, heute morgen ist Lanin bei ihr gewesen, um ihr mitzuteilen, man habe dich und den jungen Tellerat zusammen gesehen – beim Trödler, glaube ich – und dann noch beim alten Raute. Allerhand böse Dinge spricht man in der Stadt von euch. Kurz: Lanin verlangt, die Schank soll dich aus der Schule ausschließen, sonst nimmt er seine Tochter fort, und viele andere tun es auch.«

»Die Schank hat es ihm natürlich zugesagt«, schaltete Rosa bitter ein. »Oh, sie kann unbesorgt sein! Ich gehe ohnehin nicht mehr zu ihr.«

»Ereifre dich nicht, Kind! Wir wollten die Sache ja ruhig besprechen. Der Schank gehen diese Geschichten sehr nah; sie liebt dich wie ihr Kind. Aber was kann sie tun? Sie hat mit Lanin auch über die mögliche Heirat gesprochen. Nun er – hat sich ungünstig darüber ausgesprochen, hat nichts davon wissen wollen und hat – wie die Schank sagt – behauptet, der junge Mann habe ihm – Lanin – versprochen, dich nicht zu heiraten.«

»Das ist nicht wahr!«

Herr Herz hatte den letzten Teil seines Berichtes unsicher und leise vorgebracht, jetzt fuhr er hastig fort, um die böse Sache schnell abzumachen: »Hör mich nur bis zu Ende. Ich hoffe auch, es wird nicht so sein, wie die Schank es darstellt. Lanin hat ferner gesagt, sein Neffe reise morgen oder übermorgen ab, und damit – so meint Lanin nämlich – soll die Affäre ihren Abschluß finden. Warte, unterbrich mich nicht. Die Schank sagt nun, du seiest nicht ganz vorsichtig gewesen, und darin hat sie recht, du bist gewiß nicht vorsichtig gewesen«, wiederholte Herr Herz mit einem Anflug väterlicher Strenge. »Sie meint also, du sollst fort – für einige Zeit wenigstens. Hier in der Stadt werden die Leute dir Unannehmlichkeiten bereiten. Sie hat erfahren, daß ein junges Mädchen als Bonne für eine russische Kaufmannsfamilie gesucht wird. Da hat die Schank gleich an dich gedacht.« Dem armen alten Mann kostete es Mühe, seine Bewegung zu verbergen, und obgleich ihm die Tränen über die Wangen liefen, fügte er doch munter hinzu: »Was meinst du, Kind? Reisen. – Die Welt sehen?«

»Ich – eine Bonne!«, fuhr Rosa auf. »So etwas kann sich auch nur diese Alte ausdenken.«

»Warum? Eine Bonne ist doch nichts Schlechtes. Oder nenne es Gouvernante, Gesellschafterin – wie du willst.«

»Ich danke schön.«

Herr Herz war in Verzweiflung. Der kurzen, mit tiefer Stimme gesprochenen Antwort hörte er es wohl an, wie sehr er seine Tochter verletzt hatte. Nun sollte er sie noch zu diesem Plan überreden, der ihm selbst fast das Herz brach. Was konnte er tun? Rosas Leichtsinn, all das Schlimme, was die Leute ihr nachsagen und antun würden, bereitete ihm arge Pein. Gerade weil er sich den größten Teil seines Lebens in einer Welt bewegt hatte, in der es mit der weiblichen Tugend so wenig genau genommen wurde, gerade deshalb erfüllten ihn die strengen Grundsätze der solid bürgerlichen Gesellschaft mit um so größerer Achtung, jener Gesellschaft, in die aufgenommen worden zu sein der Triumph seines Lebens war. Nun wollte diese bewunderte Gesellschaft seine Rosa verstoßen. Sein Kind sollte dieser Gesellschaft unwürdig sein. Hatte Rosa sich nicht ganz an die Regeln der Sittsamkeit gehalten, wie ein gutes Bürgermädchen es muß, fiel nicht der größte Teil der Schuld auf ihn zurück? Der alte Ballettänzer, dessen höchstes Ideal es war, ein tadelloser Spießbürger zu sein, glaubte zu sehen, wie in Rosa etwas von seiner ungeordneten Vergangenheit erwachte, und er sagte sich: »Wird dieses Kind kein braves, geachtetes Bürgermädchen wie Sally Lanin und Ernestine Klappekahl, so bist du daran schuld, denn du vermochtest ihr keinen braven, geachteten Bürger zum Vater zu geben.« Aber wie allen schwachen Gemütern mit reger Einbildungskraft gelang es Herrn Herz, bald über diese traurigen Gedanken hinwegzukommen. Warum sollte Ambrosius Rosa nicht heiraten? Ein vernünftiger Grund war dagegen nicht vorzubringen. Und kam die Heirat zustande, dann war ja alles in bester Ordnung. »Übrigens«, wandte er sich an seine Tochter, »dürfen wir die Köpfe nicht hängen lassen. Ich gehe morgen zu Lanin, spreche mit ihm – mit dem jungen Mann auch. Hoffentlich klärt sich alles günstig auf, und dann brauchen wir die Russen der Schank nicht mehr. Der Gedanke einer Trennung von dir wollte mir ohnehin nicht in den Kopf. Also munter – munter! Agnes – die Lampe!« Er lachte – er freute sich jetzt sogar, daß Rosa Aussicht hatte, eine gute Partie zu machen.

»Eins aber sage ich dir«, versetzte Rosa, »mit der Schank spreche ich morgen nicht.«

»Nein – nein«, erwiderte Herr Herz. »Aber du darfst ihr nicht böse sein.«

Als Agnes die Lampe brachte, zeigte es sich, daß sowohl Rosa wie auch ihr Vater verweinte Augen hatten, beide sahen aber ruhig, Herr Herz sogar fröhlich aus. Er trieb allerhand Possen, neckte Rosa, spottete über die Lanins; ja – die Sache hatte in seinen Augen plötzlich ein so günstiges Ansehen gewonnen, daß er Rosa den ganzen Abend über »die kleine Braut« nannte. Und als sie nach dem Nachtmahl miteinander Piquet spielten, waren sie ausgelassen wie Kinder, die ihren tollen Einfällen die Zügel schießen lassen, weil die erwachsenen Leute ausgegangen sind. Nur Agnes ging bleich und mürrisch ab und zu. Jedesmal wenn sie das Wohnzimmer betrat, ward Herr Herz stiller und blinzelte Rosa mit den Wimpern heimlich zu; und ging Agnes wieder hinaus, dann flüsterte er: »Warum die nur heute so brummig ist?«

16.

Als der Ballettänzer am folgenden Morgen vor dem Spiegel stand und nachdenklich sein spärliches Haar bürstete, verspürte er nichts mehr von der guten Laune des vorigen Abends. Seufzend holte er den schwarzen Visitenrock aus dem Kasten, zog ihn langsam und zögernd an; dann beschäftigte er sich noch eine halbe Stunde damit, seinen Hut zu reinigen, und trat endlich, da es doch sein mußte, den sauren Weg an. Dazu kam heute eine niederschlagende, unbehagliche Witterung. Der Himmel war ganz mit gleichmäßig hellgrauen Wolken bedeckt, und in der Luft herrschte eine schwüle Ruhe. Tage, die keinen ordentlichen Sonnenschein hatten, verstimmten Herrn Herz immer; nun noch unter diesen Umständen!

Er schellte an der Laninschen Haustüre, und während er draußen wartete, zogen sich die greisen Haarbüschel über seinen Augen zusammen, und sein armes, sorgenvolles Gesicht ward ganz rot. Das kleine Dienstmädchen öffnete endlich. »Ist der Herr Bürgermeister zu Hause?«, fragte Herr Herz.

»Jawohl, bitte nur näherzutreten.«

Das Dienstmädchen verschwand und ließ den Ballettänzer im Salon allein, in diesem Salon, der mit seinen Möbeln in weißkalikot Überzügen, mit seinem blankgebohnerten Estrich, seinen ernsten Fotografien, mit seiner ganzen soliden Steifheit dem alten Mann das Herz schwermachte. Eine Türe öffnete sich halb, und Frau Lanins Kopf, von der Nachthaube bedeckt, zeigte sich und verschwand wieder. An einer anderen Türe machte sich Fräulein Sally bemerkbar durch das Rauschen und Flattern weißer Unterröcke. Nach einigen

Minuten kehrte das Dienstmädchen zurück und bat Herrn Herz, in die Stube des Herrn hinüberzugehen.

Da saß der Herr in seiner Stube vor dem großen Schreibtisch. Der kaneelbraune Schlafrock mit den kirschroten Sammetaufschlägen war – der Hitze wegen – offen und ließ die breite Brust des Chefs der Firma Lanin sehen. Das Gesicht war vom Schlaf noch bleich und geschwollen, die Stimme belegt. »Ich habe die Ehre, lieber Herz. Ich weiß es schon, was Sie so früh zu mir führt.« Indem Herr Lanin dieses im Ton feierlichen Beileids dem Ballettänzer entgegenrief, reichte er ihm eine dicke, lauwarme Hand.

»Ja, ja; das ist's«, erwiderte Herr Herz.

»Gut! Setzen Sie sich.«

Herr Herz setzte sich auf Conrad Lurchs Rohrstühlchen.

»Es ist schlimm«, begann Herr Lanin und schaute mit seinen kleinen, glanzlosen Augen zum Fenster hinaus. »Recht traurig! Was gedenken Sie zu tun? Sie wollten meinen Rat einholen; ich verstehe. Aber, da ist schwer raten. Wie Fräulein Schank mir sagt, hat sich eine Stelle für Ihre Tochter gefunden, als Bonne, glaube ich. Das wäre ja günstig.«

Bei Lanins Worten begriff Herr Herz erst Rosas Entrüstung, als er ihr den Vorschlag gestern gemacht hatte, denn das Wort »Stelle« klang im Munde des Bürgermeisters wie etwas sehr Gemeines – und nun noch »Bonne« – mit seinem knallenden B und dem widrig nachschnurrenden Doppel-N. Herr Herz stützte die Ellenbogen auf die Knie, faltete die Hände, schloß die Augen, wie er es zu tun liebte, wenn er ernst sein wollte, und rückte mit dem Vortrage heraus, den er sich mühsam heute morgen eingeprägt hatte.

Fräulein Schank hatte auch ihm – Herz – ihren Plan mitgeteilt. Bevor er aber in eine Trennung von seinem einzigen Kinde willigte, bevor er sich dazu entschloß, Rosa in weite Ferne und in eine unsichere Zukunft hinauszusenden, wollte er es versuchen, der Sache eine andere, glücklichere und natürlichere Wendung zu geben, und deshalb hatte er Lanin aufgesucht. Herr Herz hielt einen Augenblick inne, öffnete die Augen und sah Lanin scheu an. Dieser hörte ruhig zu. Er schien dabei scharf zu denken, denn er zog die Augenbrauen leicht zusammen und kniff die Augenlider ein; seine Lippen umspielte ein feines Lächeln, als hätte er den Sprecher bereits bei einem logischen Fehler ertappt. Herr Herz wollte sich nicht einschüchtern lassen. Er schloß wieder die Augen und sprach weiter, er kannte die Schuld und die Unvorsichtigkeit seiner Tochter wohl, trug er doch selbst einen Teil dieser Schuld, denn seine Erziehungsmethode mochte eine verfehlte, seine Wachsamkeit eine mangelhafte gewesen sein. Mein Gott, wo sollte er auch die rechte Methode, junge Mädchen zu erziehen, herhaben? Ja, wenn die Schwester Ina noch lebte, da wäre manches anders gekommen! Trotz alldem hatte der junge Mann doch auch eine Verantwortlichkeit auf sich geladen, hatte eine Schuld zu sühnen. Ein junger Mann von Geist und Welt hatte einer kaum siebzehnjährigen unerfahrenen Kleinstädterin gegenüber immer leichtes Spiel. Herr Lanin machte eine abwehrende Handbewegung; er war offenbar wieder einem logischen Schnitzer auf die Spur gekommen.

»Ich weiß es«, fuhr Herz fort, »daß zwischen den beiden Kindern wirkliche Neigung besteht. Ambrosius Tellerat hat die Absicht, Rosa zu heiraten, klar und deutlich ausgesprochen, und wie die Sachen liegen, kann und will ich ihm die Hand meiner Tochter nicht verweigern. Mit einer Heirat aber wird die jetzt so traurige Angelegenheit, meine ich, einen für alle segensreichen Abschluß finden.« Herr Herz war mit seiner Rede zu Ende und blickte jetzt zögernd auf.

Lanin saß noch immer ruhig da und lächelte. Er sah weder entrüstet noch erzürnt aus; er schaute vielmehr drein wie jemand, der an einem schwierigen Problem ein rein sachliches, geistiges Interesse nimmt. »Indem Sie von der Heirat – sprechen«, begann er langsam, wieder am Ballettänzer vorüber zum Fenster hinaussehend, »haben Sie allerdings das *punctum saliens* – wie der Lateiner sagt – der Sache getroffen. Nur scheint es mir, Sie fassen dieses punctum anders als ich und daher nicht ganz richtig – ganz konsequent auf.« Er hielt inne und blinzelte mit den Augenlidern. »Nein, nicht ganz konsequent«, wiederholte er nach reiflicher Überlegung. »Vom allgemeinen moralischen Standpunkt mag solch eine – Sühne – wie Sie sagen – zu verteidigen sein – vom allgemein moralischen – bitte! Die allgemeinen Moralgesetze erleiden aber durch unsere gesellschaftlichen Gesetze eine Modifikation – eine Veränderung. Das ist von jeher das Hauptaxiom meiner, wenn ich so sagen darf, persönlichen Philosophie gewesen. Nun, in der höheren bürgerlichen Gesellschaft, die doch die eigentliche Wahrerin der Moral ist, gilt eine Verbindung zwischen einem jungen Manne und einem Mädchen, das die von der höheren bürgerlichen Gesellschaft geforderte Reserve diesem jungen Manne gegenüber außer acht gelassen hat, für – unmoralisch. Ja, lieber Herz, das ist ein Gesetz, da kann man nichts machen! Die Sühne aber, welche die Gesellschaft dem jungen Manne und dem Mädchen auferlegt – ist – daß sie auf eine Verbindung miteinander verzichten.«

Herr Herz sah sehr verblüfft drein, der Bürgermeister aber lachte. »Ja – ja! Auf den ersten Blick erscheint das widersinnig – paradox, wie? Aber sehen Sie nur näher zu, es ist das einzig Richtige, das einzig Vernunftgemäße.«

»Ich weiß doch nicht...«, protestierte Herr Herz leise.

»Doch – doch«, unterbrach ihn Herr Lanin. »Ist sich auch nicht ein jeder dieses Gesetzes klar bewußt, dazu besitzt nicht ein jeder die analytische Übung, so fühlt es doch ein jeder. Ihnen, lieber Herz, würde es nicht anders gehen, wären Sie im beständigen Konnex mit der höheren bürgerlichen Gesellschaft geblieben. Dieses Gesetz ist auch der Grund, warum mein Schwager nie dieser Verbindung seine Zustimmung geben würde, wenn ihm auch nicht anderweitige Pläne, die er mit Ambrosius hat, im Wege stehen würden. Nie – nie!« Herr Lanin machte mit der Hand einen vertikalen Schnitt durch die Luft. »Mein Neffe reist morgen ab, und damit ist für diese unangenehme Verwickelung die einzig vernunftgemäße, ich möchte sagen – ideal-ethische Lösung gefunden.« Herr Lanin machte einen Querschnitt durch die Luft, und damit schien die Sache wirklich vollkommen logisch und – hoffnungslos erledigt zu sein.

Herr Herz erhob sich. Lanins bunte Redensarten verwirrten ihn. »Also – Herr Direktor – wenn Sie meinen...« Er war in so jämmerlicher Verfassung, daß er Direktor statt Bürgermeister sagte und daß es ihm vorkam, als wäre er wieder der arme Komödiant, dem der Direktor sein mageres Honorar vorenthielt.

»Leben Sie wohl«, sagte Lanin herzlich. »Ich wünsche Ihnen und Ihrer Tochter alles Gute. Der allmächtige Weltenordner wird alles zum besten wenden.«

Herr Herz trocknete sich die Tränen aus den Augen. Der väterliche Abschied des Bürgermeisters rührte ihn. »Oh, ich danke – Lanin – ich danke«, damit ging er hinaus.

Im Salon huschten wieder Fräulein Sallys weiße Röcke um die Türflügel – wieder zeigte sich Frau Lanins großes, bleiches Gesicht in der halbgeöffneten Schlafkammertüre.

Herr Herz pilgerte nun zu Klappekahl. Der scharfsinnige Apotheker, der Weltmann, wußte bestimmt Rat.

Die Apotheke war dermaßen überfüllt, daß Klappekahl und Zapper nicht wußten, wo ihnen der Kopf stand. »Ah Herz, das ist charmant. Ich stehe sogleich zur Verfügung«, rief der Apotheker. »Gehen Sie, bitte, ins Wohnzimmer hinüber. Sie finden dort die Ernestine. Konversieren Sie mit ihr ein wenig. Ich muß diese Leute abfertigen. Ich weiß nicht, was das ist, eine Riesenobstruktion hat sich auf die Stadt geworfen. Bitterwasser und Rizinus – sonst nichts! Jetzt – zur Zeit der Früchte! Unbegreiflich!« Klappekahl flog davon.

Herr Herz fand im Wohnzimmer allerdings Ernestine; sie erhob sich jedoch, als er eintrat, grüßte steif und verließ das Zimmer. Es dauerte eine geraume Weile, bis der Apotheker Zeit fand, sich seinem Freunde zu widmen, und als er kam, war er atemlos und erhitzt. »Es ist fabelhaft, wie es heute morgen hier zugeht. Alles schreit nach Abführungen. Es wäre interessant, dieser Erscheinung auf den Grund zu kommen.« – Als er die betrübte Miene seines Gastes bemerkte, ward er ruhiger. »Ja so! Ich habe gehört. Armer Freund!« Er drückte Herrn Herz gefühlvoll die Hand. »Aber was tun! Man muß sich in alles schicken.«

»Ich komme zu Ihnen, lieber Klappekahl«, meinte Herr Herz, »ich dachte mir, Sie werden vielleicht etwas wissen.«

»Ja – lieber Freund«, erwiderte der Apotheker und strich sinnend mit der Hand über sein Kinn. »Ein schwieriger Fall! Nun – aber – aber – – das Schlimmste ist doch noch nicht geschehen?«

»Wie, das Schlimmste?«

»Ich meine, nur kleine Unvorsichtigkeiten liegen vor? Ach Gott! In einer Großstadt hätte das nichts auf sich, da lacht man über dergleichen; aber in unserem Neste wird aus der Mücke ein Elefant. Ich – persönlich – habe über solche Dinge meine selbständige, freiere Anschauung; aber schließlich muß man sich dem Milieu, in dem man lebt, fügen. Sehen Sie, meine eigene Tochter weicht von meiner Auffassung ab. ›Deine Ansicht ist eng, Ernestine‹, sagte ich ihr gestern. Was wollen Sie, das Mädchen steht eben auf dem Standpunkt der Gesellschaft, in der es lebt. Und näher besehen – ist denn die ganze Affäre ein so großes Unglück? Ein hübsches, intelligentes Mädchen wie Rosette – haha – ich nenn sie immer Rosette – das kommt überall fort. Wie wäre es zum Beispiel mit dem Theater? Haben Sie daran schon gedacht?«

»Nein!«, entgegnete Herr Herz erstaunt. Daran hatte er wirklich nicht gedacht – und jetzt machte dieser Gedanke auf ihn nur einen peinlichen Eindruck. Sein mühsames, ärmliches Komödiantenleben schwebte ihm vor, und es erschien ihm wie ein Hinabsteigen, wie ein Verlust an Würde, wenn aus der soliden Schankschen Schülerin eine Theaterprinzessin werden sollte.

»Das wäre doch so ungünstig nicht«, fuhr der Apotheker fort und lächelte schalkhaft. »Was würde Rosette dazu sagen?«

»Sie! Mein Gott! Sie sagt, sie will ihn heiraten.«

Klappekahl ließ ein leises Pfeifen hören und kratzte sich mit dem kleinen Finger den Scheitel. »Das ist etwas anderes. Aber – offen gesagt – wenn die Eltern des jungen Mannes ihr Veto einlegen, wenn er selbst nicht daran will, was können Sie tun? Zum Heiraten kann niemand gezwungen werden.«

»Er hat es ihr versprochen«, wandte Herr Herz kläglich ein.

»Baba! So etwas tut man im Jugendeifer. Wer von uns hat das nicht getan? Hand aufs Herz! Sie – und ich – als wir jung waren, in einer Weltstadt lebten, haben wir da geglaubt, daß wir durch solche kleine Galanterien irgendwelche Verbindlichkeit übernehmen? Nein – also! Seien wir gerecht. Wie wollen Sie nun den jungen Mann zwingen? Ein Duell? Ja, in einer großen Stadt, da wäre auch das möglich; ich selbst würde mich Ihnen ohne weiteres zum Sekundanten anbieten; ich weiß, wie solche Affären ausgetragen werden. Aber hier? Unmöglich!«

»Unmöglich!«, wiederholte Herr Herz tonlos. »Sie meinen also auch, das Kind soll fort?«

»Es wird nicht anders gehen, mein armer Freund.« Klappekahl reichte dem Ballettänzer beide Hände. »Unsere Freundschaft bleibt ungetrübt. Wir beide haben ein Stück Welt gesehen und wissen, was wir von den kleinstädtischen Vorurteilen zu halten haben.« Zapper unterbrach das Gespräch. »Herr Prinzipal, es muß Gummi arabicum aus dem Magazin geholt werden.«

»Mein Gott! Jetzt tritt die Reaktion ein. Die Stadt ist wie behext. Ich muß fort. Sie entschuldigen. Kann ich Ihnen sonst helfen – Sie wissen – mit dem größten Vergnügen. Morgen gebe ich eine kleine Soirée, so etwas zerstreut. Ich rechne auf Sie. Nur ältere Leute, Sie verstehen – sonst wäre es mir ein Vergnügen gewesen, Rosette bei mir zu sehen. Grüßen Sie das liebe Kind von mir. Arrivederci! Ich komme – ich komme!« Damit lief er fort.

Herr Herz war ein wenig getröstet. Der Apotheker hatte wenigstens nicht den überlegenen, jede Hoffnung raubenden Ton angenommen.

Er beurteilte Rosa milder und hätte sie zu seiner Soirée eingeladen, wäre es nicht eine Soirée für ältere Leute. Ja – er hatte hübsch und herzlich gesprochen, der Apotheker! – Aber Rosa mußte dennoch fort – sie, die einzige Freude des alten Ballettänzers. Bei seinem Alter war es fast gewiß, daß er seine Tochter dann nie wiedersehen würde. Eine Trennung für immer! Und doch mußte es sein. Sie sagten es ja alle, die klugen, umsichtigen Leute. Er selbst war hilflos. Was wußte er von all diesen Rücksichten? Er verstand die ganze sittliche Entrüstung nicht. Und doch hegte er eine so tiefe Verachtung seiner Vergangenheit, daß er seine Ansichten und Anschauungen, die sich von jener Vergangenheit doch nicht ganz losmachen konnten, im vorhinein für falsch und gemein hielt. Sein eigenes Urteil kassierte er ohne zu zaudern vor dem Urteil der vernünftigen, tugendstolzen Bürger, die nie um das tägliche Brot hatten tanzen oder um einen lumpigen Vorschuß bei einem lumpigen Direktor hatten kriechen müssen. Rosa mußte fort, das war gewiß, und neben dem Schmerz über die bevorstehende Trennung empfand Herr Herz auch lebhafte Furcht vor seiner Tochter. Wie sollte er ihr seinen Entschluß mitteilen? Abgespannt, traurig, hungrig und müde kehrte er nach Hause zurück.

Rosa saß in der Fensternische des Wohnzimmers und nähte. Sie trug ihr blaues Sonntagskleid; die Haare hingen nicht wie sonst über den Rücken nieder, sondern waren aufgesteckt und mit einem blauen Bande geschmückt, das Herr Herz noch nicht kannte, und wie sie ruhig auf ihre Arbeit niedergebeugt dasaß, erschien sie ihrem Vater schöner und älter als sonst. Das war nicht mehr Rosa, das Kind. Über dieser blonden Gestalt lag eine ernste Jungfräulichkeit, die den Ballettänzer überraschte und einschüchterte; er wagte nicht so recht mit seinem Bericht herauszurücken und ging unstet im Zimmer auf und ab. Rosa nähte fort, als bemerkte sie die Aufregung ihres Vaters gar nicht. Endlich, als sie einen Faden über die Wachsrolle zog, blickte sie mit ruhigen, klaren Augen auf und fragte: »Nun?«

Herr Herz blieb stehen, zuckte die Achseln: »Es ist noch nichts ausgemacht. Das heißt, ich muß zusehen...«

»Wen hast du gesprochen?«

»Alle Welt, Lanin, Klappekahl. Mein Gott, wo bin ich nicht alles gewesen!«

»Was sagten sie?« – Herr Herz fand seine Tochter zu gesammelt, zu ruhig, das verwirrte ihn. »Gesagt haben sie genug. Aber – was! Schließlich ist es auch gleichgültig, was sie gesagt haben. Wir werden uns schon selbst helfen.«

»Reist Ambrosius ab?«

»Ja – morgen; Lanin sagt das wenigstens.«

»Und sie wollen alle, ich soll nach Rußland fort?«

»Ja – sie haben alle davon gesprochen.« Die schmalen, trockenen Lippen des alten Mannes bebten. »Und, liebes Kind, was kann ich tun? Wenn die schlechten Leute dich hier quälen, wenn sie dir das Leben unmöglich machen – – nimm Vernunft an – Rosa – Kind.« Jetzt weinte er. »Du mußt vielleicht doch fort.«

Still hörte Rosa zu, nur ein wenig bleicher wurde sie. Jetzt biß sie energisch das Ende eines Fadens ab, um ihn in die Nadel zu fädeln, und sagte leise: »Gut, ich werde gehen.« Dann nähte sie.

Verblüfft schaute Herr Herz sein Kind an. Was war denn passiert? Die blasse, ergebene Rosa ward ihm unheimlich; er verstand sie nicht mehr. Alles gab sie auf und wollte gehen?

Agnes Stockmaier kündigte mit Grabesstimme an, die Suppe warte. Rosa faltete ihre Arbeit zusammen, glättete sich mit den Handflächen das Haar und trat zu ihrem Vater: »Komm«, sagte sie und umschlang ihn; »sei nicht betrübt, es wird alles gut werden.« Dabei lächelte sie ein so verständiges, tröstliches Lächeln, daß es dem alten Ballettänzer warm ums Herz wurde und er bewundernd zu seiner Tochter sagte: »Weißt du, Kind, wie du heute ausschaust? Wie eine Madonna.«

17.

Die Überzeugung, daß alles gut werden würde, hatte sich Rosa nicht ohne Kampf errungen. Mitten in der Nacht war sie endlich zur Klarheit, wie sie meinte, über ihre Lage und zu einem festen Entschluß gelangt.

Während es ringsum still und finster war und nur die Turmuhr des Gymnasiums ihr melancholisches Bimbam herübersandte, hatten Furcht und Verzagtheit Rosa ergriffen; Ambrosius wird sie doch verlassen. Die Schank und Lanins werden doch recht behalten, und alles – alles wird vorüber sein! Ihr Leben gestaltet sich dann noch leerer und qualvoller. Sie wird verachtet, verspottet. Niemand geht mit ihr um. Oder sie muß fort – in die Fremde – muß Kinder spazierenführen und waschen. O nein! Nie!

Angstvoll saß Rosa in ihrem Bette auf. Sie konnte nicht so ohne weiteres ihre Hoffnungen fahrenlassen. Endlich mußten doch auch die Festtage ihres Lebens kommen! Wieder zu den unklaren, schwermütigen Träumereien eines armen Mädchens zurückkehren, sich wieder unter die Sittenregeln der Schank beugen; wieder immer nur andere beneiden, nur heimlich wünschen, das konnte sie nicht. Alles, was sich in einer jungen Seele nach Genuß sehnt, kochte in Rosa auf. Fiebernd und weinend bohrte sie ihren Kopf in die Kissen und stöhnte: »Amby – Amby!« Das arme Kind hielt Ambrosius für die Verkörperung ihres Glückes, für den Türhüter ihres Paradieses. Mit ihm stand und fiel das Glück. – Er wollte fort? – Gut, sie auch. Er liebte sie ja; er hatte es ihr versprochen, sie in eine große Stadt zu bringen. Dort durfte niemand sie stören, dort – dort – würde das große, schöne, einzig ihrer würdige Leben ihnen weit die Tore öffnen. Das war es! Der einzige Ausweg war gefunden, und nun arbeitete sie ihren Plan aus. Ganz genau; nichts ward vergessen. Die Rede, die sie Ambrosius halten wollte, die Vorwände, unter denen sie, am Abend der Flucht, den Vater entfernen würde, die Kleider, die mitzunehmen waren – den Brief, den ihr Vater am Morgen nach der Flucht in ihrem Zimmer finden sollte: Alles überdachte sie, und als die Sonne ins Zimmer schien, erhob sich Rosa, nach der schlaflosen Nacht bleich und müde, aber ruhig und entschlossen. Sie bestellte Ambrosius für den

Abend zum Trödler. »Es hängt alles davon ab, daß ich dich heute sehe«, schrieb sie...

Um die Zeit des Sonnenunterganges ging Rosa fort. »Bleibe wenigstens nicht zu lange aus!«, rief ihr Agnes nach. – Wenigstens! Das verdroß Rosa. Es war wohl an der Zeit abzureisen; alle, selbst Agnes, verletzten sie und sagten ihr unangenehme Dinge. – Von der Herzschen Wohnung bis zum Trödler war es nicht weit, nur eine Straße brauchte man hinabzugehen – und doch! – wieviel Widerwärtiges sich auf solch einem kleinen Stück Weg ereignen kann! Als Rosa aus dem Hause trat, ging der Sekretär Feiergroschen an ihr vorüber.

Er blieb stehen, lächelte süß und sagte »Guten Abend«. Dabei winkte er mit der flachen Hand einen Gruß und nahm den Hut nicht ab.

»Eine Unverschämtheit«, sagte sich Rosa und dankte nicht für den Gruß. Kaum war sie wenige Schritte gegangen, als Lanin und Klappekahl ihr entgegenkamen; sie richtete sich stramm auf, biß sich auf die Unterlippe und machte ihr hochmütiges Gesicht. Die Herren waren in ihr Gespräch vertieft und schrien laut; als Rosa aber an ihnen vorüberging, schwiegen sie plötzlich; Klappekahl wandte sich ab und sagte ein gedehntes Ja, das nicht zur Sache zu gehören schien, Lanin aber sah das Mädchen scharf an und grüßte nicht. Rosa ward rot und stieß ihren Sonnenschirm grimmig auf die Steine. Konnte sie sich denn nicht mehr zeigen, ohne gekränkt und gedemütigt zu werden? Gott sei Dank, da war das Trödlerhaus schon! Wer bog aber dort um die Ecke? Wieder ein Bekannter? Meiner Seel, der junge Toddels! Wird er grüßen, oder wird er es auch wagen...? Nein, er grüßte schon von weitem, zog tief seinen Hut ab, rief »Guten Abend, reizendes Wesen«, und zwei Finger an die Lippen drückend, warf er Rosa eine Kußhand zu. Das war zuviel! Rosa traten die Tränen in die Augen, und sie begann zu laufen. Sie wollte es Ambrosius klagen, er mußte sie schützen, sie fortnehmen aus diesem Ort, wo man sie zu Tode folterte.

Hastig stieß sie die Türe zur Trödlerwohnung auf. »Ist der junge Herr da?«, rief sie Ida zu.

»Ja, Fräulein Rosa; der junge Herr ist draußen im Laden beim Vater.«

»Ruf ihn!«

Ungeduldig trommelte Rosa mit den Absätzen. Wo blieb er nur? Es war sonst niemand im Gemach, selbst die alte Jüdin fehlte. Die Fenstervorhänge waren herabgelassen, auf dem Tische stand ein Strauß von Astern und wohlriechenden Erbsen, das Bett in der Ecke war mit frischem Leinenzeug überdeckt. Das dunkle, unreinliche Gemach schien heute einen Versuch gemacht zu haben, festlich auszusehen. Lag es nun am Strauß auf dem Tische oder am reinen Bettzeug – es mißfiel Rosa, sie wußte nicht warum.

Da Ambrosius noch säumte, zog sie sich ihren Mantel aus, legte ihren Hut ab, schaute sich nach einem Spiegel um – dort auf dem Tische stand ja einer, ein kleiner alter Spiegel mit abgeriebenem Goldrahmen. Er lehnte sich an einen Stoß Bücher und war mit bunten Bonbonpapieren geschmückt, wie Ida sie zu sammeln liebte. Vor dem Spiegel lagen ein Stecknadelpolster und ein Kamm, dem die Hälfte seiner Zähne fehlte. Seltsam. Wozu diese Vorbereitungen? Rosa dachte nach... – Endlich kam Ambrosius in einem neuen hellen Anzug, das Haar sorgfältig gebrannt, die Wangen rot, ein heiteres, sorgloses Lächeln auf den Lippen. »Nun Schatz! Wir haben uns lange nicht gesehen!«, rief er munter und breitete seine Arme aus. Stürmisch warf sich Rosa in diese Arme. Jetzt hielt sie ihn, jetzt war er wieder da, mit seinem guten, leichtfertigen Gesicht, mit seiner lustigen Stimme, die alle Widerwärtigkeiten wie einen Spaß besprach, über den man zusammen kichert.

»Hm, Liebchen«, sagte Ambrosius und klopfte Rosa verlegen auf den Rücken. »Komm, setzen wir uns. Dir ist es nicht gut ergangen, wie du mir schreibst?«

»Nein, nicht gut«, erwiderte Rosa und lachte, während die Tränen ihr über die Wangen liefen. Ambrosius führte sie ritterlich zum großen Sessel. »Setz dich her – erzähle.« Rosa mußte sich auf seine Knie setzen, fest an ihn geschmiegt, den Arm auf seiner Schulter. »Was gibt es, Liebchen? Sag.« Rosa ward sehr ernst, ja, sie hatte viel erdulden müssen. Da war zuerst der Auftritt in der Schule mit der tollen Sally. Ambrosius hatte gut lachen, Sally war doch eine schlechte Person. Dann die Schank mit ihren Vorschlägen. Eine Bonne – so etwas! Nicht wahr? Endlich Lanin und seine Intrigen, der Vater, der auf das Geschwätz dieser Leute hörte, dazu noch die Demütigungen auf der Straße. Es war schrecklich! Sie ertrug es nicht länger; wurde sie doch verfolgt und gehetzt wie ein Wild. Ein jeder glaubte ihr etwas antun zu dürfen. Sie war schon krank vor Zorn und Schmerz. »Glaube mir, Amby – geht das so fort, dann sterbe ich an gebrochenem Herzen.« Ambrosius lächelte. »O nein, lache nicht! Gewiß, ich sterbe, ich fühle das. Und dann«, Rosa zog die blonden Augenbrauen zusammen, daß sie fast grimmig aussah: »Ist es wahr, daß du morgen abreist?«

Diese Frage machte Ambrosius verlegen. Er machte eine wegwerfende Handbewegung. Gott! Rosa sollte nicht glauben, man ließe ihm Ruhe. Den ganzen Tag mit Lanins beisammen zu sein, war eine Hölle. Übrigens, wenn der Onkel ihn nicht behielt, mußte er wohl gehen – da war nichts zu machen, jedenfalls käme er aber wieder. Diese Trennung, wenn auch bitter, war in gewisser Beziehung vielleicht gut...

»Trennung?«, unterbrach ihn Rosa. »Reist du ab, so reise ich auch.«

»Wie? Du reist auch?«

»Ja – gewiß!«

Glaubte Ambrosius vielleicht, sie hier zurücklassen zu können? Er hatte es versprochen, sie mitzunehmen. Gut, sie war bereit. Jetzt war Rosa im Zuge und fuhr eifrig zu sprechen fort. Mit der flinken, instinktiven Menschenkenntnis der Frauen hatte sie es bald erkannt, daß das schwanke Gemüt ihres Geliebten anfangs vor jeder Tat zurückschreckte, um schließlich – ward es gedrängt – sich wohlgemut in alles zu fügen. Sie legte ihm den Plan der Flucht vor. Sie wollte den Vater überreden, morgen zu Klappekahl zu gehen. Agnes legte sich, wie Rosa sie kannte, um neun Uhr zur Ruhe. Um neun Uhr also konnte Rosa fortgehen. Bis zur nächsten Eisenbahnstation hatten sie drei Stunden, und dann lag die ganze Welt vor ihnen.

»Wie im Himmel werden wir leben«, rief sie begeistert. »Du wirst mir alles zeigen, erklären, denn du kennst ja alles, du weißt alles, du bist doch ein Weltmann.« Sie lehnte ihre Stirn an Ambrosius' Stirn und schaute ihm in die Augen. »Willst du?«

»Gewiß, gewiß«, erwiderte er unsicher. Anfangs hatte er mit großem Unbehagen zugehört. All das erschien ihm abenteuerlich und unmöglich. Aber Rosa war schön, während sie sprach. Die Augen leuchteten in Erregung und Tränen, über der Stirn das wirre blonde Haar, eine energische, eigensinnige Falte zwischen den Augenbrauen. Und wenn sie die Stirn krauszog, die Zähne aufeinanderbiß, die Lippen zu einem bösen, ungezogenen Lächeln aufwarf und Sally oder Lanin etwas recht Übles nachsagte, dann sah sie wie ein schöner wütender Bube aus; aber, gleich wieder, wenn sie Ambrosius gerade und flehend in die Augen schaute, wenn sie sich eng – eng an seine Brust schmiegte und, ihre Lippen ganz nah den seinen, fragte, ob er sie mitnehmen wolle, da war es wieder die umstrickende Milde und Süßigkeit der Frau. Je länger Ambrosius Rosa anblickte, um so möglicher erschien ihm der Plan. Warum auch nicht? Vor seinen Eltern fürchtete er sich nicht, er war ihnen schon einmal davongelaufen, und sonst? Was konnte ihn sonst noch halten? Rosa konnte er nicht verlassen, das wurde ihm mit jeder Minute klarer, er hätte sich ja schämen müssen, diesem tapferen Mädchen zu sagen: »Ich wage es nicht.« Rosa setzte ein so großes Vertrauen in ihn, sie bewunderte ihn und nannte ihn einen Weltmann; zeigte er sich jetzt kleinlich und zaghaft, dann war es vielleicht vorbei mit dieser Bewunderung und Liebe, und ihm entging dieses schöne, seltsame Wesen. Zum ersten Mal zweifelte er an seiner Unwiderstehlichkeit und lieh unbeholfen diesem Gefühl Worte, indem er flüsterte: »Bei Gott! Liebchen! Ich wußte es nicht, daß ich so stark in dich verliebt bin.«

»Also ja, Amby, morgen reisen wir?«

»Natürlich! Wohin aber?«

»Ja, wohin?« Rosa eilte zum Tisch. Unter den Büchern des Trödlers befand sich auch ein zerfetzter Schulatlas, und der sollte ihnen sagen, wo sie ihr Glück finden würden. Sie steckten ihre Köpfe über dem Atlas zusammen.

»Nach Paris?«, fragte Rosa.

»Ja –«, erwiderte Ambrosius gedehnt.

»Oder ist das zu weit? Übrigens würde ich dort immer an die französischen Stunden der Schank erinnert werden.« Mit Wollust fuhr Rosas Finger über die abgegriffenen, verblaßten Blätter hin. »Vielleicht nach Wien?«

Kannte Ambrosius Wien? – Ja, er kannte es; der Gedanke an Wien machte ihn erröten, denn dorthin war er seiner ersten Liebe, der Kunstreiterin, gefolgt.

»Oh, Wien würde ich gern sehen. Also nach Wien – nicht?«

»Ja – gut!« Ambrosius erwärmte sich für diesen Plan und schlug sich allerhand peinliche Geldfragen, die sich melden wollten, aus dem Kopf. Er nahm Rosa wieder auf seine Knie und erzählte, beschrieb. Oh, sie sollte erfahren, was Leben heißt! Mit dem Haß gegen die Gegenwart, der beide beseelte, gegen die ruhigen Tage voll regelmäßiger Pflicht und Arbeit malten sie sich eine Zukunft von lauter Festen und Vergnügungen aus. Verwirrt und berauscht von unklaren Visionen eines bunten Glückes schloß Rosa die Augen und lauschte der heimlichen Stimme ihres Geliebten, die, ein warmer, wollüstiger Hauch, über ihre Wange lief. Es war finster geworden, durch die Vorhänge sah man den trübroten Lichtfleck der Laterne über dem Hoftor. Die Erbsenblüten auf dem Tisch begannen zu welken und mischten ihren starken süßen Duft in den faden Staubgeruch, der ringsum von den alten Sachen aufstieg. Draußen – im Laden – sang Ida mit heiserer Kinderstimme ein Lied, immer dieselbe scharfe, traurige Notenfolge.

Ambrosius schwieg. Die beiden Liebenden hatten sich in einen alles vergessenden Traum hineingewiegt. Rosa hatte keinen Gedanken, fast kein Bewußtsein ihrer selbst, als Ambrosius sie in seine Arme nahm und durch das Zimmer trug. Es war ihr, als würde sie von einem lauen, sanft rauschenden Wasser fortgetragen – weit fort. Draußen, im berauschenden Hauch der

Sommernacht, hatte sie widerstanden, hier, in der engen, dumpfen Trödlerstube, gab sie sich hin. Der durchdringende süße Duft der Erbsenblüte betäubte sie halb – und in die schwüle Luft dieser Liebesstunde drängten sich – wie Fieberträume – die Visionen breiter, lärmender Straßen, hell erleuchteten Säle, und dann kam wieder, wie aus weiter Ferne, Idas scharfe, säuerliche Stimme mit ihrem schläfrigen Lied.

Am Abend hatte es zu regnen angefangen. Als Rosa auf die Straße hinaustrat, schlugen ihr große kalte Tropfen so heftig in das Gesicht, daß es schmerzte. Dazu fegte noch ein heftiger Wind durch die Gassen, rüttelte an den Blechschildern der Läden und ließ den Regen laut auf die Dächer trommeln. Rosa lief; dieses Pfeifen, Klatschen und Lärmen erschreckte sie; fast hätte sie den Weg nach Hause nicht gefunden, so wirre drehten sich die Gedanken in ihrem Kopf. Die feuchten Straßen, der zuckende Widerschein der Laternen auf den Plätzen, die Fenster, durch die man in friedlich erleuchtete Wohnstuben blickte, wo Familien ruhig um die Lampe versammelt waren – alles zog an Rosa vorüber wie blasse, fremde Traumbilder, wie jene Visionen, die sich so seltsam immer wieder in den Sinnenrausch hineingeschoben hatten. In ihren Ohren klang Idas Lied eigensinnig fort, und auf ihrem Körper glaubte sie noch Ambrosius' heiße Hände und Lippen zu spüren. Atemlos rannte sie vorwärts, erst vor ihrer Wohnung blieb sie einen Augenblick stehen und sann – dann stieg sie langsam die Treppe hinan.

Der Flur und das Wohnzimmer waren finster, nur in der Küche brannte das Feuer. Durch die halboffene Türe sah Rosa Agnes stehen, sie mußte gehört haben, daß die Türe geöffnet wurde, denn ohne sich umzuwenden fragte sie: »Rosa – bist du's?«

»Ja«, erwiderte Rosa. Ohne Hut und Mantel abzulegen, blieb sie im Flur stehen und schaute in die Küche hinein. Dieser matt vom kleinen Herdfeuer erleuchtete Raum mit seinen dämmerigen Ecken, in denen zuweilen auf einem Kupfergerät ein roter Blitz erwachte, Agnes in ihrem grauen Kleide, ihrer großen weißen Haube, dazu das behagliche Prasseln in der Pfanne auf dem Herde – das ergriff Rosa – machte sie traurig und tat ihr doch wohl.

»Der Vater ist fortgegangen«, berichtete Agnes, noch immer ohne sich nach Rosa umzudrehen. »Er hat auf dich gewartet. Als du nicht kamst, ging er in den Klub. Er hat nichts gegessen, meinte nur, ich soll das Essen für dich warmhalten.«

Rosa stand regungslos da und schwieg.

»Wo warst du denn?«, fuhr Agnes fort. »Du weißt doch, daß er allein nichts essen mag und daß es ihm nicht gut ist, ohne Nachtmahl fortzugehen. Du könntest auch an den Vater denken. Was du draußen bei dem Wetter zu suchen hast, weiß ich nicht, aber du solltest wenigstens zur Zeit wieder da sein. Wer läuft denn bei Nacht auf den Straßen herum!« Agnes schüttelte die Pfanne, daß es ärgerlich in ihr aufzischte. Rosa wandte sich ab und ging in ihr Zimmer hinüber, sie war gänzlich durchnäßt und mußte die Kleider wechseln. In ihrem Zimmer aber fühlte sie sich zu erschöpft, um die Kerze anzustecken. Sie setzte sich im Finstern auf ihr Bett und brütete vor sich hin, folgte wieder willenlos der Jagd ihres heißen Blutes, das ihr in den Schläfen und in der Brust hämmerte und brannte. So fand sie Agnes, als sie ins Zimmer trat. Anfangs schalt sie: Warum saß Rosa im Finstern? Warum ließ sie das Essen kalt werden? Als sie aber Rosa näher betrachtete, erschrak sie. »Gerechter Gott! Was ist dem Kinde? Du bist ja ganz naß? Hat man so etwas gesehen? Nur schnell andere Kleider.« Eilig zog sie Rosa die nassen Kleider aus, immer halblaut vor sich hinbrummend. »So – so! Ganz kalt ist das Kind. Ei – ei – die Füße wie Eis.« Geschäftig lief sie in die Küche, um die Wäsche am Herdfeuer zu wärmen. »Ganz warme Strümpfe, die werden guttun. Nicht wahr, die sind heiß?« Sie kniete nieder, zog Rosa die Strümpfe an. Die mütterliche Sorgfalt, die sich warm und liebend ihrer bebenden, er-starrten Glieder annahm, tat Rosa sehr wohl, und als sie – wieder trocken und behaglich angekleidet – dasaß, blickte sie müde und dankbar lächelnd zu Agnes auf. »Nun wird es recht sein«, meinte die alte Frau. »Bis auf das Hemd naß zu werden, du liebe Zeit! Das wird einen Schnupfen geben! Komm, iß schnell etwas Warmes.«

Im Speisezimmer brannte die Hängelampe. Vor Rosas Gedeck prasselten die Schweinsrippchen in ihrer Schüssel noch sachte fort, daneben stand ein Teller mit Apfeltörtchen und eine Flasche Rotwein. »Komm – iß«, drängte Agnes.

Rosa war hungrig. Sie aß und trank mit wahrer Lust; lange schon hatte es ihr nicht so gut geschmeckt. Agnes lehnte am Büffet und schaute ihr be-dächtig zu. Dieser ruhige, forschende Blick war Rosa unbequem; las ihr die alte Frau nicht alles, was sie erlebt hatte, vom Gesicht ab? Sie beugte ihren Kopf tiefer auf den Teller nieder und aß hastig weiter.

»Nicht so schnell, laß dir Zeit«, mahnte Agnes einmal.

»Ich bin fertig«, sagte Rosa endlich und blickte auf; da Agnes sie aber wieder so ernst anschaute, errötete sie und schlug die Augen nieder.

»Das hat geschmeckt«, versetzte Agnes und versuchte zu lächeln. »Geh jetzt zu Bett, Kind!«

Als Rosa wieder allein in ihrem Zimmer war, ward sie von bangen, schmerzvollen Gedanken bedrängt. Sollte sie zu Agnes hinausgehen? Die Gegenwart der alten Wärterin flößte ihr immer noch das beruhigend sichere Gefühl ein, wie sie es als Kind empfand, wenn die kleine Rosa durch alle Schrecknisse der finsteren Wohnstube glücklich in die Küche gelangt war und sich an Agnes' Schürze hängen durfte. Aber Agnes hatte sie heute so streng angesehen – Rosa ertrug diesen Blick nicht. Sie legte sich zur Ruhe – sie fühlte sich wie zerschlagen. Wüst und furchtbar erschienen ihr jetzt die Vorgänge im Trödlerhause, und das Fieber, das sich beim Gedanken an jene Stunde in ihrem Blut entzündete, war ihr unheimlich und widerwärtig. Dazu noch der kommende Tag mit seinen Abenteuern, seinen Gefahren. Nein, sie würde gewiß nicht den Mut finden, all das auszuführen! Plötzlich erwachte in ihr die Liebe für ihre enge Heimat, für die behagliche Welt, in der Agnes Stockmaier regierte. Ja – warm im Neste sitzen, sich von Agnes pflegen lassen – da war man sicher und gut aufgehoben!

Im Nebenzimmer ging Agnes ab und zu, rückte den Tisch, klapperte mit den Tellern. Durch die halbangelehnte Türe drang der gelbe Schein der Lampe in Rosas Zimmer und vergoldete ein Stück des alten roten Bettschirmes. Alles war, wie es stets gewesen, seit Rosa denken konnte, die wirren, unruhigen Bilder verblaßten vor der Macht des langgewohnten Friedens. Ruhig und lächelnd schlief Rosa ein, als wäre sie noch ein kleines, unschuldiges Kind.

Ambrosius war noch eine Weile im Zimmer des Trödlers sitzengeblieben. Ein angenehmes, stolzes Gefühl beseelte ihn, das Bewußtsein, im Besitz eines schönen, begehrenswerten Mädchens zu sein. Rosa gehörte jetzt ihm, dafür wollte er sie auch beschützen und ihr ein hübsches, vergnügliches Leben bereiten. Sie hatte sich ganz in seine Hände gelegt. »Da hast du mich, mache etwas Glückliches daraus.« Dieser Augenblick im Leben eines Jünglings ist immer erhebend, und Ambrosius verstand ihn voll zu würdigen.

Nachlässig in dem großen Sorgenstuhl der Jüdin hingegossen, nahm er die schlaffe, melancholische Haltung eines müden Herzenskönigs an und träumte von den schönen Kleidern, die er Rosa kaufen, von den prächtigen Sachen, die er ihr zeigen wollte. Sie sollte die Welt sehen; aber die Welt sollte auch Rosa sehen, sollte sie und ihn bewundern. Wie wird das klein-städtische Mädchen über all die Pracht staunen, wie wird es zu ihm aufblicken, wenn er sich elegant und sicher in der Großstadt zurechtfindet – wie wird es ihn dann lieben! Also nach Wien, das stand fest.

Eine lustige Zeit in einer großen Stadt mit Rosa zubringen, seine Liebe in die Zimmer eines ersten Hotels einquartieren, sie mit dem Luxus eleganter Läden schmücken, mit ihr in Theaterlogen paradieren – eine Weile den reichen jungen Ehemann auf der Hochzeitsreise spielen – das war jetzt der Kuchen, den Ambrosius um jeden Preis haben mußte. Der Gedanke einer Heirat tauchte auch mitunter in seinen Phantasien auf – aber unklar und verschwommen. O ja, warum nicht? Man würde ja sehen! Heute erschien ihm alles möglich, nur ging er diesen Bewegungen gern aus dem Wege – fertigte sie kurz ab. Ein anderer Gedanke aber ließ sich nicht so ohne weiteres abweisen und machte Ambrosius Sorge. Er hatte Geld nötig, viel Geld; genug, um einige Wochen auf großem Fuß leben zu können. Merkwürdig war es, wie sich Ambrosius' Vorsorge nur immer auf einige Wochen erstreckte. Später? Ach was, das wird sich finden. Die Eltern taten ihm ja alles zu Willen; er würde sie schon zu etwas Geeignetem bestimmen. Aber woher das Geld für den Augenblick nehmen? Ambrosius hatte zwar gestern Geld von den Eltern erhalten; das reichte jedoch nicht hin. Nur einer konnte helfen – der Trödler. Er war reich und Wucherer, kannte außerdem die Verhältnisse der Tellerats und hatte somit keinen Grund, das Geld nicht herzugeben. Seufzend erhob sich Ambrosius. Galt es ein Vergnügen zu erjagen, das er sich in den Kopf gesetzt hatte, so konnte er zur Not auch eine Unannehmlichkeit mit in den Kauf nehmen; sie durfte nur nicht zu groß sein. Er ging in den Trödlerladen hinaus.

Von der Decke hing eine Petroleumlampe nieder, deren trübgelbe Flamme unruhig flackerte. Die Türe zur Straße hin stand offen, laut klatschend schlugen die Regentropfen auf die Steinschwelle, und der enge Raum war voll des kühlen, feuchten Duftes, den ein Sommerregen zu verbreiten pflegt. Wulf saß hinter seinem Ladentisch, eine Brille auf der Nase, und schrieb. Ida kauerte auf der Türschwelle, sah, die Hände um die Knie schlingend, in den Regen hinaus und sang. Bei Ambrosius' Eintreten schaute Wulf auf, lächelte und fragte: »Der Vogel schon ausgeflogen?«

Ida hielt im Singen inne, um Ambrosius mit blanken, neugierigen Augen zu betrachten. – »Ja – hm«, erwiderte Ambrosius und lachte diskret: »Was machen Sie denn da, Wulf? Rechnen, immer rechnen. Ja, wenn man so reich ist –«

»Reich – gerechter Gott!«, rief der Trödler und schlug sein Buch zu. »Wenn Sie, junger Herr, so reich wären wie ich, dann wär es aus mit dem hübschen Leben. Immer Spaß – feine Kleider – hübsche Fräuleins – das kann ich nicht.«

»Ach was! Sie haben genug«, scherzte Ambrosius und drohte mit dem Finger. Dann griff er nach dem wackeligen Rohrstuhl, der in der Ecke stand, und setzte sich. Es machte ihm Vergnügen, selbst vor Wulf den Mann zu spielen, der matt von Liebestriumphen ist. Langsam strich er sich mit der Hand über die Stirn und bat Ida um ein Glas Wasser.

Als Ida fort war, schwieg Ambrosius; er konnte sich nicht entschließen, mit seinem Anliegen herauszurücken, er beugte sich über den Tisch, musterte die Glasringe, nahm einen heraus und hielt ihn gegen das Licht: »Für die Leute vom Lande«, erklärte Wulf.

»Hm – nicht übel«, bemerkte Ambrosius, kniff ein Auge zu und schaute durch das bunte Glas. »Wulf«, sagte er plötzlich, immer noch den Ring am Auge haltend, »ich brauche Geld.« Der Jude antwortete nicht sogleich, blickte auch nicht auf, sondern tat, als wär das eine unwichtige Mitteilung, die nicht ernstgenommen sein wollte.

Erst nach einer Weile sagte er – so obenhin: »Ja – Geld, das braucht einer bald.«

»Nein, im Ernst, Wulf«, versetzte Ambrosius lebhaft, »ich brauche viel Geld, und Sie sollen's mir geben.«

»Ich?« Wulf lachte. Herr von Tellerat spaßte wohl. Wo sollte er – Wulf – Geld hernehmen? Er brauchte selbst welches.

»Seien Sie kein Narr. Sie wissen doch, daß es ein sicheres Geschäft ist, Sie verdienen ja dabei.«

»Freilich, wer das hätte, würde was verdienen – aber ich...«

»Keine Flausen, Wulf. Sie haben genug im Kasten liegen. Ich stelle Ihnen einen Wechsel aus. Morgen brauche ich das Geld.«

»Es ist keines da, lieber junger Herr. Wieviel soll es denn sein?«

»Achthundert.«

»Das ist hübsch viel. Auf wie lange denn?«

»Auf kurze Zeit – ein – zwei – oder drei Monate.«

»Wer das hätte, könnte das Geschäft machen«, meinte Wulf und ließ seinen dünnen, abgetragenen Bart nachdenklich durch die Finger gleiten. »Ich habe nichts – Ehrenwort. – Wer kaviert denn auf dem Wechsel?«

»Wozu ist denn ein Kavent nötig?«, fuhr Ambrosius auf. »Bin ich Ihnen nicht sicher genug?«

»Ich sage nicht nein, Gott bewahre!«, besänftigte ihn der Trödler: »Sicher ist schon ein Papier, wo Sie daraufstehen; das ist wie bares Geld. Wer das Geld hat, gibt es auf Ihre Unterschrift allein.«

»Sie haben's doch, sagen Sie doch nicht solche Dinge.«

»O Gott, nein! Und dann – ich würde Ihnen das Geld von Herzen gern geben, aber meine Alte erlaubt es nicht, sie hat es. Ja, wenn ich es hätte!«

»Wieder etwas Neues!«

»Werden Sie nicht böse, junger Herr. Wir sprechen ja nur über die Sache. Wenn die Alte will, so ist's gut, reden Sie morgen mit ihr.«

»Abgemacht. Morgen hole ich das Geld.«

Der Jude sah den jungen Mann aus seinen kleinen gelben Augen mißtrauisch an: »Zwei sind immer sicherer als einer«, bemerkte er.

»Sie immer mit Ihrem Zweiten«, rief Ambrosius entrüstet. »Es ist wirklich unverschämt. Wo soll ich denn einen Zweiten hernehmen!«

»Gott, wenn Sie nur wollten«, meinte Wulf lächelnd.

Ärgerlich und nervös nagte Ambrosius an seiner Unterlippe; es war zu widerwärtig, so in den alten Schelm dringen zu müssen. Ida war längst wieder da, sie wollte jedoch nicht stören und stand neben Ambrosius, das Glas Wasser in der Hand haltend. Sie hörte aufmerksam zu und begriff vollkommen, daß man nicht durstig ist, wenn man von Geld spricht. Jetzt blickte sie ihren Vater bedächtig an und sagte: »Der Herr Lurch drüben, der tut's schon – für Fräulein Rosa.«

Ambrosius lachte – doch – Ida hatte vielleicht nicht unrecht. Auch Wulf lachte gerührt über sein Kind. »Ida – was weißt du! Der junge Herr wird das besser wissen; der ist gescheiter als wir beide zusammen.«

»Nein, lassen Sie sie nur. Sie hat recht.« Ambrosius gefiel der Einfall. Lurch war ja sein blindes Werkzeug, der würde ihm helfen. Bei Gott! Ida hatte das Wahre getroffen, und gut gelaunt kniff Ambrosius das Mädchen in die gelbe Backe, was Ida steif und kühl entgegennahm: »Also Lurch.« Ambrosius erhob sich. »Morgen komme ich. Ich rechne auf Sie – Wulf.«

»Ergebenster Diener, junger Herr«, erwiderte der Jude, »aber nichts Bestimmtes kann ich sagen.«

»Gehen Sie, Alter, die Sache ist abgemacht. Adieu, Ida, du bist ein kluges Mädchen.«

»Empfehl mich, junger Herr.«

Vornehm mit der Hand winkend verließ Ambrosius den Trödlerladen.

18.

Der Trödler Wulf hatte sein möglichstes getan, um den rücksichtslosen Sonnenschein dieses Sonntagmorgens aus seinem Wohnzimmer auszuschließen. Da die roten Vorhänge nicht genügten, hatte er das gelbe Tuch seiner Frau vor das Fenster gehängt, aber durch die kleinen, von den Motten hineingestochenen Löcher sandte die Sonne doch scharfgoldene Strahlen in das Zimmer, um die sich dann gleich ganze Staubsäulen drehten. Vor dieser unerwartet im September eingetretenen Hitze vermochte sich niemand zu schützen, so war auch das niedrige Gemach des Juden ganz durchglüht. Die Scherben, Lumpen, Papiere ringsum schienen in der Wärme zu neuem Leben zu erwachen, und dem Eintretenden schlug es wie ein heißer staubiger Atem entgegen, der sich auf die Lunge legte.

Ambrosius, Lurch und der Trödler saßen um den kleinen Tisch am Fenster und schwiegen. Ein jeder blickte starr und gereizt vor sich nieder. Lurch war sehr bleich. Den Kopf neigte er auf die rechte Schulter und knöpfte seine Weste nervös auf und dann wieder zu, während Ambrosius, in seinen Stuhl zurückgelehnt, die Hände in den Hosentaschen, ruhig und gleichgültig scheinen wollte, aber zwischen den Augenbrauen, um die Mundwinkel, an den Schultern selbst verriet ein leichtes Zucken die Aufregung, in der er sich befand. Wulf war verlegen, rieb sich sanft mit den Handflächen die Kniescheiben und schaute lächelnd auf den weißen Papierstreifen, der vor ihm auf dem Tisch lag.

Endlich begann Lurch zu sprechen. Ohne aufzublicken, mit mißmutig verzogenem Munde, redete er wie ein zänkisch schmollendes Kind vor sich hin: »Warum soll ich das tun? Wozu brauch ich das? Hab ich denn etwas davon, wenn Sie mit Fräulein Rosa fortgehen? Warum soll ich Geld riskieren, damit andere Leut sich – sich –?« Er sprach den Schluß nicht aus, sondern schluckte ihn laut und mühsam hinunter.

»Gut, gut! Wir wissen's schon!«, meinte Ambrosius und erhob sich, um im Zimmer auf und ab zu gehen.

»Ich tu's eben nicht«, wiederholte Lurch, indem er verstockt mit dem Kopfe wackelte. Ambrosius blieb vor ihm stehen, zog die Augenbrauen empor und sagte mit einer Stimme, die rauh ward, weil sie ruhig sein wollte: »Hab ich denn etwas gesagt? So schweigen Sie doch! Es ist gewiß nicht unterhaltend, immer dasselbe anhören zu müssen. Ich habe Sie gebeten, noch zwanzig Minuten hier zu warten, nur das. Vielleicht ist es nicht gegen Ihre Grundsätze, hier zu warten?«

»Nein«, erwiderte Lurch, »das kann ich tun. Mir ist es gleich, kann hier noch ein wenig sitzen bleiben, aber unterschreiben – nein, das nicht!«

Diese zwanzig Minuten beängstigten ihn dennoch. Was konnten sie zu bedeuten haben? Da Ambrosius ihm aber den Rücken zukehrte, schwieg er und blickte wieder sorgenvoll auf seine alte, faltige Weste nieder.

Nun war das ärgerliche Klapp-klapp von Ambrosius' Schritten, der in seiner Aufregung besonders hart mit dem Absatz auftrat, der einzige Laut im Gemach. Ein schwüles Unbehagen lastete auf diesem fadenscheinigen Zimmer mit seiner schmutziggelben Dämmerung, auf den drei bleichen Menschen, die sich schiefe, unsichere Blicke zuwarfen. Und der weiße Papierstreif auf dem Tisch, dort neben der halbzerbrochenen Tintenflasche und dem Federhalter, den Idas spitze Zähne rundum benagt hatten – da lag er, ließ den Sonnenstrahl über sich hinzittern und wartete ruhig, mitten in all der Pein, die er seiner Umgebung bereitete.

Ambrosius schaute zuweilen zur Türe hin. Er hatte Ida zu Rosa hinübergeschickt mit dem Befehl: Rosa solle sofort kommen. Den Bitten des Mädchens würde Lurch nicht widerstehen, gewiß nicht! Dieses Mittel anzuwenden war fatal, aber da es keinen anderen Ausweg gab, so mußte man ja. Nicht wahr? Was war übrigens dabei? Nur zögerte Rosa. Zehn Minuten waren bereits verstrichen. Die peinliche Lage dauerte ohnehin schon zu lange.

Mit dem dummen Lurch und dem schmutzigen Juden in diesem übelriechenden Zimmer eingesperrt zu sein, ward endlich unerträglich. Am liebsten hätte er jetzt alles aufgegeben. Eine unbändige Wut kochte in ihm auf, eine Wut, die alles hätte zerschlagen und zerstoßen mögen. Da ward die Türe aufgerissen. Eine Flut von Licht, ein warmer Wind, der Levkojendüfte mitbrachte, drangen ins Zimmer, und auf der Schwelle stand Rosa. Ambrosius' sorgenvolle Miene heiterte sich auf. Rosa erschien ihm wie eine Erlösung, wie Luft und Licht, die in einen finstern, dumpfen Ort dringen. Noch nie glaubte er seine Geliebte so schön, so heiter und hell gesehen zu haben wie in diesem Augenblick, da sie auf der Schwelle des Trödlerladens stand, die Türklinke in der Hand, den Kopf vorgebeugt, die Augen weit auf und himmelhell, den Mund ein wenig schief zu einem neugierigen Lächeln verzogen. Dazu hatte Rosa heute etwas dareingesetzt, wie ein kleines Mädchen gekleidet zu sein. Die Zöpfe hingen über den Rücken nieder. Das frisch gewaschene blaue Sommerkleid ließ die Halbstiefel und ein Stück des weißen Strumpfes sehen. Im schwarzen Ledergurt stak ein Strauß weißer Levkojen, und all diese lebensvollen, lustigen Farben brachten in die mißlaunige Dämmerung des Judenzimmers etwas Frohes, jugendlich Reines.

»Da bist du ja!«, sagte Ambrosius und ging Rosa entgegen.

»Was gibt es denn?«, fragte diese.

»Wart, ich sag's dir draußen.« Mit diesen Worten legte Ambrosius sehr freundlich seinen Arm um Rosas Taille und führte sie in den Hof hinaus.

Mit offenem Munde, ein rostiges Rot auf den spitzen Backenknochen, starrte Lurch auf die Türe. Jetzt, da sie sich hinter Rosa schloß, sprang er auf, schaute wirr um sich. »Wo ist mein Hut?«, fragte er.

»Die zwanzig Minuten sind noch nicht um«, entgegnete Wulf.

»Gleichviel!« Oh, jetzt begriff er alles, und er fürchtete sich. »Meinen Hut, Wulf!«

Der Jude lächelte sein geduldiges Lächeln. »Der Hut liegt dort auf dem Stuhl, Herr Lurch, aber von den zwanzig Minuten fehlen noch fünf. Versprochen ist versprochen.«

»Ach was!«, rief Lurch und griff nach seinem Hut; als er ihn aber in der Hand hielt, drehte er ihn nachdenklich zwischen den Fingern hin und her. »Fünf Minuten, sagten Sie?«, fragte er leise. Der Trödler nickte. »Die kann ich wohl noch abwarten«, beschloß Lurch endlich. »Ich muß vielleicht.« Langsam setzte er sich wieder. So ohne weiteres fortgehen, das konnte er nicht. Rosas Anblick hatte sein armes, verdrossenes Gemüt erschüttert, hatte es mit warmer, lichtvoller Aufregung erfüllt, die ihm noch in allen Gliedern nachzitterte. Und dann – sie wird ihn ja bitten, sie wird es versuchen, ihn zu überreden – sie – ihn! Lurchs Lippen brannten, und der Hals wurde ihm von innerer Rührung zugeschnürt. Sie – ihn bitten!

»Ein schönes Fräulein!«, bemerkte Wulf. »Ein wunderschönes Fräulein.«

»Ja!«, stöhnte Lurch auf, fügte jedoch sogleich ein verdrießliches »Ziemlich« hinzu. Die fünf Minuten waren längst verstrichen, und Lurch saß noch immer da und wartete.

Endlich kehrten Ambrosius und Rosa zurück. Rosa war ernst und zog die Stirne kraus, als wäre ihr etwas Widriges begegnet. In der Tat, sie verstand die ganze Lebenslage nicht, und sie war ihr fatal. Ambrosius sagte zwar, es sei nichts Schlechtes, was sie tun sollte. Lurch könne dabei nicht zu Schaden kommen, und es sei nur Eigensinn von ihm, daß er diese kleine Formalität nicht erfüllen mochte, obgleich alles von dieser Formalität abhing. Gut! Rosa begriff nur nicht, warum Lurch ihr gehorchen sollte. Wenn er es nicht tun wollte, was konnte sie dafür? – Er liebte sie. – Was? – Lurch liebte sie? Darüber konnte sie nur lachen. Lurch und Liebe!

Doch Ambrosius hatte sich geärgert, brachte Rosa es nicht zuwege, meinte er, daß Lurch den Wechsel unterschrieb, dann war es mit der ganzen

Reise nichts. Über all diesen Widerwärtigkeiten hatte er ohnehin die Lust dazu verloren. Da gehorchte Rosa – ohne Widerrede – sofort –.

Lurch blieb auf seinem Stuhl sitzen und vergaß es in seiner Aufregung, Rosa zu grüßen. Erst als sie ihm »Guten Morgen, Herr Lurch« zurief, erhob er sich ein wenig, setzte sich aber gleich wieder und klammerte sich an die Armlehnen des Sessels. Eine ungemütliche Pause entstand. Da machte sich Rosa mit einem plötzlichen Entschluß von Ambrosius' Arm frei; da es sein mußte, wollte sie ihren Auftrag ernstnehmen. Sie trat an Lurch heran und reichte ihm die Hand. »Wie geht es Ihnen, Herr Lurch?«

»Danke, Fräulein Rosa, mir geht es gut.«

»So.« Rosa schlug die Augen nieder, stützte ihren Mittelfinger so fest auf die Tischplatte, daß er sich bog, und sagte schnell: »Sie wissen, worum ich Sie bitten wollte?«

»Nein«, erwiderte Lurch erschrocken. »Oder doch – ja. Aber...«

»Bitte, tun Sie es.«

Lurch schüttelte mit dem Kopf.

Doch bat Rosa: »Mir zuliebe. Wollen Sie?«

»Ich kann nicht, Fräulein Rosa.« Lurch hob ein von Tränen und Jammer verzerrtes Gesicht zu Rosa auf. »Ich möchte ja gern, aber ich kann nicht.«

»Wenn Sie nur wollten.« Ein Sonnenstrahl traf Rosas Augen, daß sie klar und blau wie Glas schienen; dabei zog sie die Augenbrauen empor, was ihr einen erstaunten, lustigen Ausdruck verlieh. Was war nur dem Menschen? Warum zitterte er? Warum weinte er? Was hatte sie ihm getan? Rosa legte ihre Hand leicht auf Lurchs Schulter und wiederholte: »Bitte, tun Sie's.« Lurch machte einen runden Rücken und preßte seine bleichen Lippen aufeinander. »Was?«, sagte Rosa, hinter ihr knarrte eine Türe. Ambrosius hatte das Zimmer verlassen. Er konnte es nicht länger mit ansehen, er hätte Lurch schlagen müssen. Rosa aber ließ nicht nach. Die Leiden des armen Lurch erregten ihr Mitleid, und dennoch war etwas an ihnen, was Rosa reizte, sie immer wieder zu erneuen. »Wenn Sie mich ein wenig liebhaben«, sagte sie und drückte mit der Hand auf Lurchs Schulter, um zu sehen, wie dann ein nervöses Beben durch den ganzen dürren Körper lief.

»Ich kann es nicht!«, brach Lurch endlich los. »Ich habe es Herrn von Tellerat schon gesagt. Ich habe nichts davon. Was hab ich davon? Sagen Sie selbst, Fräulein Rosa. Nichts hab ich davon.« In der Not seines Herzens knöpfte er sich wieder die Weste auf.

»Was Sie davon haben?«, wiederholte Rosa zögernd und ein wenig befangen. »Sie haben allerdings nichts davon. Es wäre eben nur eine Freundlichkeit von Ihnen. Ich habe nichts, ich kann Ihnen nichts geben.« Sie hob beide Hände empor und zeigte ihre Handflächen. Lurch schwieg. Traurig starrte er auf die rosigen Handflächen. Er verstand es nur zu wohl; für ihn waren diese Hände immer leer. Plötzlich verlautete des Trödlers sanfte Stimme: »Für einen Kuß tut's Herr Lurch schon.« Rosa wandte sich schnell um und ward feuerrot. »Pfui!«, sagte sie. Auch Lurch war aufgefahren. »Nein«, stotterte er, »das tut Fräulein Rosa nie.«

»Gewiß nie«, bestätigte Rosa, ergriff einen ihrer gelben Zöpfe und drückte ihn an ihren Mund, als wollte sie diesen schützen. Sie fürchtete sich. Lurch blickte sie mit feuchtgelben Augen so unmenschlich starr an, und auf seinem Gesicht brannten rote Flecken. Den küssen! Sie wollte fortlaufen, und doch zögerte sie wieder. Was wird Ambrosius sagen, wenn sie nichts ausrichtet? Die ganze Reise, die ganze schöne Zukunft ging also in die Brüche? – »Schnell, schreiben Sie«, rief sie plötzlich, noch immer dunkelrot im Gesicht, die Augen voller Tränen. Lurch verstand nicht sogleich. »Wie, Fräulein Rosa...?« – »Fräulein Rosa will«, ermunterte ihn der Trödler, »das Geschäft ist abgemacht.« Er konnte es immer noch nicht glauben, Rosa aber stampfte mit dem Fuß auf. »Ja doch – schnell« – sie wandte sich ab – oh, sie schämte sich.

Endlich hatte Lurch begriffen. Mit zitternden Fingern ergriff er die Feder und malte vorsichtig seinen Namen auf den Papierstreif, spritzte die Feder aus, legte sie auf den Tisch, wischte sich die Lippen und war bereit. »Ich habe geschrieben«, flüsterte er. Rosa fuhr zusammen, richtete sich aber gerade auf, stellte sich vor Lurch hin, bog den Kopf zurück und schloß die Augen; dabei ward sie bleich bis in die Lippen und sah aus, als schliefe sie und habe einen sehr bösen Traum. Ängstlich lächelnd stellte sich Lurch auf die Fußspitzen – reckte den Hals – blickte mit zuckenden Wimpern auf das weiße Mädchengesicht nieder – spitzte den Mund und drückte ihn behutsam auf Rosas fest zusammengekniffene Lippen. Kaum fühlte Rosa diesen heißen Mund auf dem ihren, als sie aufschrie und zurücktrat. –

Lurch stand traurig und beschämt da; er wußte nicht, wie er sich jetzt benehmen sollte – darum verbeugte er sich höflich; Rosa aber riß das Wechselblanquet vom Tisch, um sich draußen – im Hof – weinend und lachend Ambrosius in die Arme zu werfen.

Lurch stand noch eine Weile da und strich sich liebkosend über die Lippen, dann griff er nach seinem Hut und schlich durch den Laden auf die Straße hinaus.

»Was ist denn passiert?«, fragte Ambrosius besorgt, aber Rosa wollte es ihm nicht sagen. Sie erklärte nur, die Demütigung sei zu groß gewesen.

»Laß es gut sein«, meinte er. »Du hast es mir zulieb getan. Jetzt können wir reisen. Was geht uns der dumme Lurch an? So weine doch nicht; wir brauchen ruhige Überlegung. Der Würfel ist gefallen, sagt schon ein alter Römer.«

»Ja, ich weiß es – Cäsar«, schluchzte Rosa, und doch lachte sie wieder.

»Siehst du es wohl«, versetzte Ambrosius heiter. Er begriff Rosas Aufregung nicht; nun er den Wechsel in der Tasche hatte, war seine Laune die allerbeste. »Komm Liebchen, beruhige dich. Wir dürfen keine Kindereien treiben«, und seine frische, unternehmende Art tat Rosa wohl. Das war wieder der lustige Stimmton, die sorglosen Augen, das hübsche süßliche Lächeln, die so verwirrend in ihr kindlich ruhiges Leben eingedrungen waren, um alle guten Lehren, Fräulein Schanks ganzen Erziehungsplan über den Haufen zu werfen und Rosas Köpfchen mit einem seltsamen Rausch zu erfüllen, in dem alles erreichbar und erlaubt schien. Seit sie Ambrosius liebte, hatte jenes rücksichtslose, alles wagende Gefühl sich ihrer bemächtigt, von dem einst die sechsjährige Rosa zu sagen pflegte: »Agnes, die Ungezogenheit steigt mir zu Kopfe.« Auch jetzt wieder fühlte sie in sich jenes unbändige Verlangen nach Verbotenem, und das Leben war nur noch ein schönes, heimliches Vergnügen, das man hastig und mit schlechtem Gewissen genießt – wie die Liebesstunde im Trödlerhause. Ja – diese Liebesstunde! Gestern hatte sie noch Rosa mit ratloser Traurigkeit bedrückt, heute erschien sie ihr wie etwas Süßes – etwas, über das man errötet, von dem man schweigt, das einem aber dennoch mit seltsamem Rückverlangen das Blut erhitzt.

Ambrosius gab Rosa die nötigen Verhaltensmaßregeln für den Abend. Um neun Uhr sollte Ida an der Hintertreppe der Herzschen Wohnung Rosas kleinen Handkoffer in Empfang nehmen. Rosa selbst sollte – auf einem anderen Wege als Ida – sich durch den Stadtgarten zur Brücke begeben, und in der Nähe des Brückenkruges wollte Ambrosius mit dem Wagen sie erwarten. Der Plan war einfach genug. »Und dann, Amby – können wir endlich fort«, rief Rosa in der leidenschaftlich offenen Freude eines Kindes, dem man ein längst versprochenes Vergnügen endlich gewährt. So schieden sie, um sich erst am Abend beim Brückenkruge wiederzusehen.

Da der Vormittag noch lang war, beschloß Rosa, einen Gang durch die Stadt zu machen – zum letzten Mal – das gehört sich so. Die Tageszeit war günstig, denn eben erst hatten die Kirchenglocken den Gottesdienst eingeläutet. Nicht als ob Rosa sich vor einer Begegnung mit Sally oder Ernestine

Klappekahl gefürchtet hätte! Nein! Will man aber Abschied von seiner Heimat nehmen, so bedarf man der Einsamkeit, nicht wahr?

Die Straßen und der Marktplatz waren leer, wie stets zur Kirchenzeit, nur in der Ferne sah Rosa das alte Fräulein Katter einhertrippeln; ihr Atlasmantel glänzte in der Sonne, der Dachs folgte ihr – breitbeinig und verstimmt – ab und zu die Nase in die Gosse steckend. Sie hatten sich heute beide mit dem Kirchgang verspätet.

Die große, gelb angestrichene Türe des Laninschen Ladens war gesperrt, selbst der Mohr auf dem Schilde davor schien zu schlummern. Oh, welch eine verächtlich blöde Trägheit brütete über diesem Hause. Rosa konnte es sich deutlich vorstellen, wie es dort heute zugehen würde: Die Zimmer voller Suppengeruch – Herr Lanin voll fader Geschichten, Frau Lanin mit ihrem langen, weichen Munde beständig gähnend – und Sally – – mein Gott, die Arme! Und während Rosa vor diesem Hause stand, stieg wieder die Freude – groß und unruhig in ihr auf. Sie brauchte dieses Leben nicht mehr zu teilen.

Sie ging weiter – überall dieselbe Stille. Die Häuser waren wohlverschlossen und wie ausgestorben, nur in den Küchen hörte man es klappern, oder hier und da stand eine Dienstmagd, die das Haus bewachen sollte, unter dem Hoftor, die Haare feucht an die Schläfen gekämmt, das Kamisol frisch gewaschen, und sprach mit einem Burschen. Die kleinen Ereignisse, die sich in der Stille der Kirchenzeit abspielen, das Kichern unter den Toren, das heimliche, vergnügte Treiben unbeaufsichtigter Dienstboten und Kinder hatten Rosa früher, wenn sie sich auf dem Gange in die Kirche verspätete, ein neugieriges Interesse eingeflößt. Heute kam plötzlich ein wunderliches Verstehen über sie, das sie quälte und ihr mißfiel. Diese dicken, hochbusigen Mägde, diese plumpen, unreinlichen Burschen, sie hatten zwischen Kessel und Pfanne, zwischen Kohlstrünken und Salatblättern ihre Liebesgeschichten. Rosa begriff nun, was sie wollten, was sie trieben, und es schien ihr, als würde ihr eigenes Schicksal dadurch entweiht. Dieses aufdringliche Klarsehen machte sie traurig; sie seufzte; sie hatte sich manches doch schöner gedacht!

In den entlegeneren Stadtteilen – am Fluß – sah es weniger feiertäglich aus. Die armen Leute hatten noch nicht Zeit gefunden, ihre guten Kleider anzulegen. Frauen mit ungekämmtem, wirr auf das mißmutige Gesicht herabhängendem Haar standen in den engen Hofräumen und wuschen Erdäpfel oder Salat. Nackte Kinder sprangen zwischen den Schweinen und Hühnern umher. Hinter den morschen Bretterzäunen langten kümmerliche Apfelbäume mit ihrem eckigen Gezweige auf die Straße hinaus. Weiter hinab wurden die Häuser seltener. Kartoffelfelder und Weideland zogen sich am Flußufer hin; magere Pferde standen dort; die Hufe tief im roten Heidekraut, hielten sie im Grasen inne und nickten sinnend mit den Köpfen. Am Rande des steil abfallenden Ufers wollte Rosa ausruhen; sie legte sich nieder, den Leib im Grase, mit den Füßen in der Luft umherschlagend, den Kopf in die Hände gestützt, und biß an einem Halm. Unten lag der Sonnenschein, ein blankes Zittern auf dem träg rinnenden Wasser des Flusses.

Rosa blickte dem Rinnen des Wassers nach. Klare, festumrissene Gedanken wollten in ihrem Kopfe nicht mehr standhalten, nur ein wohliges Auf- und Abfluten von Bildern und Empfindungen regte sich in ihr. Sie kamen und brachen wieder ab, wie das Geigen der Feldgrillen ringsum im Grase – und es lag über ihnen ich weiß nicht welch unklare Traurigkeit, die einen seltsamen Frieden in sich barg. Die Ereignisse der letzten Tage, dieses beständige sich selbst Mut zusprechen, das Ringen mit unangenehmen Gedanken hatten Rosa müde gemacht, das fühlte sie plötzlich. Hier, am warm beschienenen Abhange, kam eine lähmende Erschlaffung über sie, die Kraft fehlte ihr, abzuwehren, festzuhalten, sie mußte die Hände in den Schoß legen und achselzuckend sagen: »Es gehe, wie es geht.«

Wie das nur alles so kommen konnte. Unmerklich war es herangekrochen – nun war es da. Natürlich mußte es so sein! Aber noch stand es fremd vor ihr wie etwas, an dem sie nicht teilhatte – sie, die friedliche Schanksche Schülerin, die jeden Morgen ihre große Mappe durch die Schulstraße geschleppt hatte. Rosa Herz, die nie die französischen Fabeln hersagen konnte und vor dem bevorstehenden Gouvernantenexamen zitterte, Rosa, die stundenlang zum Fenster hinausschaute und sich über das Gekicher auf dem Kirchenplatz ihre kindischen Gedanken machte, die sich um zehn Uhr niederlegte und vom Bett aus das schräge, mondbeglänzte Dach des Pfarrhauses anstarrte, bis ihr die Augen zufielen, diese ganz gewöhnliche Rosa liebte nun und ward geliebt; diese Rosa war jetzt die Person, vor der die Leute, die sie so gut kannte wie ihr Werktagskleid, ein Kreuz schlugen. Fräulein Katter, der Doktor, Ernestine, sie hielten sie für ein schlechtes Mädchen, mit dem man nicht sprechen darf. Sie war das verführte Mädchen; verführt – dieses Wort, das sie früher nicht aussprechen durfte, weil es unpassend war, nun gehörte es zu ihr, sie war jetzt eine unpassende Person. Was wohl Marianne darüber denken mochte? Und ob sie in der Schule nur ganz heimlich von Rosa sprechen durften, wie man sich sonst die dummen Geschichten erzählte, über die man errötete und kicherte? Rosa drückte die Augenlider zusammen und wiegte ihren Kopf schläfrig hin und her. Sie grämte sich über diese Dinge nicht, aber auch die Freude, in die sie sich hineingeredet hatte, war fort. Wer so daliegen könnte und abwarten. Es fließt ja doch vorüber, wie dort unten, immer zu, man braucht nur stillezuhalten. Dem müden Mädchen gefiel dieser Gedanke. Die lästige Arbeit, selbst am Leben mitzuwirken, schien unnötig, es fließt ja ohnehin vorüber! Im traumhaften Durcheinanderwogen der Vorstellungen folgte Rosa mit den Blicken dem Strom, als gehöre er zu ihr, als hinge für sie etwas von dem Rinnen dieses Wassers ab – fort – die Ufer entlang, an dem großen Stein hin, wo kleine Wellen flimmernd emporatmeten, an dem Kahn vorüber, in dem der stille Angler saß – weiter bis zu dem Erlengestrüpp, wo es sich schwarz unter die Zweige verkroch.

»Das ist der Tod«, sagte Rosa laut vor sich hin. Der Klang der eigenen Stimme machte sie aufschrecken, gleich wieder jedoch versank sie in Sinnen: »Tod!« – Dieses Wort atmete kühle Ruhe aus. Man streckt Hände und Füße von sich und ist tot. Sie bog den Kopf auf das Gras zurück, reckte die Glieder. »Ah, so muß es sein, ganz so!« Regungslos lag sie da, tief und regelmäßig atmend.

Der Ton der Kirchenglocken ließ sie auffahren. Sie erhob sich verwirrt; der Halbschlummer, in dem sie dagelegen, hatte sie weit aus der Gegenwart fortgeführt. Ohne deutliches Traumbild hatte sie doch das Gefühl gehabt, als lege sie mühelos ein beträchtliches Stück Leben zurück, sie ward eben mit fortgetragen. Jetzt, aus diesem Traumweben herausgerissen, schaute sie erstaunt um sich. Derselbe eintönige Singsang der Grillen, dasselbe sachte, zitternde Licht auf dem Abhange, derselbe verhängnisvolle Tag, den sie im Traum längst überstanden hatte, wartete auf sie. Mutlos ließ Rosa die Hände in das Gras sinken. Sie fühlte sich zu träge, ihre Geschichte von neuem aufzunehmen.

Früher, wenn sie ihre Schulaufgaben des Abends nicht beenden konnte, ließ sie sich von Agnes am nächsten Morgen ganz früh wecken, um das Versäumte nachzuholen. Wenn aber Agnes in der dunklen Winterfrühe an Rosas Bett trat und sie aufrüttelte, dann erschien ihr der Schlaf das höchste Gut. »Agnes«, flehte sie, »laß mich nur noch fünf Minuten schlafen.« Oh, diese kostbare Frist! Aber das Gewissen regte sich doch. Es träumte Rosa, sie verließ das Bett, kleidete sich an, begann den französischen Aufsatz zu schreiben. Wie leicht das ging! Jetzt war er fertig! »Rosa steh auf! Du bringst sonst den Aufsatz bis acht Uhr nicht fertig«, tönte Agnes' Stimme in den schönen Traum hinein, denn nur Traum war es gewesen; das mühselige Aufstehen, das Frieren vor der Waschschüssel standen noch bevor; der ganze Aufsatz war noch zu schreiben!

An diese trüben Morgenstunden mußte Rosa denken, und sie lächelte; die Schule und ihre Qual waren jedoch für immer vorüber. Sie sprang auf, der Abschied von der Heimat hatte sie weich gestimmt, das war hübsch und natürlich, nun war es aber auch genug. Die Freude an ihrer Liebe, ihrem bunten Schicksal wollte sie sich nicht verkümmern lassen. So wie es war, war es gut; so hatte sie es sich gewünscht. Sie war fest entschlossen, glücklich zu sein. Jeder Zweifel, der in ihr aufstieg, ward gewaltsam niedergedrückt. Sie wollte nicht enttäuscht und elend sein! – – –

Auf dem Marktplatze vor dem Laninschen Hause standen Fräulein Klappekahl und Fräulein Lanin in ihren schönen Sonntagskleidern und mit ihren neuen Herbsthüten. Sally faltete die Hände über dem schwarzen Gesangbuch und schüttelte im Eifer des Gesprächs die Locken. »Die heutige Predigt hat mir so recht das Herz aufgewühlt«, sagte sie, gewiß; wie oft hatte sie das nicht schon zu Rosa gesagt – dort an derselben Ecke!

Als Rosa an ihnen steif und hochmütig vorüberging, schlug Sally die Augen nieder, drückte das Gesangbuch fest an den Busen und sagte sehr laut: »Armes, verlorenes Schaf!« Ernestine Klappekahl aber wandte ihren Blick von Rosa nicht ab. Rosa freute sich darüber. Hatte sie es doch selbst erfahren, mit welch heißem Interesse man aus dem Gefängnis bürgerlicher Zucht herausschaut auf alles, an dem etwas von den verbotenen, furchtbaren Dingen hängen mag, an die ein ordentliches Mädchen nicht denken darf. Ja – die lange dünne Ernestine beneidete das verlorene Schaf.

Zu Hause fand Rosa ihren Vater bleich und kummervoll im Lehnstuhl sitzen. Das verdroß sie; faßte er denn die Sache noch immer nicht richtig auf? Mißmutig warf sie sich in einen Sessel und schlug mit den Handflächen auf die Armlehnen. »Ich habe also heute mit der Schank gesprochen«, bemerkte Herr Herz schüchtern.

»So!«, erwiderte Rosa gleichgültig, dann aber erhob sie sich plötzlich; sie durfte diese jammervolle Stimmung nicht andauern lassen. Sie kniete bei ihrem Vater nieder, stützte ihren Kopf auf sein Knie und begann zu sprechen: »Weißt du, Papa, heute reden wir nicht davon. Morgen ist Montag, das ist ohnehin ein widerwärtiger Tag. Da können wir über die dummen Geschichten sprechen. Heute möchte ich Ruhe haben.«

»Gewiß, mein Kind!«, erwiderte Herr Herz schnell. »Ich habe dich nicht quälen wollen; meiner Kleinen wehtun – ich – das wär kurios!« Er lachte, wie über einen lustigen, widersinnigen Einfall. »Heute also lassen wir das alles; was haben wir denn für Eile? Heute bleiben wir gemütlich beieinander – hier – in unserer Festung.« Er streichelte die Hände seiner Tochter und schaute sie liebevoll an. Ach, daß das Leben solch ein zuwidres, hartes Ding ist und selbst so schönen Wesen wie seiner Rosa die leidigen Schmerzen nicht erspart! »Lassen wir's also gut sein. Heute das Vergnügen, morgen das Geschäft.«

Rosa ward es so weich um das Herz, daß sie am liebsten geweint hätte, das Wort »morgen« jedoch erschreckte sie. »Um Gottes willen, daß dieser schreckliche Montag der Auseinandersetzungen sie nur ja nicht hier findet!«, schrie es in ihr auf, und schnellentschlossen sprach sie von der Klappekahl-schen Gesellschaft: »Du gehst ja heute zu Klappekahl.«

»Ah so – ja. Klappekahl sprach heute wieder davon. Ich denke aber, ich bleibe zu Hause, wie?«

»Du müßtest doch vielleicht hin«, wandte Rosa ein.

»Warum – Kind? Ich bin nicht in der Stimmung. Bleiben wir beieinander, solange es geht.«

Rosa mußte sich abwenden, als sie leise darauf erwiderte: »Besser wäre es doch, du gingst hin. Wir müssen tun, als wäre nichts geschehen.«

Herr Herz verstand seine Tochter nicht recht, er sah aber, wie schwer es ihr ward, ihren Vorschlag vorzubringen, und hätte darum am liebsten gleich alles erraten. »Ja – ja; natürlich! Vielleicht muß ich doch hin. – Nur weiß ich nicht recht... Ich dachte es mir so hübsch, den heutigen Abend mit dir zu verbringen. Wir wären so lustig wie möglich, und ginge es mit der Lustigkeit nicht, so wäre ich doch wenigstens bei dir.« Rosas Augenbrauen zuckten ungeduldig. – »Aber, du meinst – – Nun gut, ich gehe hin.« Er seufzte und machte ein betrübtes Gesicht. Rosa versuchte ihn zu trösten: »Siehst du, wir dürfen nicht tun – als – als – schämten wir uns. Und dann – ich habe heute nacht nicht schlafen können und daher Kopfweh. Ich wollte mich früh niederlegen. Du wärst also doch allein. Morgen aber...« Sie mußte schnell ans Fenster gehen und hinausschauen. Nun ward Herr Herz besorgt. Was? Rosa war krank? Natürlich mußte sie sich früh niederlegen. Und – wo blieb das Essen? Hunger erhöht das Kopfweh. Er rief nach Agnes, nach der Suppe. –

Nach dem Mittagessen brach wieder einer jener stillen Nachmittage an, wie Rosa deren so viele erlebt hatte; der letzte – sagte sich Rosa heute.

Herr Herz schlummerte in seinem Sessel. Goldene Lichter zitterten über die Wand und den Fußboden hin; der Wind schüttelte an den Vorhängen. Von der Straße tönten Stimmen und Schritte herauf. Im Stadtgarten spielte die Musik, und zuweilen drang ein lustiges Aufschmettern der Hörner bis in die Herzsche Wohnung. Gegenüber, scharf von dem Rücken des Raser-

schen Daches abgeschnitten, stand das Stück tiefblauen Himmels, das Rosa
stets blauer als der übrige Himmel erschienen war; die Schwalben schossen
darüber hin und sandten sich ihre schrillen, lustigfreien Rufe zu.

Rosa lag im Fenster und schaute zu, wie die Leute zum Stadtgarten
strömten. Lauter bekannte Gesichter, Menschen, die Rosa von Kindheit auf
gesehen hatte – und doch! – wie fremd waren sie ihr jetzt. Gleichgültig gingen
sie einher, sprachen, lachten, als hätte es für sie nie eine Rosa gegeben; in
ihrem Leben hatte sich nichts geändert. Zum ersten Male stieg in Rosa der
Gedanke auf, wie doch der Mensch in furchtbarer Einsamkeit mit sich selbst
eingeschlossen ist. Ganz allein! – Sie warf ihren Kopf zurück und schaute
aufmerksam sinnend über das Dach des Pfarrhauses hin. Was doch der
heutige Tag für ungewohnte, bunte Gedanken brachte! Aber es ward ihr
jetzt klar; was wußte denn einer vom andern? Da schlief ihr alter Vater
bleich und kummervoll in seinem Sessel und ahnte nichts von den kühnen,
abenteuerlichen Unternehmungen, die, kaum einen Schritt von ihm entfernt,
seine Tochter plante, nichts von dem Schmerz, der fertig neben ihm stand.
Nein, überall gesperrte Türen.

Rosa blickte wieder auf die Straße nieder. Es unterhielt sie jetzt, den
Leuten nachzuschauen und sich bedächtig zu sagen: »Wie die sich den Arm
reichen! Wie kameradschaftlich sie tun! Was hilft's! Sie mögen sich noch
so eng aneinanderschmiegen, es bleibt doch ein jeder allein – allein – allein«,
dieses Wort hing sich an jede Person; es ward zum eigensinnigen Traum,
der jede Gestalt verzerrt, und mitten im hellen, munteren Tageslicht beschlich
es Rosa wie Grauen. Sie wollte aber nicht einsam sein; sie fürchtete sich.
Wäre doch Ambrosius da; der liebte sie, vor dem brauchte sie sich nicht zu
verbergen. Wenn man geliebt wird, ist man nicht allein, nicht wahr? Das
ist eben die Liebe. – Sollte sie zum Trödler hinübergehen? Nein! Das durfte
sie nicht. Dann wollte sie sich wenigstens auf das Wiedersehen mit Ambrosius vorbereiten; sie freute sich darauf und sehnte es herbei. Sie mochte nicht
allein sein.

Sie ging in ihr Zimmer und setzte sich an den Schreibtisch; der Brief an
den Vater mußte geschrieben werden. Einige Augenblicke saß Rosa vor dem
Briefbogen, den Federhalter an den Lippen, und dachte nach, dann tauchte
sie die Feder in die Tinte und schrieb – ruhig, in einem Zuge – den Bogen
voll. Durch die halb angelehnte Türe hörte sie die tiefen Atemzüge ihres
schlummernden Vaters; dennoch zitterte ihre Hand nicht im geringsten
beim Niederschreiben dieser Zeilen, in denen jedes Wort ein Stich in das
gute alte Herz sein mußte, das jetzt – dort nebenan – so ahnungslos schlug.

»Liebster Papa!«, hieß es in dem Brief, »wenn Du dieses liest, bin ich schon weit von Dir, ich hoffe, nur für kurze Zeit. Sie wollen mich hier nicht mehr; gut! Ich gehe. Ambrosius und ich lieben uns innig, und niemand soll uns scheiden. Wenn wir unlöslich verbunden sind, kommen wir wieder und holen Dich ab, damit Du unser Glück teilst. Wenn ich daran denke, wie selig wir zusammenleben werden, möchte ich aufjauchzen. Agnes muß auch mit. Daß ich heimlich fortgehe, verzeihst Du mir, lieber – lieber Papa, es ist zu meinem Glück nötig, denn daß ich glücklich werde, das verspreche ich Dir. Viele tausend Küsse. Auf baldiges frohes Wiedersehen.

Deine treue Tochter Rosa.

Sonntag, den 25. September.«

Rosa machte einen hübschen, sorgsamen Schnörkel unter ihren Namen, faltete das Blatt zusammen, schrieb »An Papa« darauf, steckte es in die Tasche.

Es war vier Uhr. Wie fern der Abend noch war. In fünf Minuten konnte sich noch soviel Störendes ereignen. Rosa packte ihre Habe in den Reisesack, verschloß ihn und versteckte ihn unter ihrem Bett. Das Reisekleid, Hut und Mantel legte sie zurecht. Alles war bereit. Nun zog sie sich das Kleid, das sie anhatte, aus und legte sich auf ihr Bett. So war es noch am leichtesten, den Abend zu erwarten. Rosa hätte jetzt vieles erleben, tun, unternehmen mögen und mußte stillhalten wie ein krankes Kind. Nebenan regte sich der Vater – seufzte tief auf – begann im Zimmer auf und ab zu gehen. Oh, den wollte Rosa glücklich machen – den armen Papa! – Jetzt schloß er den Kasten auf, um den schwarzen Rock hervorzuholen – jetzt bürstete er seinen Hut. Rosas Herz ward immer weicher, sie preßte ihr Gesicht in die Kissen und mußte es sich immer wieder sagen, wie glücklich sie den armen Papa machen wollte.

Er kam an ihre Türe und steckte den Kopf in das Zimmer. »Schläfst du, Kind«, fragte er, »ich gehe fort.«

»Ja, ich schlafe.«

»Gut, Kind! Ich will dich nicht stören.« Er zog sich zurück.

»Adieu, Papa.«

»Adieu, adieu –«, sagte Herr Herz schon im anderen Zimmer. Die Haustüre knarrte; er war fort.

Rosa stürzte an das Fenster, ihm nachzuschauen. Da ging er – fest in seinen schwarzen Rock eingeknöpft – eine schmale, kummervolle Gestalt.

Rosa mußte zu Agnes gehen, um ihr zu sagen, daß sie kein Nachtmahl wolle und sich sogleich zu Bett legen werde. Sie fühlte wohl ein Bangen, das ihr Herz bedrückte, und eine tiefe Erregung, der sie nicht Raum geben wollte, schnürte ihr die Kehle zusammen, aber Reue oder Zaudern war das nicht. Mit peinlicher Gewissenhaftigkeit erfüllte sie jeden Punkt ihres törichten Planes.

Agnes saß am Küchentisch und las in ihrem Gesangbuche. In der Küche herrschte Sonntagsordnung. Durch das geöffnete Fenster sah man auf den leeren Hof hinaus und über die Nachbardächer hin, auf denen die roten Abendstrahlen sprühten. Agnes fuhr langsam mit dem Zeigefinger die Zeilen in ihrem Buche hinab und bewegte tonlos die Lippen. Als Rosa eintrat, blickte sie auf.

»Agnes, ich gehe schlafen. Ich mag kein Nachtmahl. Ich habe Kopfweh«, sagte Rosa hastig. Als sie das vorgebracht hatte, blieb sie doch noch am Küchentisch stehen, der tiefe Frieden hier erschütterte sie. –

»Was gibt's denn?«, fragte Agnes. »Bist du krank?«

»Nein. Es ist nichts!«

»Doch, ich bringe dich zu Bett«, beschloß Agnes und legte ein trockenes Kastanienblatt als Lesezeichen in das Gesangbuch. Rosa aber wollte davon nichts wissen: »Ich bin schon so gut wie ausgekleidet. Nur schlafen will ich«, rief sie und lief davon. – Noch eine Stunde, und dann …

Was war sonst eine Stunde, wenn sie zwischen einer Geschichts- und einer französischen Stunde lag! Und heute wollte sie nimmer verstreichen.

Einen kurzen Augenblick war Rosas Zimmer jäh von dem roten Licht der untergehenden Sonne erleuchtet gewesen – dieses Aufflackern ward dann zu einem mattgelben, gespenstischen Schein, der das Herz verzagt macht, wie niedergebrannte Kerzen am Schluß eines Festabends.

Im Nebenzimmer sperrte Agnes den Schrank zu, rückte die Sessel an die Wand. Die Küchentüre ward zugeworfen, ein schürfender Tritt stieg die kleine Treppe hinan, die nach oben führte – dann ward es still; Agnes war zur Ruhe gegangen.

Während die Dämmerung auf die kleinen Räume der Herzschen Wohnung niedersank, lag das stille Mädchen hastig atmend da und starrte mit weit offenen Augen auf das Stück bleichen Himmel, das vor ihr vom Fensterkreuz in gleichmäßige Tafeln zerschnitten ward. Langsam verhängte die Dunkelheit einen Gegenstand nach dem andern im Gemach, nahm Rosa Stück für Stück ihre Vergangenheit, um sie atemlos und zitternd vor Aufregung vor eine unklare, dunkle Zukunft zu stellen.

Ein Lichtstrahl blitzte auf und warf einen schmalen Goldstreif auf den Bettvorhang. Unten auf der Straße ward die Laterne angesteckt. Ein zweiter Lichtstreif glitt über die Zimmerdecke hin. Das war drüben die Lampe des Pfarrers; und nun schlug es neun Uhr, Rosa sprang auf, legte ihr Kleid an, tastete nach ihren Sachen. Es kam ihr der Gedanke: Wenn du es versäumtest? Wenn Ambrosius schon fort wäre? Sie nahm sich nicht die Zeit, den Mantel zuzuknöpfen, die Handschuhe anzuziehen, sondern stürmte fort. Leise durchschritt sie das Wohnzimmer, das nur spärlich von der Lampe erhellt wurde, die gegenüber an des Pfarrers Fenster stand; und es war Rosa, als müsse sie hier besonders behutsam auftreten, um den trauten Raum nicht aus seinem Schlummer zu wecken, in dem er zu liegen schien. Dann durch die Küche. Hier war es finster. Einige Heimchen schrillten am Herde. Ihr durchdringender Ton erschreckte Rosa; klang er nicht so eigensinnig jammernd, als riefen Agnes' kleine Kameraden ihr etwas Traurig-Mahnendes zu? Vorsichtig schob sie den Riegel der Hintertüre zurück, schlich die Treppe hinab und stand auf der Straße.

Die Nacht war dunkel und voll heftigen Wehens. Schwarze, wildausgefranste Wolkenstücke wurden von Westen her über den Himmel getrieben, zwischen ihnen glomm hie und da ein grell leuchtender Stern auf. Rosa schaute sich nach Ida um. Die Straße war leer.

Sollte Rosa auf das Judenmädchen warten? Vielleicht war es spät und Ida schon fort. Eine große Angst ergriff Rosa. Sie schaute zu den Fenstern des Pfarrers auf. Dort saß die Familie um den gedeckten Tisch, und die Magd trug das Essen auf. Also schon beim Nachtmahl. Ja, es mußte spät sein. Gott, zu spät vielleicht und alles war aus, Rosa mußte bei den friedlichen Familien, den blauen Porzellantellern, den Schüsseln voll dampfender Erdäpfel bleiben. Sie begann zu laufen – die Straße hinab, um die Ecke in den Stadtgarten. Leute, an denen sie vorüberlief, blieben stehen und schauten ihr verwundert nach. Da war schon der Fluß, schwarz und laut rauschend – da die Brücke, dort das Lichtpünktchen mußte das Fenster des Brückenkruges sein. Auf der Brücke faßte sie der Wind so heftig, daß sie sich am Geländer halten mußte, sie fürchtete sich, und doch, hier wehte schon die freie, mächtige Luft, nach der sie sich sehnte, nur wünschte sie, Ambrosius wäre schon da.

Der Brückenkrug war das einzige Haus am jenseitigen Flußufer, eine ärmliche, schmutzige Kneipe. An den Pfosten vor der Türe hatte man ein Pferd gebunden, mit vorgestrecktem Kopfe, zurückgelegten Ohren stand es da und ließ den Wind in seiner Mähne wühlen. Die Haustüre stand offen, und man blickte von draußen in die Schankstube hinein. Am Tisch saß ein Mann mit breitkrempigem Hut und trank, neben ihm saß die Wirtin, die Ellenbogen beide auf den Tisch gestützt, die Augen halb geschlossen. Vor ihr brannte eine Unschlittkerze und flackerte, als wollte sie verlöschen. Auf der Türschwelle hockte eine schwarze Katze, rieb ihren Rücken an den Türpfosten und blinzelte verstimmt in die Nacht hinaus.

Rosa blieb stehen und schöpfte tief Atem. Dieses war ja doch der bezeichnete Ort? Wo war denn Ambrosius? Sie ging um das ganze Gebäude herum. Alles still. »Es hat ihn etwas abgehalten«, sagte sie sich und lehnte sich mit dem Rücken gegen den dünnen Stamm eines Ahornbaumes, der vor dem Hause stand. Die Gründe, warum Ambrosius nicht da war, stellten sich reichlich ein. Unbequem war es gewiß, aber er mußte ja gleich kommen. Natürlich! Es war ganz unmöglich, daß er nicht – –; nein! Das war nicht möglich. Ganz ruhig wollte sie warten.

So stand sie da und blickte unverwandt auf das trübe Bild dort in der Wirtsstube; sie mochte an nichts denken. Aufmerksam betrachtete sie die rot und grauen Würfel auf dem Kamisol der Wirtin, lauschte gespannt dem trockenen Ton, den das Glas verursachte, wenn der Fremde es auf den Tisch zurückstellte, interessierte sich für die arg bedrängte Flamme der Kerze. »Wird sie verlöschen oder nicht? Jetzt ist sie nah daran. Nein, sie flackert wieder auf. Brennt sie fort, so kommt Ambrosius.« Nun bekam dieses trübgelbe Licht für Rosa eine seltsame Wichtigkeit. Oh, sie war tapfer, die arme Flamme, aber Ambrosius kam dennoch nicht. »Er wird nicht kommen«, diesen Gedanken wagte Rosa nicht zu denken; das durfte sie nicht. Sie schloß die Augen und zählte. War sie bis Hundert gekommen, dann mußte er da sein, und je näher sie dem Hundert kam, um so langsamer zählte sie: »Fünfundsiebzig – sechsundsiebzig – siebenundsiebzig.« War das nicht Wagenrollen? Nein! Sie wollte die Augen nicht eher öffnen, als bis die Hundert voll waren. »Achtundsiebzig – neunundsiebzig – achtzig« – dann wollte sie die Augen aufschlagen – er würde vor ihr stehen. »Einundachtzig.« Während sie fortzählte, glaubte sie immer wieder Schritte, Stimmen zu vernehmen, mit jeder Zahl stieg die Hoffnung, und dennoch wagte sie es nicht, die verhängnisvollen Hundert zu nennen. »Siebenundneunzig – achtundneunzig – neunundneunzig« – sie hielt inne. – »Hundert.« Sie glaubte schon Ambrosius' Nähe zu fühlen, sah ihn vor sich stehen und lächeln. Sie schlug die Augen auf. Immer noch schlummerte die Wirtin über den Tisch gebeugt neben dem Fremden, immer noch kämpfte die Flamme mit dem Zugwinde, nur die Katze war bis zu Rosa herangeschlichen, machte einen krummen Rücken und miaute leise – sonst alles hoffnungslos unverändert und leer. Rosa preßte die Hände aneinander und betete: »Laß ihn – ach, laß ihn kommen! Lieber Gott, mir das noch!« Dann ward sie von bitterer Mutlosigkeit ergriffen, die Arme sanken schlaff herab, sie drückte sich fester gegen den Baum. Was auch geschehen mochte, sie wollte hier stehen.

»Fräulein Rosa!«, erscholl es neben ihr. Sie schreckte zusammen, das war Idas Stimme. Ein warmes, ungestümes Freudengefühl erfüllte Rosa wieder. Es war töricht gewesen, so zu verzweifeln.

»Ida, bist du es? Das ist recht. Warum bliebst du so lange aus?«

»Der Herr von Tellerat schickt mich mit einem Brief«, berichtete Ida.

»Ein Brief; wozu? Ich soll wohl warten«, sagte Rosa hastig und ergriff den Zettel, den Ida unter ihrem Tuche hervorholte. Sie eilte an das Fenster der Kneipe, um bei diesem spärlichen Lichte den Brief zu lesen. Er enthielt nur wenige, mit Bleistift geschriebene Zeilen:

»Liebchen! Der verdammte Jude hat meinem Onkel alles verraten. Vorläufig ist es aus mit unseren Plänen. Morgen bringt mich der Onkel selbst zu meinen Eltern. Dein unglücklicher A–.«

Rosa hatte sogleich alles begriffen. Das war es also, was sie die ganze Zeit über gefürchtet hatte; nun war es da – das Unmögliche. – Drinnen in der Wirtsstube rüstete sich der fremde Mann zum Aufbruch und zog seinen Mantel fester um die Schultern, während die Wirtin ihm die Rechnung mit Kreide auf den Tisch schrieb. Rosa schaute dem zu; sie hatte ja nichts mehr zu tun. »Ob der Mann auf dem Pferde dort fortreiten wird? Wahrscheinlich! Dann kann die Wirtin schlafen gehen, das arme gequälte Licht auslöschen.«

»Fräulein Rosa!« Ida zupfte Rosa am Mantel. »Sie müssen nach Hause gehen, sonst wird das Haustor gesperrt.«

Nach Hause! Dieses Wort traf Rosa wie eine neue Offenbarung des Elends. Freilich mußte sie heimgehen, sich in ihr Bett legen – wie sonst! Sie lehnte sich an die Mauer des Hauses und schluchzte laut. Ida blickte neugierig das weinende Mädchen an; dann griff sie entschlossen nach Rosas Arm und führte sie fort. Rosa folgte ihr. Was lag daran, es war ja doch alles verloren. Vor der Herzschen Wohnung verabschiedete sich Ida. »Gute Nacht«, sagte sie und streichelte unbeholfen Rosas Arm. »Weinen Sie nicht, Fräulein Rosa. Ein anderes Mal wird es besser gehen. Hier ist Ihr Reisesack, hier die Stiege. Gute Nacht.«

In der Küche war es still geworden, die Heimchen schwiegen alle; im Wohnzimmer lag noch der Lichtstreif über der Decke; Rosas Brief lag unberührt auf dem Schreibtisch – und der nächtige Friede, die langgewohnte Luft der Räume bedrückten Rosa mit bleierner Traurigkeit. In hilflosem Jammer sank sie auf ihren Reisesack nieder, stützte den Kopf auf einen Stuhl – – es war ja doch alles vorüber!

Zweites Buch: Leid

1.

Für die Familie Lanin war es ein schlimmer, niederdrückender Augenblick, als die schönen lederüberzogenen Koffer auf den Postwagen gepackt wurden und Ambrosius, in seinen neumodischen Mantel gehüllt, Abschied nahm. Der Tante küßte er sehr obenhin die Hand und erwiderte ihr sanfternstes »Gott behüte dich« nur mit einem grimmigen »Hm!« Fräulein Sally reichte er kühl zwei Finger und stieg in den Wagen, in dem Herr Lanin mit feierlicher Trauermiene schon seiner harrte.

Sally brannten die Tränen in den Augen. Sie schaute dem Wagen nach, bis er um die Ecke bog, und auch dann noch blieb sie am Fenster stehen und starrte betrübt hinaus. Was half es ihr nun, daß sie keine so gemeine Person war wie Rosa Herz? Was hatte sie davon? Der Cousin, auf den sie sich so gefreut, mit dem sie die besten Absichten gehabt hatte, war ihr vor der Nase weggeschnappt worden, und zwar auf die schändlichste Weise. Ihr blieb nur gesittete Langeweile. Die anderen – die Schlechten hatten ihre Liebes- und Entführungsgeschichten. Sally konnte an Rosa nicht ohne ein beklemmendes Neidgefühl denken. Ihr Vater hatte ja vielleicht recht, wenn er sagte, man müsse sich die Achtung vor sich selbst, das Gefühl des eigenen Wertes bewahren. Sally kannte ihren eigenen Wert ganz genau, daß die anderen ihn aber nicht erkannten, das war bitter. Sie wollte auch so etwas wie die anderen Mädchen haben, um jeden Preis! Sie hätte es auf die Straße hinausrufen mögen. Die Stirn gegen die Fensterscheiben gedrückt, dachte sie nach. Conrad Lurch war entlassen worden, der Vater suchte einen Neuen. Aber – weiß es Gott, wann der kommen würde, und Sally hatte Eile.

Gestern bei Klappekahl war getanzt worden, weil sich, wie der Apotheker sagte, zufällig doch einige junge Leute zusammengefunden hatten, und mit Sally hatte Toddels auffallend häufig getanzt. Gewiß, es war auffallend gewesen, das gab selbst Ernestine zu, und die fand doch sonst nicht so leicht, daß jemand anderer als sie ausgezeichnet wurde. Und dann während der Quadrille hatte Toddels die Augen so seltsam innig verdreht. Er verdrehte zwar immer die Augen, aber doch nicht so stark. Sich verneigend, hatte Toddels gesagt:»Fräulein Sally, Sie kommen nie mehr zu uns ins Geschäft. Sie kaufen nie mehr bei uns.« Worauf Sally, den Kopf auf die Schulter neigend, wie sie das so hübsch verstand, geantwortet hatte:»Nein! Es macht sich nicht so. Ich weiß selbst nicht warum.« – Das war doch keine gewöhnliche Quadrille-Unterhaltung! Dahinter steckte mehr, steckte etwas, das Sally gerade jetzt herbeisehnte.

»Ich gehe zu Toddels ins Geschäft«, beschloß sie.

Sorgsam setzte sie sich vor dem Spiegel den Hut auf, fuhr mit der Hand durch die drallen Löckchen, damit sie ihr freier, lebhafter um die Ohren flatterten, und ihr Gesicht ganz nah an das Spiegelglas heransteckend, musterte sie ihre Haut, ob nicht über Nacht eines der boshaft roten Pünktchen geboren wäre, die sie so sehr haßte. Natürlich, oben an der Nasenwurzel saßen ihrer zwei. »Das ist ein Ekel!«, meinte Sally, wandte ihrem Spiegelbilde ärgerlich den Rücken zu und ging hinaus.

Es wehte eine kühle, scharfe Luft. Der Wind jagte gelbe Herbstblätter durch die Gassen. Die strenge Klarheit des Himmels, das harte Licht der Sonnenstrahlen, die heute nicht wärmen wollten, stimmten Sally traurig. Die Welt erschien ihr leerer und ihr eigenes Leben öder als sonst. Ja, ja! Sie mußte etwas für sich tun, oh, der Winter kam mit seinen langen, finsteren Nachmittagen voll unerträglicher Langeweile. Der Sekretär ging vorüber und grüßte. Sally dankte, neigte den Kopf, machte einige kleine Bachstelzenschritte. Das tat ihr wohl. Der Gruß, dieses mädchenhafte Verneigen, das gewandte Trippeln gaben ihr ein angenehmes Gefühl ihrer jungfräulichen Reinheit. So schüchtern-zierlich konnte Rosa Herz sicherlich nicht mehr grüßen! Sally fing wieder an, ihrer Tugend froh zu werden.

Das Geschäftslokal des Herrn Paltow lag im tiefsten Frieden da; ein langer, schmaler Raum voller Sonnenschein. Die großen Stücke blauer, grüner, roter Stoffe füllten die Leisten bis zur Decke hinauf wie mit einer Stufenfolge sanftgefärbter Schatten, aus denen hier und da der helle Streif eines Musselins oder Leinenstückes hervorleuchtete. Toddels schlief, den Kopf auf den Ladentisch gestützt.

Verlegen blieb Sally an der Türe stehen. Auch hier, wo sie das schöne Ereignis ihres Lebens suchte, fand sie dieselbe öde, alltägliche Stille, der sie im Laninschen Wohnzimmer entflohen war. Enttäuscht wollte sie umkehren, als Toddels erwachte, sich hastig aufrichtete und ihr, vom Schlaf ein wenig entstellt, zulächelte.

»Oh, Fräulein Lanin! Welch seltene Ehre! Womit kann ich dienen?«

Und die Hand zart an die Lippen legend, gähnte er diskret.

»Ich störe«, sagte Sally und machte einige unschlüssige Schritte zum Ladentisch hin. »Ich wollte nur um einen halben Meter grünes Band bitten.«

»Sie, Fräulein Sally, können nie stören«, erwiderte der Kommis galant und langte eine weiße Schachtel unter dem Ladentisch hervor, öffnete sie jedoch nicht, sondern streichelte sanft den Deckel. »Sie sind recht grausam, Fräulein!«, sagte er gefühlvoll.

»Ich? Wieso?« Sally war wieder im rechten Fahrwasser der kurzen, bedeutungsvollen Redensarten, bei denen man den Kopf zur Seite neigt und unter den halb niedergeschlagenen Augenlidern hervorschielt. Das war ihr Fach.

»Ja – grausam«, fuhr Toddels fort und schob sich seine Locken zurecht, die er im Schlaf zerdrückt hatte. »Denn Sie haben es mich gleich empfinden lassen, daß Sie mich schlafend angetroffen.« Sally spielte nachdenklich mit ihrem Portemonnaie; Toddels aber seufzte, sah zur Decke empor – er glaubte, entschuldbar zu sein. Fräulein Lanin verstand ihn vielleicht. Sein Los war nicht glücklich! O nein! Das ewige Einerlei seiner Beschäftigungen ertötete seinen Geist. Er liebte Literatur und Kunst; er schwärmte dafür.

»Besonders Literatur!«, schaltete Sally ein und versuchte den Deckel der Schachtel aufzuheben. Toddels' Hand aber lag fest auf ihm, während er selbst auseinandersetzte, wie eng und beschränkt sein Prinzipal sei – voll kleinlicher Schikanen. Wenn Toddels um einige Minuten zu spät ins Geschäft kam, mein Gott – er las die Nächte hindurch –, gleich gab es eine Nase. Der gefühlvolle Märtyrerton, in dem er bisher gesprochen hatte, ging allmählich in das leise, hastige Flüstern eines Untergebenen über, der schlecht von seinem Herrn spricht. Sally nickte mitleidig. Ging es ihr denn besser? Ward sie vielleicht verstanden? Ach, sie begriff es mit jedem Tage mehr, daß das Leben nur ein Possenspiel sei! Ja, Toddels gab ihr recht. Er war auch Pessimist. Er glaubte ans Nirvana. »Und ich glaube an die Liebe«, versetzte Sally und öffnete ihr Portemonnaie. An die Liebe? Oh, an die glaubte er auch; natürlich! Er kniff die Augenlider zusammen und lächelte bei dem süßen Worte. »Ja – ja«, sagte er nach einer kleinen Pause und öffnete müde die Schachtel. »Grünes Band wünschen Sie, Fräulein?«

»Ja, grün ist meine Lieblingsfarbe, die Farbe der Hoffnung«, versetzte Sally und prüfte mit dem Finger das Band in der Schachtel.

»Hoffnung – natürlich!«, entgegnete Toddels und befühlte auch seinerseits das Band. So standen sie über die Schachtel gebeugt und wußten nichts rechtes mehr zu sagen.

Endlich ließ Toddels das Band fahren, und er faßte behutsam mit dem dritten und Zeigefinger Sallys kühle, spitze Finger, als nähme er mit einer Zange ein Stück Zucker. Sally überließ steif ihre Finger dieser Zange. Jetzt kam auch für sie die Poesie des Lebens, das fühlte sie wohl. Die Stille des Ladens hatte, ihrem Gefühl nach, etwas köstlich Lüsternes – der Geruch von Wollenstoffen und frischer Pappe stieg ihr angenehm zu Kopf. Sie hätte gewünscht, lange – lange so stehen zu dürfen – über den gelben Ladentisch gebeugt – im Strahl der untergehenden Sonne – ihre Finger gehalten von Toddels' Fingern. Es kam jedoch zu nichts. Toddels ließ Sallys Hand plötzlich fallen und fragte: »Paßt die Breite?«

»Ja, ich denke.«

»Wieviel doch?«

»Einen halben Meter.«

Die Eingangstüre knarrte, und Fräulein Katter trat in den Laden, gefolgt von ihrem Dachs. Toddels war entrüstet – er stützte die geballten Fäuste auf den Tisch, schlug mit den Füßen aus und fragte, so rauh, als es seine Stellung ihm erlaubte: »Sie wünschen?«

Fräulein Katter ging auf diese Frage nicht sogleich ein; freundlich sagte sie: »Guten Abend, Herr Toddels. Sehen Sie doch, wie der Max bei Ihnen herumsucht. Er glaubt, hier muß irgendwo Zucker versteckt sein. Hier ist kein Zucker, Maxchen – mein kleiner, kleiner Hund. Was, Sie hier, Sallychen? Einkaufen – wie?« Sally grüßte in ihrer mädchenhaft zurückhaltenden Weise; Fräulein Katter aber trat nahe zu ihr, legte ihre Hände in den grauen Halbhandschuhen auf Sallys Arm und fragte leise: »Also mit Rosa Herz – ist's wahr?«

»Ja –«, Sally zog die Augenbrauen empor, zum Zeichen, daß die ganze Geschichte sie nichts anging. »Wenigstens wurde es gestern auf der Soirée bei Klappekahl erzählt.«

»Schrecklich!«, meinte die alte Dame. »Also fortlaufen wollte sie mit ihm. So weit waren sie schon miteinander? Ist so etwas erhört!« Das weiche, gebogene Kinn wackelte zwischen den violetten Hutbändern vor Erregung. »Aber sagen Sie doch, Sallychen – Sie haben ja die Geschichte entdeckt – hör ich?«

»Ja«, sagte Sally kühl. Sie machte sich nichts aus diesem Ruhm.

»So – so. Nun was sahen Sie«, fuhr Fräulein Katter fort. »Geküßt haben sie sich – natürlich, das hab ich schon gehört. Aber hat er sie auch so – angepackt, wissen Sie?«

Sally wußte es nicht. »Ich kümmere mich um diese Dinge nicht.«

»Selbstverständlich! Ein so gut erzogenes junges Mädchen! Aber entsetzlich ist doch die ganze Geschichte. Was wird nun aus der Armen?«

»Wer kann das wissen!« Sally zuckte die Achseln – es war ihr gleichgültig. Sie schielte nach ihrer Nase, um zu sehen, ob diese nicht rot sei – das war ihr wichtiger.

»Der Schank«, meinte die alte Dame, »wird die Geschichte zu Herzen gehen. Ich bin auf dem Weg zu ihr.«

Da Sally sich ostentativ dem grünen Band zuwandte, mußte Fräulein Katter sich zu Toddels bemühen, um von ihm einen Meter Madapolam zu begehren. Sie war sehr genau. Toddels mußte immer wieder die Leiter hinansteigen und neue Stücke herabholen. Er war bleich vor Zorn, schlug mit dem Meterstock klatschend auf die Stoffe und bemerkte streng: »Sehr feine Ware. Einen besseren Stoff wird die Dame schwerlich finden.« Die Dame jedoch konnte sich nicht entscheiden; sie wollte wiederkommen. »Sehr wohl«, rief Toddels erleichtert, bog gewandt und gelenkig um die Ecke des Ladentisches und öffnete Fräulein Katter die Türe.

»Komm, Maxchen, mein kleines Tier. Grüßen Sie Ihre liebe Mutter – Sallychen. Guten Abend, Herr Toddels. Das eine Stück hat mir nicht ganz mißfallen.« Damit war das alte Fräulein fort. Sally schaute sich nicht um. Sie hörte, wie Toddels mit den Füßen scharrte, die Türe schloß – jetzt knarrten seine Stiefel ganz leise. Er stand neben ihr, das fühlte sie. Nun mußte es doch zu etwas kommen. Richtig! Etwas Heißes, Feuchtes berührte ihren Nacken. Das war also ein Kuß – gut! Toddels legte seinen Arm um Sallys schlanke Taille und drückte sie so fest, daß das Mieder krachte. »Ich habe schon oft an die Ehe gedacht. Sie nicht auch?«, flüsterte er mit vor Aufregung rauher Stimme.

»An so etwas!«, erwiderte Sally, das Gesicht tiefer in die Schachtel steckend.

»Warum nicht?«, fuhr Toddels fort, leidenschaftlich in Sallys Halskragen hineinsprechend. »Eine Heirat aus Neigung war immer mein Traum. Was – Fräulein Sally?«

»Ich glaube eben an die Liebe«, sagte Sally fest. Sie hatte es sich längst vorgenommen, im großen Moment ihres Lebens diesen Satz recht häufig anzubringen. Toddels faßte ihn als Ermutigung auf, er berührte mit dem Mittelfinger zart Sallys Hals und hauchte: »Mein holdes Weibchen.«

»Noch nicht!«, wandte Sally schelmisch ein. Sie lehnte ihr erhitztes Gesicht an die Brust des Geliebten und blickte ernst zu den Wollenstoffen auf.

»Ha – ha? Noch nicht!«, lachte Toddels gepreßt, denn Sally drückte ihm mit ihrem Kopf einen Hemdknopf tief ins Fleisch. »Allerdings! Aber bald. Nicht wahr, mein – mein?«

»Sprechen Sie mit meinem Papa«, die feuchten Blicke aufwärts gerichtet, den Kopf fest an Toddels' Hemdknopf gedrückt, sprach Sally diese Worte langsam und feierlich. Ach, wie hatte sie sich gesehnt, sie sprechen zu dürfen.

»Ja, Fräulein Sally«, meinte Toddels zögernd. »Ich fürchte nur, Herr Lanin wird böse werden. Er ist zuweilen ein wenig kurz mit mir. Vielleicht könnten Sie...«

»Wir werden alle Hindernisse überwinden. Ich glaube, wie gesagt, an die Liebe.«

»Gewiß – gewiß! Ich auch, mein Herzchen. Gut also! Du wirst es deiner Mutter sagen. Wir bleiben uns jedenfalls treu. Schön – abgemacht.« Und nun empfingen Sallys dünne, jungfräuliche Lippen den ersten Liebeskuß, einen sehr lauten Kuß, der süß nach Rosenpomade duftete. »Lebe wohl, meine Braut«, sagte Toddels. »Die Leute gehen schon in den Stadtgarten. Heute ist dort zum letzten Mal im Jahre Musik«, mit diesen Worten schlüpfte er hinter den Ladentisch.

Sally stand mit klopfendem Herzen da und konnte sich nicht entschließen, ihre erste Liebesstunde für geschlossen zu erklären. Sie glaubte noch etwas Schönes, Tiefempfundenes sagen zu müssen, es fiel ihr jedoch nur immer wieder ein, daß sie an die Liebe glaube. Das mochte sie nicht mehr wiederholen,

Toddels hatte unterdessen ein Stück des grünen Bandes abgeschnitten und reichte es seiner Geliebten. »Das Band, das uns verbindet«, fügte er hinzu.

»Und kostet?«, fragte Sally lächelnd.

»Einen Kuß«, erwiderte der Kommis mit gespitzten Lippen. Da ward Sally wieder der kleine, neckische Brausewind.

»Setzen Sie den auf die Rechnung«, rief sie und lief mit ganz kleinen Schritten zur Türe.

»Behalte nur das Band, ich zahl es schon«, meinte Toddels. »Grün ist ja die Farbe der Hoffnung.«

»Da haben Sie recht«, erwiderte Sally ernst. Sie fand dieses Abschiedswort wirklich tief. Dann noch eine Kußhand – und sie war fort.

Die Scharen, die zum Stadtgarten strömten, belebten die Straßen. Die scharfe Luft machte alle Mädchenwangen rot und beschleunigte die Schritte. In den geöffneten Ladentüren lehnten Kommis, damit auch etwas von dem heiteren Leben draußen zu ihnen in den dumpfen Ladenraum dringe. Die Fleischerburschen – dort an der Ecke – wickelten ihre nackten Arme in die blutigen Schürzen, pfiffen und stießen sich mit den Schultern.

Sally ging schnell und leichtfüßig dahin. Sie brauchte niemanden mehr zu beneiden und fühlte sich gehoben und glücklich. Hatte sie nicht Liebe und Poesie gesucht? Nun – sie war zu Paltow ins Geschäft gegangen und hatte sie sich geholt. Befriedigt wie nach einem gelungenen Einkauf, wollte sie jetzt ein wenig Musik genießen.

Die lustig plaudernden Spaziergänger nahmen alle ihren Weg über den Marktplatz, am Laninschen Hause vorüber zum Stadtgarten, und alle sprachen von Rosa Herz. Die Schankschen Schülerinnen flüsterten miteinander über den Fall, die Augen verwundert aufgerissen, heimlich kichernd. Die furchtbare Liebes- und Entführungsgeschichte gehörte ja ihnen, hatte sich fast in der Schulstube abgespielt. Die Herren vom Gerstensaft-Strauß stellten sich mitten auf den Marktplatz – die Hände in den Hosentaschen, die Zigaretten im Mundwinkel – und scherzten über den Vorgang. Der Tellerat war ihr Bekannter, ein fixer Kerl, der Tellerat! Sie lachten mit aufgeblasenen Backen und wandten sich nach den Vorübergehenden um, stolz auf ihre eigene Munterkeit.

Frau Lanin stand vor ihrer Haustüre und sprach mit der Gewürzkrämerin von nebenan, einer kleinen hageren Frau mit rotgeränderten Augen, die immer Trauer und nie einen Halskragen trug. Nur durch die halbgeöffnete Türe verkehrte Frau Lanin mit der Witwe Tanke, denn diese gehörte nicht zur guten Gesellschaft. Sie wußte aber alles, was vorging, und besaß eine so klare, unumwundene Art, sich auszudrücken, einem jeden jedes zuzutrauen, daß Frau Lanin oft solch ein Plauderstündchen an der Haustüre veranlaßte. Heute konnte Frau Tanke genaue Nachrichten über die jüngsten Ereignisse geben. Sie hatte den Juden, Ida, die Jüdin ausgefragt. Sie wußte, daß die Trödlerwohnung für Rosa geschmückt worden war, wußte, wann Rosa zu kommen, wann sie zu gehen pflegte.

Klappekahl und Dr. Holte unterhielten sich auch über Rosa, während sie langsam nebeneinander hergingen. Der Doktor hatte alles vorhergesehen, alles, »vermittelst einer physischen Diagnose – verstehen Sie«. Klappekahl hatte hundert ähnliche Fälle erlebt – in der Großstadt natürlich. »Aber sie sieht brillant aus, die Rosette«, wiederholte er immer wieder und leckte sich die Lippen.

Wenn die Leute an der Herzschen Wohnung vorübergingen, blieben sie einen Augenblick stehen, schauten zu dem geöffneten Fenster des zweiten Stockes empor – und dort oben, zwischen den weißen Vorhängen, zwischen den Geraniumstauden, schimmerte es wie das Stück eines blonden Zopfes hervor. Einer zeigte es dem anderen. »Das ist sie.« – »Sie irren, das ist nur der Widerschein der Sonne.« – »Nein doch! Ich seh es zu genau. Es bewegt sich ja. Sie ist es, wenn ich's Ihnen sage.«

Sally aber konnte jetzt zu dem blonden Gegenstande zwischen den Geraniumblättern mit ungemischter Verachtung hinaufblicken.

2.

Die Leute auf der Straße sahen ganz recht – Rosas Zöpfe waren es, die zwischen den Vorhängen hervorschimmerten. Sie selbst saß am Fenster, den Rücken an die Fensterbank gelehnt, die Füße einen über den anderen gelehnt und von sich gestreckt. So hatte sie den ganzen Tag über dagesessen, mit klaren, weit offenen Augen auf die gegenüberliegende Wand blickend, die Lippen sehr rot in dem weißen Gesicht.

»Willst du nicht essen?«, fragte Agnes. »Iß etwas, Kind«, sagte Herr Herz. »Nein – ich danke«, erwiderte Rosa sanft. Sie wollte bleiben, wo sie war. Das Leben würde nun wieder seinen gewohnten Gang gehen – möglich! Sie mochte jedoch nichts dazu tun. In die Vergangenheit zurückzuschauen wagte sie nicht – in der Zukunft lag nichts, was des Ansehens wert war – so war Rosa denn auf den Augenblick angewiesen, auf jene Augenblicke, die ihr die Wanduhr mit dem brummigen Ticktack leer und gleichförmig einzählte. Sie fühlte sich müde – zu müde selbst, um sehr unglücklich sein zu können.

In der letztvergangenen Nacht, ja – da hatte sie es erfahren, was es heißt, recht von Herzen elend sein! – Furchtbar war es, wie ihr Vater in der Nacht vor ihr stand, bleich, mit emporgezogenen Augenbrauen, das Gesicht seltsam starr. Er beugte sich zu Rosa herab und leuchtete ihr in das Gesicht: »Sie schläft nicht«, sagte er zu Agnes, die todesbleich hinter ihm stand, als wäre sie eben aus einem bösen Traume aufgefahren.

»Wir werden sie entkleiden müssen«, meinte Agnes. Ihre Stimme und auch die des Vaters hatten einen gezwungenen, ruhigen Klang. Sie sprachen nicht leise, es war, als sprächen sie von jemandem, der sie nicht mehr hören konnte. – Sie richteten Rosa auf, entkleideten sie – ohne eine Frage, ohne ein Wort, das ihr galt; und doch waren ihre Augen geöffnet, und sie hörte alles. Sie ward ins Bett gelegt – warm zugedeckt. Der Vater und Agnes riefen sich über sie hinweg kurze Anordnungen zu. »Noch eine Decke.« – »Zieh ihr die Decke über die Schultern.« Es war, als sargten sie eine Tote ein. Bevor sie das Zimmer verließen, legte der Vater seine Hand sanft auf Rosas Kopf, und sie spürte es durch das Haar hindurch, wie kalt diese Hand war und wie sie zitterte. – Dann ward es still und dunkel, nur durch die halb angelehnte Türe fiel ein schmaler Lichtstreif in das Zimmer. Dort, nebenan, saßen sie wohl auf und wachten.

Anfangs lag Rosa ruhig da; sie war müde, sie fror, sie glaubte schlafen zu können – und mit Behagen streckte sie die Glieder. Kaum jedoch schloß sie die Augen, als die Ereignisse des Tages, die Stunden und Lebenslagen wirr ineinanderflossen. Es war ihr, als läge sie wieder auf ihrem Bett, um die Stunde der Flucht zu erwarten; erschrocken fuhr sie auf, um sich nicht zu verspäten, und wenn sie sich – in der Stille und Finsternis ringsum – entsann, daß ja alles aus war, dann ward sie von verzweifeltem Schmerz geschüttelt. Die Augen heiß von Tränen, fiel sie in die Kissen zurück. Sie stöhnte, wie von körperlichem Schmerz gequält. Mit den Füßen zerstampfte sie das Bettuch. Nein, sie konnte es nicht ertragen! Ihre Kissen mit den Armen zerdrückend, warf sie sich hin und her. Es war wie ein Kampf mit dem großen Leid, welches ihr das Herz abdrückte, ein Ringen, das sie zuweilen innehalten ließ, Hände und Füße von sich gestreckt – die Lippen geöffnet – stark atmend.

Plötzlich stieg in ihr der Gedanke auf, wenn alles dies nur Traum wäre; wenn sie aufwachte und neben Ambrosius im Postwagen säße. Wenn alles, alles durch ein Wunder anders, besser würde und sie den schrecklichen Montag nicht zu erwarten brauchte. »Laß es – laß es geschehen«, betete sie und richtete sich auf, um umherzutasten – ob das Wunder nicht vollzogen sei. Nein – nein! Alles blieb beim alten! Bitter enttäuscht stützte Rosa die Stirn an die Wand. – Aber – wenigstens mußte eine große Krankheit kommen, vielleicht konnte sie sterben. Ihre Stirn brannte, ihr Herz pochte zum Zerspringen, die Glieder waren schwer wie Blei und wurden von heftigem Frost geschüttelt. Das war die Krankheit – ohne Zweifel! Es wäre zu lächerlich, demütigend und traurig, morgen aufzustehen, sich anzukleiden, als wäre nichts vorgefallen. Die Krankheit konnte über so manches hinweghelfen. Nun lag Rosa da und wartete. Zuweilen faßte sie ihr Handgelenk, um sich zu überzeugen, ob das Fieber schon da sei.

Sie warf die Decke von sich, sie mochte sich nicht schützen; sie fror – gut – um so besser!

Die Nachtstunden verrannen. Zwischen den Vorhängen hindurch drang ein staubgraues Dämmern in das Zimmer, ein trüb-nüchternes Licht, das schwere Traurigkeit um sich verbreitete.

Da war er also, dieser Tag, den Rosa fürchtete; fahl – grau – trostlos leer in seiner harten, gleichmäßigen Dämmerung kroch er herauf. Große Müdigkeit ergriff Rosa. Sie versteckte ihr Gesicht in den Kissen, um den Tag nicht zu sehen, und schlief ein.

Als Rosa spät am Vormittag erwachte, spürte sie wohl Mattigkeit und Schwere in den Gliedern; sonst war sie jedoch gesund. Es war kein Grund vorhanden, nicht aufzustehen und sich anzukleiden. Auch die große Krankheit hatte das arme Kind im Stich gelassen.

Herr Herz und Agnes zeigten Rosa sanfte, liebevolle Gesichter und bemühten sich, ganz wie gewöhnlich mit ihr zu verkehren. Agnes nahm sogar den scherzend frischen Ton an, der ihr bei besonders guter Laune eigen war. Die bleichen, überwachten Gesichter aber zeugten gegen alle Ruhe und Heiterkeit.

Herr Herz ging unablässig mit kleinen Schritten im Zimmer auf und ab. Zuweilen blieb er vor seiner Tochter stehen und fragte munter: »Nun, Kind, wie geht es?« – »Gut, Papa«, erwiderte Rosa. Dann schwiegen beide wieder. Was hätte Herr Herz sagen können, ohne sein Kind zu verletzen, ohne eine Wunde zu berühren? Er begnügte sich also damit, Rosa verstohlen zu beobachten, einen Walzer zu pfeifen und mit auswärts gebogenen Füßen auf dem grünen Laufteppich hin und her zu gehen. Der arme Mann hatte nach langer Zeit wieder jenes hilflose Gefühl, das ihn früher, während seines Theaterlebens, oft so tiefelend gemacht hatte – wenn kein Geld im Hause war – kein Engagement in Aussicht; wenn alle Viertelstunde ein Gläubiger an der Türe schellte und seine Frau zornig und voller Verachtung vor ihm in der Sofaecke kauerte und ihm Vorwürfe machte, über das Hundeleben, das er ihr bereitete, wenn sie ihm sagte, es täte ihr leid, die Anträge des vornehmen Herrn, der sie gestern besucht hatte, nicht angenommen zu haben. In solchen Augenblicken sagte er sich wohl, er sei von der Vorsehung ausersehen, nur Schande und Pein hinunterwürgen zu müssen. Aber damals stellte sich immer wieder der Leichtsinn ein, der ihm zurief: »Es hat sich bisher immer ein Ausweg gefunden, er wird sich auch jetzt finden lassen.« Der göttliche Leichtsinn, der alles – gut oder schlecht – wieder in das rechte Geleise brachte! – Heute jedoch blieb dieser tröstende Leichtsinn aus. Herr Herz war alt geworden und hatte sich entwöhnt, allen möglichen Widerwärtigkeiten in das Gesicht zu sehen.

Während er in seinem Wohnzimmer mit der solid-bürgerlichen Einrichtung, den freundlichen Sonnenschein auf den Wänden, den gut gebohnerten Fußboden auf und ab schritt, stieg in ihm plötzlich die Erinnerung an all die wirren, häßlichen Ereignisse auf, an die er sonst nie dachte, die weit hinter ihm zu liegen und abgetan zu sein schienen. Nun plötzlich waren sie wieder da, nun zogen sie in diese Räume ein, die Fräulein Ina ganz mit dem Weihrauch bürgerlicher Ehrbarkeit erfüllt hatte. Szenen betrogener Liebe, verführter Mädchen sind ein notwendiges Zubehör eines ärmlichen Komödiantenlebens und passen in das Leben eines geachteten Mannes, der Mitglied des Bürgerklub ist, ebensowenig hinein wie Betteln um Vorschuß und Ausreißen vor Gläubigern. Wie hatte er sich gefreut, die stillen, klaren Höhen einer ehrbaren Existenz erklommen zu haben. Er hatte gehofft, Rosa eine Zukunft in der guten Gesellschaft bereiten, sie vor dem unreinlichen Elend seiner Vergangenheit bewahren zu können. Nun war es nichts damit. Wieder erschien der leichtsinnige junge Herr mit schön gescheitelten Haaren und den unverschämten Manieren, um das Herzsche Familienglück zu stören.

Als die arme Zerline noch lebte, war dieser reiche, gutgekleidete, verliebte Herr der Fluch des Ballettänzers gewesen und hatte seine Ehe zu einer Hölle von Eifersucht und Kränkungen gemacht. Zerline lachte zwar darüber; er hatte sich jedoch nie in diese dummen Geschichten finden können. Der Schustermeister Herz hatte seinem Sohn einige schwerfällige Grundsätze mit auf den Weg gegeben, die diesem beständige Pein bereiteten in einer Welt, in der niemand solche Grundsätze gelten lassen wollte. Seiner Frau hatte Herr Herz längst alles verziehen, und er pflegte an sie mit sanfter Rührung zurückzudenken. »Deine Mutter«, sagte er oft zu Rosa, »war sehr schön, sehr munter und tanzte göttlich.« Es ergriff ihn, daß so muntere, göttlich tanzende Füßchen so früh unter die Erde kommen mußten. Heute aber, im Angesicht seines bleichen, schweigsamen Kindes, gedachte der alte Ballettänzer mit verbissener Wut der schönen Zerline. Trug sie nicht die Schuld, daß Rosa nicht war wie andere Mädchen? Rosa hatte nicht nur die blanken Augen und das plötzlich strahlende Lächeln von ihrer Mutter geerbt; es floß in Rosas Adern auch zuviel von dem heißen Blut der lustigen Tänzerin.

Herr Herz ging in die Küche hinaus. Er mußte mit Agnes sprechen. Er setzte sich auf einen Stuhl, stützte die Ellenbogen auf die Knie und drehte sinnend einen Daumen um den andern. »Sie ißt nichts – sie spricht nichts –«, sagte er leise, damit Rosa es nicht höre.

»Daran ist nicht viel!«, meinte Agnes. »Man muß ihr Zeit lassen. Weil alles anders gekommen ist, als sie erwartet hat, so muß sie sich daran gewöhnen.«

»Ja, was sollen wir aber tun?«

»Warten wird wohl das beste sein.«

Herr Herz sah zur Decke auf. »Ich habe schon daran gedacht, den Klappekahl um Rat zu fragen; der schien mir...« Er brach ab und dachte nach.

Agnes stäubte den Tisch mit lauten, harten Schlägen des Staubbesens ab; plötzlich warf sie das Kinn empor und sagte scharf: »Was brauchen wir fremde Leute – und noch dazu den kribbeligen Apotheker? Was kann der raten? Die Leute mögen tun, was sie wollen; wir brauchen sie nicht. Wir werden nicht zu ihnen gehen, uns Kränkungen holen. Wir drei werden schon miteinander auskommen, mein ich. Kommt ein Schuft zu einem Mädchen und sagt: ›Ich will dich heiraten‹, so glaubt ihm das Mädchen. Wir Frauenzimmer glauben so was immer; wir sind so gemacht. Nun – und wenn er das Mädchen nicht heiratet – weil er eben ein Schuft ist – so geschieht's dem Mädchen natürlich sehr hart, aber das geht vorüber; man muß abwarten können. Meine Schwester, die Hebamme in Tiglau, hat andere Mädchengeschichten mitangesehen. Sie sagt auch, es geht vorüber; nur Zeit ist nötig, wie bei jeder Krankheit.«

Herr Herz hörte aufmerksam zu. Es war vielleicht doch das rechte, sich in seine vier Wände einzuschließen wie in eine Festung. Was konnten die Leute ihnen anhaben? Agnes schien sich über den Fall ganz klar zu sein und sprach, als sei sie ihrer Sache gewiß. Gut, sie sollte recht behalten.

»Es bleibt uns wohl nichts anderes übrig«, meinte er, erhob sich und ging in das Wohnzimmer zurück. Das Gespräch mit Agnes hatte ihn ein wenig beruhigt. Er setzte sich auf seinen Sorgenstuhl, vielleicht konnte er schlafen.

Rosa saß noch immer am Fenster – sehr elend, aber verhältnismäßig ruhig. Die stillen, kummervollen Stunden, die seit heute morgen verflossen waren, gehörten doch nicht zu dem nichtssagend einförmigen Leben, das Rosa mit Angst kommen sah – »das Leben ganz wie früher« –, es lag über ihnen eine gewisse Feierlichkeit. Dieser Montag war kein gewöhnlicher Werktag, denn er brachte dem armen Kinde die Neuheit eines großen Schmerzes.

Nun kamen die Abendstunden – das rote Flackern auf den Wänden. Rosa kannte das nur zu gut, sie wußte ganz genau, welchen Weg diese Lichter nahmen, daß sie zuerst auf der Kommode und den Bänden der illustrierten Zeitschrift entbrannten, dann auf der Wand, endlich dort in der Ecke blasser wurden und der Dämmerung Platz machten, die, wie ein feiner Aschenregen, auf die Gegenstände niederrann. Oh, sie kannte das, und es tat ihr weh, beengte sie. Dieses sachte Dunkeln erschien ihr wie der Anfang des Zurücksinkens in ihr freudloses Dasein. Es war ihr, als würde sie fest in ein farbloses Netz verstrickt, sie hätte mit Händen und Füßen stoßen, sich sträuben mögen.

Das zornige, ungeduldige Verlangen nach Schönem und Freudigem ergriff sie wieder heiß. Sie erhob sich, faßte ihre Hände krampfhaft fest hinter dem Rücken zusammen, ging leise im Zimmer auf und ab und schluchzte – und wiederholte immer wieder die eintönige Klage: »Es kann – es kann nicht aus sein.« Je finsterer es ward, um so hilfloser, einsamer stand sie ihrem Jammer gegenüber. »Es kann nicht aus sein!« Sie haßte dieses finstere Wohnzimmer, sie ging zu Agnes in die Küche, vielleicht beruhigte sie das.

Auf dem Herd brannte das Feuer. Agnes saß davor und reinigte Erdäpfel. Sie wandte nur ein wenig den Kopf, als Rosa eintrat, und schabte ruhig fort. Rosa setzte sich an den Küchentisch, stützte den Kopf in die Hände und schaute ins Feuer. Endlich versetzte Agnes: »Da ist noch ein Messer, Kind. Wenn du näherkommen willst, kannst du mir bei den Erdäpfeln helfen. Nicht?«

»Ja – Agnes.«

»Gut, so komm! Sieh, die Schale kratzt du so ab, diese schwarzen Augen müssen herausgeschnitten werden.«

»Ja, ja, ich verstehe!«

Eine angenehme, beruhigende Beschäftigung war es, so mit der Messerklinge über das harte, kühle Fleisch der Erdäpfel hinzufahren.

»Gut sind diese Erdäpfel nicht – weiß es Gott! Und teuer noch dazu«, berichtete Agnes. »Aber heute habe ich auf dem Markte schon fast Streit gehabt, weil ich noch immer herunterhandeln wollte. Gott, sie ist auch zu grob – die Frau Kaute.«

»So!« Rosa blickte auf. »Was sagte sie denn?«

»Die! Was kann die anderes als Grobheiten sagen!« Agnes übertrieb ihren Zorn gegen die Kaute, um Rosa Vergnügen zu machen. »Sie sagt: ›So billig können Sie nur Erdäpfel haben, die so vertrocknet sind wie Sie.‹ So was!«

Rosa lachte. »Was sagtest du darauf?«

»Ich sagte nichts, ich ging fort.«

»Wo kommt denn die Kaute her?«

»Sie wohnt dort – jenseits des Flusses – auf dem Lande. Dort haben sie ja nichts anderes als Erdäpfel.«

»Und jeden Morgen kommt sie in die Stadt?«

»Freilich! Mit ihrem Wagen, ihrem Pferde, ihren Erdäpfeln und ihrem Jungen kommt sie jeden Morgen um vier Uhr in die Stadt und setzt sich auf den Marktplatz.«

»Um vier Uhr?«

»Gewiß! Was glaubst denn du? Ich bin auch so gefahren, als ich jung war – zu Hause, nicht weit von Tiglau. Jeden Morgen, wenn es draußen noch ganz schwarz war, habe ich hinaus müssen in den Ort, ich und der Bruder. Wir hatten einen Wagen, ein altes Pferd und eine Laterne.«

»Das muß hart gewesen sein!«

»Leicht war's nicht! Aber wir schliefen im Wagen. Das Pferd fand den Weg schon allein, nur die Laterne mußte brennen, sonst blieb es stehen. Ja, und einmal«, Agnes stemmte den Griff ihres Messers auf ihr Knie und blickte Rosa lustig an, »einmal, da haben wir's gut gemacht. Ich schlief, und der Hans schlief, die Laterne war erloschen und das Pferd stehengeblieben. Nun – und so schliefen wir und standen wir auf der Landstraße, bis die Sonne aufging. Da weckte mich der Hans. ›Resi!‹, sagte er. ›Um Himmels willen! Die Sonne kommt schon herauf‹ Das war ein Schreck!«

»Schalt dein Vater?«

»Wir sagten's ihm nicht.«

Rosa hatte aufgehört zu arbeiten. Bilder gelber Ebenen tauchten vor ihr auf – graue, kühle Morgendämmerung; in der Ferne ein Kirchturm und Häuser; ein schläfriges Pferd, struppig und naß vom Morgentau; eine trübe brennende Laterne, die unter dem Wagen baumelt. Ja, sie sah das ganz deutlich vor sich und dachte: »Es muß behaglich sein, so im Halbschlummer über freies, stilles Land zu fahren. Der Morgenwind streift eilig über den Schläfer hinweg, die Erdäpfel duften nach feuchter Erde – und die Welt, ein friedlicher Traum, dämmert in den Schlaf hinein – ohne Gedanken, ohne Qual; eine große, sorglose Ruhe.« Rosa schloß halb die Augen; es war ihr, als spürte sie die Bewegung des Wagens.

»So!«, meinte Agnes und wischte das Messer an ihrer Schürze ab. »Nun gehe ich ans Kochen.«

»Und wenn ihr nach Hause kamt, was aßt ihr dann?«, fragte Rosa.

»Was gerade da war. Erdäpfel – Hering; manches Mal hatte die Mutter Speck für meine Erdäpfel aufgehoben, aber das war selten.«

»Aßt du das gern?«

»Freilich! Ich schnitt ein Loch in jeden Erdapfel und legte den Speck hinein. Sehr gut war das!«

»So? Ich würde das heute gern essen.«

»Das gerade?« – »Ja.« – »Nun, das kann man bald haben.«

Während Agnes in der Küche ab und zu ging, dachte Rosa an Agnes' Erzählung. Wie ein Ausweg war's, den sie gefunden – ein friedliches Feld, auf dem ihr nichts begegnen konnte, das wie ein Vorwurf aussah.

Herr Herz kam auch in die Küche. »Ah! Ihr seid hier beisammen!«, sagte er ein wenig erstaunt. »Ja, hier ist's besser«, meinte Rosa und lächelte ihren Vater matt an. »Hm!«, dachte Herr Herz, »diese Agnes versteht den Fall zu behandeln. Nun lacht das Kind schon.« – »Schön – schön«, sagte er und rückte einen Stuhl vor das Feuer.

»Bist du einmal in Tiglau gewesen, Papa?«, fragte Rosa.

»In Tiglau? Ja – mir ist so.« Herr Herz dachte ernstlich nach, besorgt, dieser so unerwartet sich einfindende, unverfängliche Gesprächsstoff könnte an seiner Unwissenheit scheitern. »Warte! Vor sehr langer Zeit bin ich dort durchgefahren. Ich glaube, es war ein verteufelt unscheinbares Nest. Wir wollten dort etwas essen, aber ein Gasthaus war nicht aufzutreiben.«

»Sie hätten nur fragen sollen. Jedes Kind in Tiglau zeigt Ihnen den ›Roten Hirsch‹ – dort bekommt man genug zu essen«, versetzte Agnes gereizt. Herr Herz rieb sich verwirrt die Waden. Er begriff nicht recht, warum Rosa ihn nach Tiglau fragte und warum Agnes diesen Marktflecken, an den sonst niemand dachte, so streng in Schutz nahm. »Das ist möglich«, sagte er schnell, weil er fürchtete, Rosa verletzt zu haben. »Es ist lange her, daß ich dort war – wie gesagt.«

»Agnes hat mir von Tiglau erzählt«, erklärte Rosa. »Du weißt, sie ist aus jener Gegend.«

»Richtig!« Herr Herz entsann sich jetzt. Seine Schwester Ina hatte davon gesprochen. »Eine Schwester von dir lebt dort, nicht wahr? Die Frau Böhk. Sie schrieb mir nach dem Tode des Fräuleins.«

»Freilich«, bestätigte Agnes, »das selige Fräulein hat meine Schwester noch unverheiratet gekannt.«

»So, so! Und wie geht es der Frau Böhk? Hat sie viel zu tun?«

»Zu tun gibt es genug. Sie ist die einzige Hebamme der Gegend.«

»Hat sie selbst auch Kinder?« Herr Herz war entschlossen, dieses Thema nicht fallen zu lassen. Agnes mußte erzählen: Frau Böhk hatte einen Sohn, dann hatte sie noch zwei Waisen – Töchter jenes Hans, mit dem Agnes zu Markte gefahren war – zu sich genommen. Gute Mädchen, ein wenig wild.

Auf Rosas Wunsch wurde das Nachtmahl in der Küche eingenommen, und während sie ihre Erdäpfel mit Speck aß, drängte sie Agnes, von Tiglau zu erzählen. Agnes hatte bisher nie von ihrem Geburtsort, von ihrer Jugend, von ihren Verwandten gesprochen, heute aber wollten Rosa und ihr Vater von nichts anderem hören, alles mußten sie wissen. So erfuhren sie denn, daß Frau Böhk früher hübsch gewesen, jetzt aber zu stark geworden sei, daß sie Herrn Böhk zum Leidwesen ihrer Familie geheiratet hatte, denn er war klein, dünn, schwächlich, schwarz wie ein Jude – zwar ein gelernter Uhrmacher, aber voll toller Ideen, an ordentliche Arbeit nicht heranzukriegen.

Als das Nachtmahl beendet war, schien das Eheleben der Böhks erschöpft zu sein, und während Agnes das Geschirr wusch, ging sie zum Hebammenexamen ihrer Schwester über. Die arme Frau hatte ein dickes Buch mit Bildern, die einem wehtaten, wenn man sie anschaute, durchstudieren müssen. Endlich, als die häuslichen Geschäfte abgetan waren und man ruhig um das Herdfeuer saß, kam Frau Böhks Hebammentätigkeit an die Reihe. Geschichten von den Leiden armer Mütter, von der Kraft und Geschicklichkeit der Frau Böhk – und seltsam war es, wie sorglos Agnes heute von Dingen sprach, die sie sonst vor Rosa nie nannte, »weil sie eben nicht für Kinder sind«.

Es war spät geworden, als die drei noch immer in der Küche saßen, eng aneinandergedrängt im warmen Raume, über den das unruhige Licht des Herdfeuers hinflatterte.

Wie die Hausgenossen sich eng aneinanderdrängen, wenn nebenan – im dunklen Zimmer – ein Toter liegt, so saßen Rosa, ihr Vater und Agnes beisammen, und keiner hatte Lust, in die anderen Zimmer hinüberzugehen, es war, als suchten sie in der Küche Schutz vor etwas, das sie dort – im Wohnzimmer – anfallen könnte.

Rosa blickte jedesmal ängstlich auf, wenn Agnes gähnte. Sie fürchtete, Agnes würde schlafen gehen, und die lange, qualvolle Nacht würde beginnen. Es war schon Mitternacht vorüber, als Herr Herz den Vorschlag machte, sich zur Ruhe zu begeben. Agnes ging bereitwillig darauf ein, ja, sie freute sich sichtlich darüber; Rosa aber schien es, als stießen ihr Vater und Agnes sie gleichgültig in das Dunkel einer einsamen, peinvollen Wanderung hinaus – nur weil sie ein wenig schläfrig waren. Sie fand das herzlos und ging – schwer seufzend – in ihre Kammer, um sich wieder mit ihrem wirren, unklaren Schmerz auseinanderzusetzen.

3.

Der erste Tag war leidlich überwunden durch stetiges Fliehen vor klarem Anschauen der Sachlage, durch mechanisches Weiterleben, ohne das Bewußtsein aus seiner Betäubung erwachen zu lassen. Merkwürdig aber war es, wie Rosa diesen Zustand auch für die folgenden Tage festzuhalten verstand, wie sie ihre Sorgen, das Sich-Auflehnen gegen alles Finstere und Grausame, das ihr Leben zerstörte, zur Ruhe wies – und beiseiteschob mit dem mutlosen Satz: »Es ist eben alles aus.«

Sie beharrte in ihrer nachtwandlerischen Gleichgültigkeit und ließ ihre Gedanken weit abgelegene Wege gehen. Oft durchlebte sie wieder im Geist, mit reiner Freude, ihre Vergangenheit; die Zeiten, da sie ein Schulmädchen war und eine Rolle unter ihren Genossinnen spielte. Nur zuweilen ward sie von der Erinnerung der jüngsten Ereignisse hinterrücks angefallen wie von einem wiedererwachten stechenden Schmerz, und diese Erinnerung machte das arme Mädchen bleich bis in die Lippen. »Nein – nein«, sagte Rosa dann halblaut vor sich hin, als wollte sie diese Bilder von sich abschütteln.

Das Leben in der Herzschen Wohnung nahm wieder seinen gewohnten Gang. Herr Herz gab am Vormittage Turnunterricht; die Mahlzeiten wurden wieder im Speisezimmer eingenommen, und am Abend versammelte sich die Familie um den runden Tisch im Wohnzimmer. In den Klub ging Herr Herz nicht mehr, und seine Wohnung war wie eine Festung gegen die Außenwelt abgeschlossen, nicht einmal Nachrichten drangen von außen hinein, denn Herr Herz sprach nicht mehr von Lanin und Klappekahl. Erzählte er nicht seine alten Theatergeschichten, so schwieg er. Rosa schwieg beständig. Nur in Agnes hatte sich eine ungewöhnliche Gesprächigkeit entwickelt; ihre feste, beruhigende Stimme war die meistgehörte in den jetzt so stillen Räumen.

Während der gleichmäßig verrinnenden Tage kam endlich doch ein Wandel über das leidende Mädchen. Statt der weitabliegenden, nebelhaften Träume begann Rosa sich mit dem Zerlegen der für sie so verhängnisvollen Ereignisse zu beschäftigen; diese Gedanken ließen sich eben nicht mehr abweisen. Das stille, bleiche Kind fing nun unablässig mit sich selbst zu räsonieren und zu rechten an. Rosa hielt im Geiste große Reden, verteidigte sich, als säße sie auf der Anklagebank; war denn diese Unzufriedenheit mit ihrem Los nicht berechtigt gewesen? Der Durst nach Freuden hatte sie kopflos ins Unglück getrieben. War sie schuld daran, daß alles so garstig und schimpflich geendet hatte? Ein jedes Mädchen hätte gehandelt wie sie; ja, auch Sally und Ernestine, wären sie nicht häßlich und schielten. O die, die hatten es leicht, keiner verliebte sich in sie! Und Rosa erging sich in einem bitterbösen Angriff auf diese beiden Damen. Immer neue Gründe stellten sich ein, die bewiesen, daß Fräulein Lanin und Klappekahl arme, verächtliche Wesen seien, die nie eine Leidenschaft erregt oder empfunden hatten. Gut! Rosa wollte Bonne werden, sie war bereit, alles Schwere auf sich zu nehmen, sie erwartete nichts mehr von ihrem Leben, aber gegen ein so armseliges Ding wie Sallys Existenz hätte sie es doch nicht vertauscht. Der Entschluß, fortzugehen, beruhigte Rosa, es brauchte ja nicht gleich zu sein, aber sie wußte, woran sie sich halten konnte. Nur über eines gelangte sie nicht zur Klarheit: Sehnte sie sich nach Ambrosius – glaubte sie noch an ihn – liebte sie ihn noch? Sie wußte es nicht. Diese verwirrte, eingeschüchterte Mädchenseele wagte sich an das Geheimnis ihrer Liebe nicht heran. Der Gedanke an Ambrosius brachte ihr eine beengende Schwüle – sie vermied ihn, er schmerzte zu sehr.

Bei alldem war ihr das stille Leben lieb geworden. Da die ganze Welt ihr feindlich gesinnt war, tat ihr die sichere Ruhe der engen Zimmer wohl, in denen sie nur den zwei altbekannten Gesichtern begegnete, wo sie nie ein verletzendes Wort hörte, wo treue Liebe über jeden ihrer Schritte wachte. Von der inneren Arbeit, vom geistigen Ringen ermüdet, schlief Rosa jetzt auch die Nächte besser und erholte sich. Ihr Gesicht, immer noch sehr weiß, verlor seinen schlaffen Ausdruck, die Augen den Fieberglanz.

»Es geht besser«, sagte Herr Herz zu Agnes. Diese nickte; sie hatte es nicht anders erwartet. »Solch ein junges Ding muß sich wieder aufrichten.«

Eines Morgens stand Rosa besonders gutgelaunt auf. Sie hatte die Nacht über tief und fest geschlafen und von Ambrosius geträumt, aber einen jener seltenen Träume, die uns einen Menschen ohne Verzerrung, in einfacher, lebensvoller Wahrheit vor die Sinne stellen. Ambrosius hatte dort in der Küche gesessen – mit seinem frischen, lächelnden Gesicht, seinen schönen Kleidern. – Er lehnte sich nachlässig in den Stuhl zurück – die Hände auf den Knien – und schaute Rosa mit seinen hellen, klaren Augen an. »Wann fahren Sie?«, fragte Agnes, worauf Ambrosius antwortete: »Um vier Uhr – denke ich.«

Da erwachte Rosa, das Herz noch ganz warm von der Stelle frischen, hoffenden Lebens, die jenes Traumwort aufgeregt. Das langsame Sich-Zu-rücktasten aus dem schönen Traum in die harte Wirklichkeit war zwar bitter, dennoch ließ die Traumwirkung nicht ganz nach. Es regte sich in Rosa wieder die Hoffnung, als müßte heute etwas Erwünschtes geschehen.

Als sie in das Wohnzimmer trat, fand sie es verändert. Des Pfarrers Kastanienbaum, der das Gemach mit seinen Blätterschatten zu erfüllen und das Licht zu mildern pflegte, hatte über Nacht all sein Laub verloren. Der klare Sonnenschein drang unbehindert in das Zimmer und ließ es größer, leerer erscheinen. Rosa blieb auf der Schwelle stehen und kniff die Augen zusammen; sie war auf diese Helligkeit nicht vorbereitet; doch sie gefiel ihr; sie paßte zu Rosas Stimmung, die nach Veränderung, nach einem Ereignis verlangte. Der herbe Glanz der Oktobersonne, der hartblaue Himmel zwischen den nackten Baumzweigen – sie hatten etwas Munteres, Unterneh-mungslustiges, Reisefertiges an sich. – Rosa ging an das Fenster, stieß es auf und beugte sich hinaus. Ein kalter Wind fuhr ihr entgegen und der derbe Geruch der welken Blätter. Auch die Straße sah verändert aus, der Nachtfrost hatte ihr ein besonders sauberes Aussehen verliehen, und in der durchsichtigen Luft nahmen die alten Bäume eine steife Feierlichkeit an, als wären sie für einen Festtag geputzt und stramm aufgestellt worden.

Jetzt klapperte es auf den Steinen. Ida Wulf kam die Straße herab. – Unter Rosas Fenster blieb sie stehen, blickte hinauf und lachte, ihre weißen Zähne zeigend. »Guten Morgen, Fräulein Rosa.«

»Guten Morgen, Ida.«

»Sind Sie krank gewesen, Fräulein Rosa?«

»Ja.«

»Sind Sie wieder gesund?«

»Ja.«

»Werden Sie wieder spazierengehen?«

»Ja. Warum nicht.«

Rosa errötete bei dieser Antwort.

»So.«

Ida klopfte mit der Fußspitze auf die Steine, zog ihr Gesicht kraus und schaute die Straße hinab.

»Wie geht es dir, Ida?«, fragte Rosa hinunter.

»Gut«, meinte Ida und zuckte die Achseln; dann sagte sie leiser: »Daß Fräulein Sally heiraten will – wissen Sie?«

»Nein. Wen denn?«

»Den Herrn Toddels – von Paltow, wissen Sie?«

»Den!«

Rosa lächelte.

»Lachen Sie nicht, Fräulein Rosa; es ist wahr«, beteuerte Ida. »Sie sind schon gestern Arm in Arm spazierengegangen.«

Als Rosa schwieg, fügte Ida mit verständigem Kopfnicken hinzu: »Warum auch nicht? Recht hat sie.«

»Gewiß!«, erwiderte Rosa hastig.

»Und von dem jungen Herrn haben Sie keinen Brief?«, fragte Ida plötzlich.

»Nein. Weißt du etwas?«

»Ich weiß gar nichts«, antwortete Ida, sich zum Weitergehen anschickend, »ich glaubte nur, er hat Ihnen einen Brief geschrieben. Guten Morgen, Fräulein Rosa. Der Peter hat mich zum Brückenkrug hinabbestellt.«

»Wozu denn?«

Ida zuckte die Achsel. »Wieder seine Dummheit«, damit ging sie – klapp, klapp – weiter, den dürren Körper nachlässig hin und her werfend.

Mit geröteten Wangen und aufgeregt glänzenden Augen blieb Rosa im Fenster liegen. Plötzlich trat ihr früheres Leben wieder an sie heran, als wäre es nie gestört worden. Sally und Toddels, Ida und Peter, die am Brückenkopf noch immer ihr verstecktes Wesen trieben, endlich Ambrosius. Es war ihr, als müßte er jetzt dort unten vorüberschlendern. Gewiß. Ida hatte recht, er konnte ihr schreiben, nichts wäre natürlicher. Sie begriff nicht, wie sie hatte alles aufgeben können. Sie holte wieder ihre Liebe zu Ambrosius hervor. Kam es nicht täglich vor, daß ein junger Mensch einem Mädchen treu blieb und es gegen den Willen der Eltern heiratete? Kaum begann die Seele des Mädchens zu genesen, als sich auch die früheren Mädchenträume wieder einstellten, die vor dem wahren Schmerz zerstoben waren.

Von jetzt ab erwartete Rosa Ambrosius' Brief, erwartete ihn mit jenem unverdrossenen, nie rastenden Eifer, der das Ohr für den geringsten Laut schärft. Dazu gesellte sich noch der ganze wunderliche Aberglaube der Hoffnung. Um die Zeit, da der Briefträger die Briefe auszutragen pflegte, stand Rosa am Fenster auf der Lauer und versuchte aus allerhand mystischen Zeichen zu entnehmen, ob sich der ersehnte Brief in der schwarzen Tasche befand oder nicht. »Geht der Briefträger«, sagte sie sich, »auf die andere Seite der Straße hinüber oder – muß er an jener Türe zweimal schellen, dann ist der Brief da.« Zuweilen ging der Briefträger auf die andere Seite der Straße hinüber oder schellte zweimal an der betreffenden Türe, aber der Brief kam doch nicht.

Diese neue Beschäftigung machte Rosa unruhig, und am Nachmittage, als die Dämmerung ihr behagliches Licht über die Straßen breitete, während ein glanzloser weißer Mond am Himmel hing – da hielt sie es nicht länger im Zimmer aus. Sie legte ihren vertragenen Wintermantel an, drückte sich den ruppigen Filzhut tief in die Stirn und ging hinaus.

Es tat wohl, wieder in freier Luft auf der Straße zu stehen, den Wind sich in die Haare fahren zu lassen und mit den Absätzen auf die Steine zu trommeln. Rosa empfand wieder etwas von der ungebundenen Ausgelassenheit, die sonst in solchen Dämmerstunden die Schankschen Schülerinnen zu jedem dummen Streich aufgelegt gemacht hatte. Mit kleinen Schritten ging sie die Straße hinab – sie wollte zum Fluß hinuntergehen; später, wenn es finster geworden war, hatte sie einen Gang durch die Stadt vor; bei Lanins – Klappekahls – an der Schule – beim Trödler vorüber, alles wollte sie heute wiedersehen.

Am Ende der Straße standen der Sekretär Feiergroschen und der Apotheker im eifrigen Gespräch beieinander. Klappekahl erzählte etwas, sein Gesicht dem Sekretär fast in den Sammetkragen des Überrockes steckend; der schöne Sekretär, nachlässig an einen Laternenpfahl gelehnt, hörte zu und sandte nur ab und zu ein Wörtchen unter dem goldenen Bart hervor.

»Eine widerwärtige Affäre!«, meinte Klappekahl. »Ich brauche mich eigentlich nicht hineinzumischen. Was geht mich die ganze Geschichte an? Was?« Und er stemmte seinen Mittelfinger gegen die Brust und blickte den Sekretär scharf an. Dieser jedoch zuckte nur die Achseln und schlug mit dem Spazierstock auf das Pflaster. »Natürlich«, fuhr der Apotheker fort, als hätte er die gewünschte Antwort erhalten. »Das sage ich eben, mich geht die ganze Geschichte nicht – so viel – an. – – Aber, aber! – Ich muß mich da hineinmischen. Verstehen Sie? Ich muß!« Er hielt inne, um dieses »muß« Herrn von Feiergroschen mit allen fünf Fingern vor die Nase zu halten. »Erstens – um Lanins willen, zweitens kenne ich den Kommerzienrat Tellerat, und er ersucht mich um diesen Dienst. Endlich tue ich's für den alten Herz. Es wird ihm lieb sein, wenn ich die Affäre leite. Ich muß also – nichts zu machen.« Dabei schlug er kräftig auf seine Palettottaschen.

»Ja – o ja!«, versetzte der Sekretär langsam, nahm seinen Spazierstock unter den Arm, um beide Hände frei zu haben, und zupfte vorsichtig die Spitzen seines Backenbartes. »Das finde ich ganz natürlich. Nur sehe ich nicht ein, warum Sie es ihr – persönlich sagen wollen. Sie könnten es kommoder durch den Alten machen.« Er lachte, weil er sich freute, diesen naheliegenden Ausweg gefunden zu haben. Klappekahl aber schüttelte den Kopf.

»Da sagen Sie mir nichts neues! Ich habe auch daran gedacht, es durch den Alten zu machen – ich bin jedoch davon zurückgekommen«, schloß er feierlich und betrachtete seine Handfläche.

»So? – hm – warum denn?«, murmelte Feiergroschen.

»Ja – sehen Sie!« Der Apotheker setzte seine Gründe mit vielem Behagen auseinander, er war stolz auf sie. »Erstens, und das ist das Hauptmotiv, glaube ich, der Vater wird die Sache nicht so geschickt und delikat anfassen wie ich. Ein guter Kerl, der alte Herz, aber auf solche subtile Dinge versteht er sich nicht, weiß es Gott! Ich kann wohl – ohne zu renommieren – behaupten, daß ich mit Weibern besser umzuspringen weiß als er, trotz seiner Ballettpraxis. Mein Gott! Unsereins hat doch auch seine amours gehabt! Was? Und mit mehr Verständnis als so einer. Kurz! Ich glaube dem Mädchen dadurch die Sache leichter zu machen.«

»Ach so!«, erwiderte Feiergroschen.

»Das ist – wie gesagt – das Hauptmotiv«, fuhr der Apotheker eifrig fort. »Nun – und dann, Sie wissen, ich bin ein leidenschaftlicher Psycholog.«

»Wirklich?«

»Gewiß! Leidenschaftlich! Wußten Sie das nicht? So ein Blickchen in ein Menschenherz – delicieux. Darüber geht mir nichts; ob Sie's mir nun glauben oder nicht! Sie verstehen also? Obgleich ich hundert solcher Verwicklungen schon mit angesehen habe. Eine jede bringt doch etwas neues – für den Kenner. Darin bin ich Gourmand. Was? Sie finden diesen Sport grausam?«

»Nein, das kann ich nicht sagen.«

»Nun hören Sie, Sekretärchen, etwas grausam ist er doch«, meinte Klappekahl bittend. »Aber – nehmen Sie eine Menschenseele – nehmen Sie einen Schmerz – bon! Ich untersuche.« – – –

Der Sekretär ward unruhig. Sein ohnehin laues Interesse schien ganz zu erkalten. Er blickte auf die Straße – machte einige Schritte – blieb plötzlich stehen – rückte sein Augenglas zurecht. »Wer kommt denn da?«, äußerte er.

Klappekahl sah auf. »Bei Gott, lupus in fabula – oder hier mehr luna! Sie geht sonst nie aus.«

»Da können Sie ihre Mission gleich beginnen.«

Rosa ging an den Herren vorüber, sah sie jedoch nicht, weil sie den Kopf gesenkt hielt und eilig einherschritt.

»Nun«, flüsterte Feiergroschen und stieß den Apotheker mit dem Ellenbogen.

»Ob ich?« Der Apotheker zögerte. »Fatale Geschichte!« Er ging Rosa aber doch nach. »Guten Abend, Rosette«, sagte er, als er sie eingeholt hatte, und zog den Hut vor ihr. Rosa schaute Klappekahl erschrocken an, und dieser ward befangen. »Wollen Sie weitergehen?«, schlug er vor.

Gehorsam ging Rosa weiter. »Ich wollte eben zu Ihnen hinauf«, begann Klappekahl, »da faßte mich der Sekretär dort an der Ecke, und wir verplauderten uns, aber, wie gesagt, ich war auf dem Wege zu Ihnen.«

»Es wäre Papa gewiß sehr angenehm gewesen«, entgegnete Rosa leise. Der Apotheker mit seinen Redensarten schüchterte sie heute ein. Was wollte er? Wäre er doch schon fort!

»Ihren Papa habe ich lange nicht gesehen«, fuhr Klappekahl fort – die Hände in den Palettotaschen – mit gleichmäßigen Schritten neben dem Mädchen einherschreitend. »Wann doch zuletzt? Warten Sie. Vorgestern? – Nein – gleichviel! Heute aber wollte ich nicht eigentlich Ihren Papa aufsuchen – sondern Sie, Rosettchen. Ja, ja! Zu Ihnen wollte ich, um mit Ihnen von Geschäften zu reden.« Er schlug einen neckischen Ton an; da Rosa aber zu Boden blickte, konnte er nicht entscheiden, wie dieser Ton aufgenommen wurde, drum ward er wieder ernst und väterlich. »Das Geschäft ist eben nicht angenehm; ich habe es übernommen, denn wir beide sind ja immer gute Freunde gewesen, nicht?« Rosa schwieg. »Ich war von jeher Ihr alter Bewunderer, darum glaubte ich, wir beide würden das Geschäft am besten abmachen, ohne daß ein Dritter sich da hineinmischt. Ich sagte, Rosette und ich werden alles ordnen. Rosette ist das gescheiteste Mädchen ihres Jahrhunderts, sie hat Verstand für drei. Auf Ehr! Das sagte ich.« Er wartete wieder auf eine Antwort. Rosa jedoch sagte nichts. Sie waren in den Stadtgarten gelangt und gingen über die hartgefrorenen Kieswege hin, auf denen das Herbstlaub raschelte, während die Finsternis immer dichter durch das braune Gezweige der entlaubten Bäume herabsank. Ein heftiger Wind wehte hier. Klappekahl fröstelte und schlug den Kragen seines Überrockes auf. »Die Sache ist nun die«, nahm er seine Auseinandersetzung mit sanfter Stimme wieder auf. »Der Kommerzienrat Tellerat schreibt mir – oder eigentlich Lanin, der mir dann den Brief gegeben hat; er sieht ein, daß das Verhältnis mit seinem Sohn – der arme Junge soll zu Hause untröstlich gewesen sein, er hat es schwer verwunden, das können Sie glauben. Gleichviel! Der Kommerzienrat sieht also ein, daß das Verhältnis mit seinem Sohne Ihnen möglicherweise geschadet haben könnte – in Ihren Plänen, Ihrer Stellung – Ihrer Karriere. Ganz unrecht hat er wohl nicht; das heißt, ich urteile über diese Dinge anders, aber in unserem Nest – Sie wissen das ja ebenso gut wie ich. Der Kommerzienrat geht mit seinem Sohne nach Italien, schließlich ist eine Heirat in Aussicht genommen und so weiter.« Klappekahl hielt inne, um seine psychologischen Beobachtungen anzustellen, aber die Mädchengestalt im schwarzen Mantel kämpfte schweigend mit dem Winde, und nichts verriet, was in ihr vorging. Der Apotheker ärgerte sich darüber und beschloß, in seiner Rede trockener und kürzer zu sein. »Vordem dieses unternommen wird«, fuhr er fort, »wünschen der Kommerzienrat und sein Sohn ihre Schuld an Sie – Fräulein Rosa – abzutragen. Sie sind bereit, Ihnen eine Reise ins Ausland, die Equipierung für eine Gouvernantenstelle, oder was Sie sonst vorhaben, zu erleichtern, das heißt, sie wünschen etwas dazu beizutragen, daß Sie Ihren Lebensweg unbehindert weiter wandeln können.« Dieser Satz gefiel dem Apotheker, er wiederholte ihn laut in den Wind hinein und streckte die fünf Finger aus; da sie ihm jedoch froren, steckte er sie wieder in die Tasche und fügte, weniger pathetisch, hinzu: »Ich finde dieses Anerbieten billig. Nach meiner Auffassung sind Tellerats Ihnen das schuldig, auch sehe ich keinen Grund, dieses Anerbieten nicht zu akzeptieren. Wie gesagt, von Ihrer Seite ist es nur das Einkassieren einer Schuld. Das Geld soll bei mir eingezahlt werden. Das ist ganz einfach, nicht wahr? Wieviel und so weiter wollen wir besprechen, wenn Sie sich im Prinzip entschieden haben werden. Was?« Rosa schwieg und ging hastig vorwärts. »Ich will Sie natürlich nicht drängen«, meinte Klappekahl. »Aber die Sache ist durchaus einfach. Geld kommt immer gelegen.« Er wußte wirklich nicht, was er mit dem stillen Mädchen beginnen sollte. Will sie das Geld? Will sie es nicht? Ist sie beleidigt? Ist sie froh? Kein Teufel konnte daraus klug werden! Dazu noch dieses verdammte Wetter!

Sie verließen jetzt den Garten und traten an den Fluß heran. Der Mond breitete eine große Helligkeit über den Himmel und das Land und ließ diese weit und leer erscheinen.

»Nun, mein liebes Kind«, begann Klappekahl hier wieder zu sprechen. »Ich habe Ihnen diese Affäre so gut ich konnte auseinandergesetzt. Sagen Sie mir nur, wie Sie darüber denken. Schütten Sie vor mir Ihr ganzes Herzchen aus.« Das freundliche Gesicht, mit dem er diese Worte begleiten wollte, fiel ein wenig verzerrt aus, denn Lippen und Wangen waren steif vor Kälte.

Rosa lehnte sich mit dem Rücken gegen das Flußgeländer, ließ ihre Arme erschöpft sinken und hob zu Klappekahl ihr bleiches, kummervolles Antlitz auf, aus dem die Augen angstvoll hervorschauten. Mit leiser, tiefer Stimme sagte sie: »Bitte – sagen Sie Ambrosius Tellerat, daß ich nichts von ihm mag.« – Der Apotheker räusperte sich. Er hatte nicht erwartet, einem so großen Schmerz gegenüberzustehen. »Nun – warum denn? Ich finde, wenn man die Sache vom richtigen Standpunkte aus betrachtet« – er brach ab, denn er fühlte, daß seine gewöhnliche Beredsamkeit diesem bitterernsten Mädchen gegenüber nicht am Platze sei,

»Bitte, sagen Sie ihm«, fuhr Rosa mit demselben bestimmten, metalligen Klang der Stimme fort, »daß ich von ihm nur eins verlange, er soll mich nicht weiter quälen.«

Klappekahl trippelte vor Rosa auf und nieder. Hier war offenbar nichts zu machen, es galt nur, einen passenden Schluß zu finden. »Schön, schön!«, versetzte er. »Ich will's bestellen. Es wird dem armen Jungen nahegehen. Verdient hat er's übrigens. Natürlich – wenn man die Affäre so ansieht, so haben Sie recht. Jedes Ding hat zwei Seiten, sage ich immer. Bon! Ich will's bestellen. Das meinige habe ich getan. Mir sind Sie doch deshalb nicht böse? Nein? Das ist brav. Ich tat meine Pflicht. Das also wäre abgemacht. Hier ist's verteufelt kalt. Ich begleite Sie nach Hause – selbstverständlich! Wie? Sie gehen nicht mit?«

»Nein. Ich würde gern allein sein«, erwiderte Rosa.

»Was? Bei der Kälte im Mondschein schwärmen?« Klappekahl hatte wieder sein weltmännisches Kichern gefunden. »Nun, ich danke! Da bin ich nicht von der Partie. Guten Abend, Rosettchen. Sie sind mir nicht böse? Der alte Klappekahl bleibt immer Ihr treuester Bewunderer. Erkälten Sie sich nicht.« Als er Rosa den Rücken wandte und eilig der Stadt zuschritt, stieß er mit großer Erleichterung seine Hände auf den Grund seiner Taschen. Es war glücklich vorüber! Vor solchen tragischen Augen konnte einem ja angst und bange werden, und er dachte darüber nach, wie er Feiergroschen und Dr. Holte am wirkungsvollsten die Szene schildern könnte.

Rosa blieb am Flusse stehen. Jetzt begriff sie alles; begriff die ganze Schande, die über sie hereinbrach. Daß sie vor einer Stunde so töricht hatte sein können, zu hoffen! Die heutige Lehre aber hatte sie erfaßt. Ein kühles, schonungsloses Verstehen war ihr geworden. Die Kleinheit und Häßlichkeit alles dessen, woran sie geglaubt, lag klar vor ihr – und Ekel und Bitterkeit stiegen in ihr auf und machten sie ruhig. Was half es! Es war doch nichts des Anschauens wert. Geängstigt blickte sie zum Himmel auf, der weit und hoch in seiner durchsichtigen Klarheit über ihr hing, und es war der Durst nach jener hellen, reinen Stille, was sie empfand; sie hätte sie trinken, sich in ihr baden mögen, um von dem Schmutzigen, Schimpflichen, Garstigen befreit zu sein, das auf ihr wie ein Alp lastete.

Versunken in ihre trüben Gedanken, bemerkte sie nicht, daß eine schmale, dunkle Gestalt sich ihr langsam näherte, vor ihr stehenblieb, den Hut abnahm und leise »Guten Abend« sagte. – Conrad Lurch war es. Fest in seinen grauen Überrock eingezwängt, den schäbigen Hut im Nacken, stand er da. Das lange Gesicht nahm im Mondlicht ein krankes, grünliches Aussehen an. Die Augen waren von tiefen Schatten umgeben, und die geröteten Augenlider zuckten wie bei jungen Vögeln. Der arme Conrad Lurch! So vom Monde beschienen nahm er sich sehr dünn, sehr leidend und ein wenig herabgekommen aus. Erst als er seinen Gruß wiederholte, zuckte Rosa leicht zusammen und sah ihn an. »Guten Abend«, erwiderte sie. »Ich gehe nach Hause«, fügte sie hastig hinzu und wollte fort.

»Ach, gehen Sie nicht!«, bat Lurch kläglich, »Tag um Tag habe ich darauf gewartet, Sie sprechen zu dürfen, und nun wollen Sie gehen.«

Rosa blieb. Matt und geduldig lehnte sie sich wieder an das Geländer. Schließlich war es ja gleichgültig, ob sie ging oder blieb!

»Ich sah Sie vorhin mit Herrn Klappekahl gehen«, fuhr Lurch mit seiner hoher, heiseren Stimme fort. »Da bin ich Ihnen nachgegangen, dort – an jenem Baume wartete ich, bis Herr Klappekahl Sie verließ, dann kam ich, um mit Ihnen zu sprechen. Fräulein Rosa...« Rosa hörte nicht mehr, was er ihr sagte, sie dachte wieder daran, wie verblendet sie gewesen war, das für schön und erstrebenswert zu halten, was ihr jetzt so widrig, so gemein erschien. Liebe nannte man das! Mein Gott, war das eine häßliche, niedrige Sache! Nichts als Schande – unendliche Öde. Es gab Menschen, die in ihrem Fall sterben konnten, sie hatte davon gehört. Unwillkürlich wandte sie sich um und blickte auf den Fluß hinab. Über das unruhige, tintenschwarze Wasser fuhr das Mondlicht in hastigem Zickzack hin; ein stetes Fließen und Leben, eine Jagd von Schatten und bleichem Licht. Fröstelnd fuhr Rosa zurück.

»Und eben, Fräulein Rosa, weil ich Sie so sehr liebe«, klang Lurchs gepreßte Stimme in Rosas Gedanken hinein und machte sie aufhorchen. Was sprach er denn von Liebe? Die fadenscheinige, trübselige Erscheinung war für Rosa jetzt wie das verkörperte Bild jener Liebe, die sie mehr als alles verabscheute.

»Weil ich Sie so sehr liebe, Fräulein Rosa, sagte ich mir: jetzt vielleicht kannst du ihr dienen, jetzt vielleicht nimmt sie deine Liebe an. Es ist ja nicht, daß ich glaube, Sie könnten sich je in mich verlieben. Bewahre! Sie sollen nur gestatten, daß ich Ihnen diene. Ich glaube nicht, Fräulein Rosa, daß jemand Sie stärker lieben kann als ich. Ich glaube das nicht. Sie wissen, Fräulein, seit ich Sie kenne, bin ich Ihnen gut. Dort in Lanins Laden – und die Korinthen – immer – immer.« Mühsam redete er fort und drückte die Knöchel seiner blaugefrorenen Hände fest gegeneinander. »Aber seitdem Sie erlaubt haben, daß – daß ich Sie küsse – dort bei Wulf – Sie wissen, Fräulein Rosa? – seitdem hat es wie eine Krankheit an mir genagt. Tag und Nacht habe ich nur an Sie denken können. Ich weiß, Sie taten es damals nicht für mich; mich aber hat es unglücklich gemacht. Meine Mutter fragt mich, woher die Löcher in mein Kopfkissen kommen. Ich habe es ihr nicht gesagt; aber bei der Nacht, wenn ich an Sie, Fräulein Rosa, denke, zerreiße ich mit den Zähnen mein Kopfkissen. Ich weiß nicht warum, aber ich muß das tun. Als ich nun hörte, wie es Ihnen ergangen ist, da dachte ich, vielleicht jetzt. Ich kann ohne Sie nicht leben. Bei Gott! Fräulein Rosa, ich kann – – kann es nicht!« Sein Gesicht verzerrte sich; er schien zu weinen.

Starr vor Schrecken blickte Rosa ihn an. War es ein furchtbarer Traum, der diesen bleichen Menschen vor sie hinstellte, damit er ihr mit seiner halblauten, leidenschaftsheißen Stimme vorhielt, was sie getan? Und doch konnte sie nicht fort. Wie gefesselt stand sie da, die Arme über das Geländer gelegt, und hörte zu. »Lassen Sie mich!«, stöhnte sie.

»Ich lasse Sie ja, Fräulein Rosa«, erwiderte Lurch. »Ich halte Sie nicht. Es wäre aber nicht gut, Fräulein Rosa, mich so stehenzulassen. Ich glaube nicht, daß das gut wäre. Den Wechsel unterschrieb ich damals, weil Sie es wollten, sonst hätte ich es nicht getan – aber, als Sie kamen – – Sie erinnern sich dessen, Fräulein Rosa? Herr Lanin hat mich dieses Wechsels wegen fortgeschickt, und die hohen Prozente hat er nicht bezahlen wollen, da habe ich zulegen müssen. Ich hatte etwas Geld zurückgelegt – für meine Mutter, wissen Sie, wenn ich einmal ohne Stelle bin. Es ist aber alles daraufgegangen. Ja – und ich habe jetzt nichts zu tun. Dieser Überrock ist schlecht, ich sehe das wohl, der Hut auch; aber wäre der Wechsel nicht gewesen, so... Übrigens mache ich mir nichts daraus, wenn Sie nur wollten. Ohne Sie kann ich nicht leben, Fräulein Rosa; ohne Sie nicht.«

»Was kann ich denn tun?«, stieß Rosa kaum hörbar hervor. Sie wollte die Bedingungen erfahren, unter denen sie befreit werden konnte. Lurch sah auf seine Hände herab und versetzte leise: »Wir könnten einander ja heiraten.«

»Sie?«

»Ja!«

Lurch hob den Kopf. Der Mond beschien sein fahles Gesicht, auf den Wangen brannten rote Flecken; die Augenlider blinzelten immer hastiger, und die Hände krampften sich ineinander, daß es knackte. »Ja, denn ich liebe Sie doch, Fräulein Rosa, und wer wird Sie sonst heiraten? Ich weiß sehr gut, was dort bei Wulf geschehen ist, und die ganze Stadt weiß es – alle, alle. Sie zeigen mit Fingern auf Sie. Ich mache mir nichts daraus. Früher sagte ich mir, sie ist zu gut – zu hoch für dich; jetzt aber, Fräulein Rosa, sind Sie zu mir heruntergekommen, jetzt, wo keiner Sie will, kann ich Sie doch haben! Ich muß Sie haben! Bitte, bitte, Fräulein Rosa, seien Sie so gut, tun Sie mir den Gefallen. Gewiß – keiner nimmt Sie sonst. Alle schimpfen auf Sie, nur ich liebe Sie. Gott, Gott, wenn Sie wüßten, wie stark ich Sie liebe!« Er weinte und kniete auf den Sand nieder.

Rosa schaute ihn an, wie man ein widriges Insekt beobachtet, fürchtend, daß es sich auf einen wirft. Als er aber wimmernd niederkniete, da ward sie von ihrer Furcht überwältigt, sie wich zur Seite und wollte fliehen, er jedoch hielt sie an den Füßen fest, sie mit seinen langen Armen umschlingend, kroch er an ihr empor, das gelbe Gesicht mit den hervortretenden gelben Augen kam dem ihren ganz nah, die heißen, dünnen Lippen sogen sich an ihrer Wange fest. Mit verzweifelter Anstrengung stieß Rosa gegen den Körper, der sich an sie herandrängte, und er taumelte. »Hilfe! Um Gottes willen!«, schrie sie – und wieder preßten die zitternden dürren Glieder sie an sich. Schritte wurden hörbar. »Hilfe!«, schrie Rosa noch einmal.

»Verfluchte Kanaille!«, sagte jemand neben ihr, und Lurch, der sich an Rosas Röcke anzuklammern versuchte, ward gepackt. »Nun Brüderchen, komm nur«, sagte dieselbe Stimme, und Lurch flog auf die andere Seite des Weges hinüber, um dort lautlos niederzufallen. Vor Rosa stand Herweg und lachte über das ganze Gesicht. »Dem Kerl wollen wir solche Späße versalzen. Wie der flog«, meinte er.

»Ich danke Ihnen«, sagte Rosa.

»Wie Sie blaß sind, Rosa.«

»Ich will heimgehen. Ich fürchte mich.«

»Der Kerl wird Ihnen nichts mehr tun. Wie kam er überhaupt zu Ihnen?«

»Ich weiß es nicht.«

»Geben Sie mir Ihren Arm. Ich führe Sie nach Hause.«

»Nein – nein! Ich gehe allein«, und Rosa begann eilig vorwärtszugehen. Herweg jedoch folgte ihr, und als Rosa lief, lief er auch und rief: »So warten Sie doch, Schätzchen.« Er holte sie auch ein, hielt sie an ihrem Mantel fest und lachte.

»O Gott – o Gott!«, stöhnte Rosa und wandte Herweg ein so verzweifelt angstvolles Gesicht zu, daß er bestürzt ward. »Aber Rosa«, sagte er, »ich tue Ihnen ja nichts. Kennen Sie mich denn nicht mehr?«

»Ach lassen Sie mich gehen«, flehte Rosa.

»Gewiß, guten Abend«, versetzte Herweg und grüßte verlegen. Er verstand nicht, was dem Mädchen war; hatte er ihm denn auch ein Leid zugefügt? Verdrießlich und enttäuscht ging er seiner Wege.

»Kind, wo bist du gewesen?«, rief Agnes, die in der Küche saß, Rosa entgegen, als diese nach Hause kam. »Der Vater ging dich suchen.« Rosa erwiderte nichts. Sie stellte sich bloß in den hellen Schein des Herdfeuers. Ein jeder mußte es ja auf ihrem Gesichte lesen, was sie erlebt hatte. »Großer Gott, was ist denn geschehen?«, rief Agnes.

»Ach Agnes!« Mehr vermochte Rosa nicht hervorzubringen. Sie kniete vor ihrer alten Pflegerin nieder, verbarg ihren Kopf in deren Schoß und weinte und schluchzte ganz aus vollem Herzen. Agnes fragte nicht weiter, sie hielt den blonden Kopf auf ihren Knien und strich mit der Hand sanft über das Haar. Als Herr Herz heimkam, tauschte er mit Agnes nur stumme Blicke und Winke aus, legte Holz auf das Feuer, trank Tee, saß da und drehte kummervoll einen Daumen um den andern, und zuweilen, auf den Fußspitzen an Rosa herantretend, ließ er eine Weile seine Hand neben Agnes' Hand auf dem Haupte seines Kindes ruhen.

Wortlos saßen sie fast die ganze Nacht hindurch auf und wachten über Rosas Schmerz.

4.

Lurch blieb noch eine Weile dort unten am Wege liegen – ein dunkles, regungsloses Paket. Endlich belebte der scharfe Wind seine Lebensgeister; er fror und richtete sich auf. Das Gehen wollte nicht sogleich gelingen, das rechte Bein schmerzte. Liebevoll betastete Lurch seine Glieder, um zu untersuchen, wie groß der angerichtete Schaden sei. Er mußte nicht bedeutend sein, denn Lurch wandte sein Gesicht ernst dem Monde zu und sprach laut vor sich hin: »Lurch ist heil«, dann machte er sich mühsam auf den Heimweg.

Nach dem heftigen Leidenschaftssturm, der ihn bewegt hatte, fühlte er sich beruhigt und ernüchtert. Er sprach wohl halblaut mit sich selbst, aber in seiner sanften, bescheidenen Weise, als verkehrte er mit einem Kunden im Geschäft. Dabei reinigte er peinlich und genau seinen Überrock. »Das ging nicht. Nein! Das ging gar nicht. Wie sollte es auch? Ich hätte es nicht glauben sollen. Nun ist's aus. Natürlich, was kann denn jetzt noch kommen? Natürlich.«

Lurch wohnte an dem Kirchenplatz in einem hohen, schmalen Hause. Vier Treppen hoch hatte er für sich und seine Mutter zwei Zimmer und eine Küche gemietet, und diese waren der Schauplatz seiner zarten, kindlichen Sorgfalt. Er liebte seine Mutter, er entsann sich kaum einer Zeit, da er nicht für die alte Frau zu sorgen gehabt hätte. Ihr eine ruhige Existenz sichern war stets die Hauptaufgabe seines Lebens gewesen. Erst als er zu glauben begann, seine Liebe zu Rosa sei nicht ganz hoffnungslos, erst da dachte er an die Möglichkeit, sich von seiner Mutter zu trennen. Wenn Rosa es verlangte, mußte es geschehen, natürlich, aber es würde doch hart für die alte Frau sein!

Mit schweren Schritten stieg Lurch die finsteren Treppen zu seiner Wohnung hinauf. Das erste Zimmer war leer. Ein Lichtschein vom Nachbarfenster fiel in das zweite Zimmer auf das Bett der alten Frau, und Lurch sah, wie jeden Abend, wenn er heimkam, die große weiße Haube schon auf dem Kopfkissen liegen. Sonst pflegte er wohl noch eine Weile auf dem Bett der alten Frau zu sitzen und zu plaudern. Er liebte es, wenn seine Mutter ihre welken Hände auf sein Knie legte und ihn mit matter, schläfriger Stimme über die kleinen Ereignisse des Tages ausfragte. »Wie hoch war die Tageslosung im Geschäft? Wen hast du auf der Straße gesehen?« Und die stets wiederkehrende Frage der letzten Zeit war gewesen: »Hast du Rosa Herz gesehen?« Wenn endlich der Schlaf die alte Frau übermannte, stand Conrad Lurch auf, steckte im Nebenzimmer die Lampe an, verzehrte flüchtig – auf einer Tischecke – sein Nachtmahl und vertiefte sich in einen Roman. Diese stillen Nachtstunden, in denen die regelmäßigen Atemzüge der alten Frau und der Ton der Kirchenuhr allein die engen Räume belebten, diese Stunden waren die ereignisreichsten in Lurchs armem Leben. Den Kopf in die Hände gestützt, saß er oft ganze Nächte über einem Roman auf. Recht süße Erzählungen, in denen die Leute sich heiß liebten, in denen sie weinten, große, edle Gefühle aussprachen, waren ihm die liebsten. Tränen mußten ihm während des Lesens in den Augen brennen und die Hände kalt und kraftlos vor Erregung werden. Erst wenn ihn die Augen schmerzten, legte er das Buch fort und begab sich zur Ruhe, mit den Gedanken noch in der schönen, ereignisreichen Welt des Romans weilend. Und – wenn er so sinnend im Bette wachlag, das Gelesene immer wieder durchlebend, dann mischte sich unter die Personen der Erzählung ein junger Mann, von dem das Buch nichts wußte. Dieser junge Mann hatte lange Gespräche mit der Heldin – bezauberte sie durch seinen Edelmut. Es war eine Art Lurch – kein Zweifel! Und dennoch von Lanins dünnem Kommis sehr verschieden.

Heute ging Lurch nicht zu seiner Mutter hinüber, sondern stellte sich im ersten Zimmer an das Fenster und starrte auf den finsteren Kirchenplatz hinab.

»Conni – bist du's?«, fragte die Mutter.

»Ja – Mutter!«, erwiderte er.

»Hast du die Lampe angesteckt?«

»Noch nicht.«

»Im Ofenrohr steht die Suppe.«

»Ja, Mutter, ich weiß es.«

»Gehst du heute zu Steining? Heute ist Samstag.«

»Vielleicht. Ja – ich – ich denke wohl.«

»Unterhalte dich gut, mein Kind.«

»Ja – Mutter. Gute Nacht!«

Die alte Frau wunderte sich darüber, daß Conni nicht zu ihr ans Bett kam. »Er hat wohl Eile fortzukommen«, dachte sie sich und schwieg. Er aber blickte noch immer in die Nacht hinaus.

– – – – Der Tod? Lurch hatte bisher nur deshalb zuweilen an ihn gedacht, weil die Mutter auf ihn wartete. An seinen eigenen Tod hatte er nie gedacht. Nun – plötzlich – kam dieser Gedanke – wie etwas Natürliches, wie der notwendige Abschluß einer Existenz, mit der Rosa sich nicht verbinden wollte. ... Je glücklich gewesen zu sein, entsann sich Lurch nicht. Vielleicht samstags, wenn er betrunken war? Doch, mein Gott, auch dann!... Sonst immer nur gedrücktes, freudloses Hinkriechen über das alltägliche Tagwerk – – bis die Liebe kam und sich in diesem leeren Dasein breitmachte, es gänzlich aufsog. Zur Qual aber wurde sie, als sie greifbare Gestalt annahm, als die Hoffnung aus ihr ein unwiderstehliches Begehren machte, das an Conrad Lurch nagte, ihn peinigte, wie Zahnweh. Jetzt, da Rosa für immer verloren war, mußte das Ende kommen. Nicht?

Leise ging er an den Schrank seiner Mutter und tastete, bis er das Schubfach fand, in dem die Andenken an den Vater lagen. Pfeifenköpfe, Federhalter, ein Geldbeutel, ein Rasiermesser – ja, das war's! Lurch steckte das Messer in die Tasche seines Überrockes. Nun hätte er gehen können, dennoch setzte er sich auf einen Stuhl. Vielleicht brauchte es nicht zu sein. Sein Blick fiel auf den Kopf seiner Mutter, der regungslos in den Kissen lag. Ja – die alte Frau, der wird es nahegehen. Wer wird morgen den Kaffee machen? Je nun, sie wird die Magd von gegenüber rufen. Aber zurechtstellen wollte er ihr alles. Er holte die Kaffeekanne, die Spirituslampe, das Geld für den Bäcker, daneben legte er den Schlüssel seines Schreibtisches. Dort konnte sie noch ein wenig Geld finden, das reichte wohl hin, bis die alte Frau sich an die Stadt um Versorgung wenden würde. Er trat an das Bett der Mutter und küßte behutsam die Spitze der Nachthaube. – Jetzt mußte er wirklich gehen, es war spät. Sachte stieg er die Treppe hinab.

Draußen wehte es ihm kalt entgegen. Er war müde, schläfrig, zerschlagen, darum eilte er, um endlich Ruhe zu haben. Da war die Konditorei! Hinter zugezogenen Vorhängen tobte der Gerstensaft-Strauß. Aber Silt, Apfelbaum – sie alle erschienen Lurch wie ferne, verblichene Gestalten, die er vor langer Zeit gekannt hatte, Bürger der farblosen Welt, in der auch er lebte vor dem Kuß im Trödlerhause. Das, was er jetzt vorhatte, war, seiner Meinung nach, ganz anders vornehm als die Witze des Gerstensaft-Präsidenten.

Vor Rosas Fenster blieb Lurch stehen. Es war dunkel, aber die schwarzen Glastafeln hauchten auf ihn wieder das schwüle, hilflose Verlangen nieder. Wütend nagte er an seiner Unterlippe und drückte die Knöchel seiner Hände aneinander. Als er endlich weiterging, schluchzte er – die Hände in den Rocktaschen, das Gesicht jammervoll verzogen. Er eilte immer mehr, er lief fast den Fluß entlang, durch entlegene, enge Gassen, bis er an ein niedriges, unreinliches Haus gelangte. Aus den mit Kalk getrübten Fensterscheiben schien ihm ein mattes, milchiges Licht entgegen, und über der Türe zeigte ein Transparent in roten Buchstaben das Wort »Bad«.

Im Flur qualmte eine Petroleumlampe, auf einer Bank saß eine alte Frau und schlief, den Kopf auf die Brust gesenkt. Sie war nur mit einem Hemde und einem kurzen Rock bekleidet, die dürren Arme, die Beine und Füße waren nackt. Lurch mußte mehrere Male sein »Wissen Sie! – Hören Sie« wiederholen, eh die Frau erwachte. Endlich fuhr sie auf – und ohne Lurch anzusehen, ergriff sie die Lampe und rannte – tap tap – mit ihren nackten Füßen über die Fliesen; da Lurch aber verlegen stehenblieb, wandte sie sich um und versetzte knarrend: »Gehen Sie ins Wartezimmer, erste Türe links.«

Im Wartezimmer saßen zwei Männer in Hemdsärmeln vor vielen Bierflaschen. Schläfrig und faul stützten sie sich auf den Tisch, zu schlaff, um nach den gefüllt vor ihnen stehenden Gläsern zu greifen.

Lurch setzte sich in eine finstere Ecke, knöpfte seinen Überrock auf, nahm den Hut ab, legte die Hände flach auf die Kniescheiben und wartete geduldig. Er war wieder ruhig geworden, und während er dasaß, beseelte ihn nur ein festes Wollen – ohne Gedanken. Einer der Männer raffte sich auf, schlug klatschend mit der Hand auf den Tisch und lallte: »Und wenn die Julie morgen nicht Ausgang hat – dann reiße ich ihr den Kopf ab – ja.«

Bedeutungslos und nichtssagend klang Lurch das Wort »morgen« in die Ohren, wie irgendeine Redensart, die unser Nachbar im Coupé seinen Bekannten zuruft. »Grüßen Sie auch den Karl!« – Was ist uns Karl? Was war Lurch morgen? Ebenso wenig wie die Julie.

Die Badefrau kam und führte Lurch auf seine Nummer, ein enges Kabinett, in dem sich eine Wanne aus Weißblech, ein Tisch, eine Kerze in einem Messingleuchter, ein Stuhl und ein Spiegel befanden. »Danke«, sagte Lurch und schloß die Türe.

Ohne zu säumen, entkleidete er sich. Jedes Kleidungsstück, das er ablegte, klopfte er mit der Hand aus, faltete es zusammen und legte es auf die Fensterbank. Als er damit zu Ende war, schärfte er das Rasiermesser an den Ziegelsteinen des Bodens und stieg dann behutsam in das Wasser. Die Wärme tat ihm wohl; er streckte seine Glieder und rieb sie sanft mit der Hand. Eine behagliche Trägheit kam über ihn; schläfrig sah er die Flamme der Kerze an, die immer krausere Strahlen bekam. Seine Gedanken schweiften unklar und verworren in die Ferne, kamen jedoch stets auf denselben Punkt zurück; »nun kommt der Tod. Gleich muß er da sein – er kommt – kommt –, das ist er – ah –«. Das Wasser plätscherte. Lurch sah auf. Neben ihm lag das Messer. Er besann sich. Wie? Das war das Sterben also noch nicht gewesen? Den ganzen Weg hatte er noch zu machen. In der ungestümen Wut, mit der Schlaftrunkene alles fortzustoßen pflegen, was ihren Schlaf stört, ergriff Lurch das Messer und begann, gegen seinen dürren, bleichen Leib zu wüten.

Im Flur draußen hatte sich die Badefrau wieder auf die Bank gesetzt und schlief. Im Wartezimmer schliefen die zwei Männer vor ihren Bierflaschen, und durch die offene Haustüre schaute die kalte Reinheit der Mondnacht in den qualmigen Raum.

5.

Gegen Morgen erst hatte Agnes Rosa zu Bett gebracht, und ein tiefer Schlaf war über das arme Kind gekommen, aus dem sie erst spät am Vormittag erwachte.

Agnes, die auf diesen Augenblick gespannt gewartet hatte, ging sofort zu ihr und schlug vor, Rosa solle zu Bett bleiben, Tee trinken, ein Ei essen, sich warm zudecken. Rosa wies alles zurück, lächelte und antwortete mit klarer, ruhiger Stimme, sie wolle sich ankleiden und dann Tee trinken. Agnes möge nur so gut sein, im Wohnzimmer ein Feuer anzumachen, denn Rosa fror.

»Ja, ja«, erwiderte Agnes unsicher. »Ich meinte nur, es wäre besser, du bliebst liegen. Wenn ich krank bin oder mir sonst nicht recht ist, mein ich, im Bett, da ist's am sichersten; da kommt mir nicht so leicht etwas nah, das mich kränken oder mir schaden könnte. Aber wie du willst.«

Es war, als habe Rosa während des langen, traumlosen Schlafes alle ihre Erfahrungen zusammengerechnet, denn die Summe stand ihr heute mit überraschender Deutlichkeit vor Augen. Keine Unklarheit, keine Hoffnung mehr, die gestalt- und ziellos im Herzen schläft. Heute sagte sich Rosa: »Ich muß fort.« Vielleicht hatte die Schank noch die bewußte Stelle zu vergeben. Der Vater sollte sobald als möglich mit ihr darüber sprechen. Mit selbständiger Willkür hatte Rosa ihr Leben verdorben, nun begriff sie, daß sie selbst ihm wieder irgendeine erträgliche Gestalt zu geben versuchen mußte. Ein festes Ziel, ein greifbarer Zweck, das war das einzige, was sie jetzt ersehnte. Als sie ihrem Vater ihre ernste Stirn zum Morgenkusse bot, sagte sie: »Papa, setz dich her zu mir und hör mir, bitte, zu. Wir wollen sehr vernünftig sprechen.«

»Gewiß, Kind«, erwiderte Herr Herz und fügte hinzu, weil er glaubte, ein Scherz erleichtere jede Situation: »Und was für ein strenges Schulmeistergesicht du machst!«

»Oh, lache nicht, Papa! Ich habe allen Grund, ernst zu sein«, meinte Rosa, und während sie ihren Tee trank, erklärte sie: »Ich wollte dich bitten, zu Fräulein Schank hinüberzugehen – recht bald – morgen schon, um sie zu fragen, ob jene – Bonnenstelle, von der sie sprach, noch frei ist. Ich bin bereit, gleich abzureisen, wenn es nötig ist.«

»Warum denn?«, fragte Herr Herz schnell. »Ist gestern etwas passiert?«

»Nein. Oder doch. Klappekahl teilte mir einiges – über Ambrosius Tellerat mit, das regte mich auf – und hat wohl auch zu meinem Entschluß beigetragen.«

Während sie sprach, tauchte sie Brotschnitte in den Tee und aß und trank mit Heißhunger. – Herr Herz blickte Agnes scheu an. Hatte diese vielleicht all das auch vorausgesehen? Kleinlaut versetzte er dann: »Warum willst du denn fort, liebes Kind?«

»Wir haben das schon besprochen«, erwiderte Rosa, ernst aufblickend, »und am Ende geht die Stelle verloren.«

»So ganz allein willst du mich lassen?« Der alte Ballettänzer verlor seine Fassung. Das fremde, gesetzte Wesen seines Kindes schnürte ihm das Herz zusammen. Rosa aber rückte nahe zu ihm heran, legte ihre Hand mit einer mütterlich überlegenen Bewegung an seine Wange und tröstete ihn. »Du darfst nicht so betrübt sein und mir das Herz schwer machen. Wir wollen uns zusammennehmen. Nicht wahr?« In ihren Worten lag wieder das Liebevolle, Kameradschaftliche, das er an seiner Rosa gewohnt war. »Du weißt es ja, daß ich fort muß. Wenn ich viel Geld verdient habe – dann komme ich zurück, und wir führen ein hübsches Leben, wir drei Alten, denn dann bin ich auch schon alt.«

Herr Herz lächelte, die Augen voller Tränen: »Wer weiß, mein Kind, ob du mich dann noch findest.«

»Doch!«, erwiderte Rosa leise. »Da, wo man hoffen darf, muß man hoffen, nicht wahr? Wenn wir denken müßten, daß alles im Leben schlimm ausgeht, daß nichts so kommt, wie wir es wünschen, nein, das wäre zu hart! Du, Agnes und ich werden sehr lustige Leute sein.«

Agnes stand an der Türe, sie wandte jedoch Vater und Tochter den Rücken zu, sie mochte ihr Gesicht nicht sehen lassen. –

»Du gehst also morgen zu Fräulein Schank«, schloß Rosa und lehnte sich fröstelnd in die Sofaecke zurück. »Jetzt wollen wir beisammen sein ganz wie früher. Komm, Agnes – setz dich her – und du, Papa, erzähl etwas.«

Herr Herz wischte sich getröstet die Tränen aus den Augen. Gemütlichkeit vergötterte er. Wären die Leute nur gemütlich, vieles im Leben wäre leichter zu ertragen – meinte er. Er begann von Sally und Toddels zu erzählen, wie sie sich im Laden geküßt hatten, wie sie Arm in Arm auf der Straße einherstolzierten und miteinander disputierten; Sally fand ihren Bräutigam nicht »gläubig« genug und wollte ihn bekehren. – Rosa hörte schweigend zu und lachte zuweilen – sanft und matt, wie im Schlaf. Agnes, die Brille mit den großen runden Gläsern auf der Nase, saß vor dem Feuer und strickte. »Nun«, bemerkte sie zu Herrn Herz' Bericht, »wenn die den Toddels heiraten kann, hätte sie ebensogut den Lurch nehmen können, da ist kein Unterschied.«

»Lurch!«, rief der Ballettänzer. »Weißt du das denn nicht? Der ist heute morgen unten am Fluß in der verrufenen Badestube tot aufgefunden worden. Ja, ja, in der Wanne hat er gesessen und hat sich mit einem Rasiermesser die Pulsader geöffnet. Es ist toll! Die alte Lurch ist schlimm daran! Und – warum er's getan, weiß kein Mensch.«

»Um Gottes willen! Sehn Sie doch das Kind an!«, schrie Agnes auf.

Rosa hatte sich vorgebeugt und starrte ihren Vater an, das Gesicht weiß wie ein Tuch. »Rosa – ist dir schlecht?«, fragte Herr Herz.

»Ja«, sagte sie, sank zurück und schloß die Augen. »Sehr schlecht!«

Das Gefühl des Ekels und der Furcht, wie sie es gestern unten am Fluß empfunden hatte, erschütterte sie wieder. Klammerte sich doch alles, was niedrig, grausam, furchtbar war, an ihr Leben. Ja, auch diese blutige Tat in der schmutzigen Badestube gehörte zu ihr. Sie sah Lurchs gelbes Gesicht von Blut befleckt – sie hörte wieder den heiseren, gequälten Ton seiner Stimme: »Die Liebe zu Ihnen frißt an mir.« Pfui! Alles, alles verschwor sich, um sie zu beflecken! Sie ging unter in den trüben, unreinen Fluten – und nirgends Rettung. Sie fuhr auf. »Geht nicht fort«, rief sie und griff angstvoll nach dem Arm ihres Vaters.

»Nein, Kind, wir sind da. Beruhige dich. Komm, leg dich zur Ruh.« Rosa ließ sich fortführen, wiederholte nur immer: »Geht nicht fort.«

Ein heftiges Fieber ergriff sie über Nacht. Dr. Holte kam und schüttelte bedenklich den Kopf, als er jedoch nach einiger Zeit wieder vorsprach, fand er das Fieber gesunken; die Patientin schlief ruhig. »Es ist vorüber«, sagte er. »Große Mattigkeit wird eintreten, und dann sind wir fertig. Eine prächtige Natur, Ihre Tochter – bester Herz; kräftig, wissen Sie. Empfehle mich.«

Dr. Holte hatte recht. Bald saß Rosa wieder im Sessel und nahm Agnes' Pflege und Sorgfalt willig wie ein Kind entgegen. Eine große Krankheit, dachte sie, wäre ihr lieber gewesen, eine jener Krankheiten, von denen sie gelesen, die jede Erinnerung an die Vergangenheit zerstören und den Menschen wie ein reines, unbeschriebenes Blatt dem Leben wieder übergeben. Ja, wer wieder ganz von neuem anfangen könnte!

Täglich fragte Rosa ihren Vater: »Bist du bei der Schank gewesen?« – »Nein«, antwortete dieser und schlug sich mit der Hand an die Stirn. »Mein alter Kopf behält auch nichts mehr. Aber, so große Eile wird's wohl nicht haben.«

»Doch – Papa«, meinte Rosa mit dem herben, gereizten Stimmton, den sie in letzter Zeit annahm.

Sehr schwer entschloß sich Herr Herz zu diesem Gang; eines Morgens aber machte er sich doch auf den Weg. Fräulein Schank empfing ihren alten Freund äußerst kühl und streng. Sie meinte: Damals, als noch Zeit war, wollte man nicht. Jetzt wüßte sie nicht, ob die betreffende Stelle noch frei sei. Hätte man damals auf sie gehört, so wäre manches besser geworden. »Übrigens«, sagte sie, »wissen Sie's ja, daß ich bereit bin zu helfen, wenn ich kann; schon um Ihrer verewigten Schwester willen, der, dem Himmel sei Dank, manche herbe Erfahrung erspart geblieben ist. Ich werde also schreiben – mich erkundigen. Vor zwei Wochen ist natürlich an kein Resultat zu denken.« Sie reichte dem Ballettänzer zum Abschied ihre kalten, spitzen Finger und wiederholte: »Wenn ich nützen kann, stehe ich zu Diensten, um Ihrer Schwester willen.«

Diese halbe Stunde vor dem mitleidig sauren Gesichte der Schulvorsteherin war Herrn Herz peinlich genug gewesen, mit dem Ergebnis der Unterredung jedoch war er zufrieden. Vor zwei Wochen brauchte von Rosas Abreise nicht die Rede zu sein. Sehr erleichtert eilte er heim. Rosa fand er nicht im Wohnzimmer. Er fragte Agnes, die aus Rosas Zimmer kam und die Türe hinter sich schloß: »Schläft das Kind noch?«

»Ja«, erwiderte Agnes einfach – und machte sich daran, den Staub von der Kommode zu wischen.

»Sie schläft noch?«, wiederholte Herr Herz erstaunt. »Ist sie denn krank?«

»Ja – sie ist krank.« Agnes arbeitete, ohne aufzublicken, emsig fort.

»Da will ich doch nachsehen –« Er warf seinen Hut fort und eilte zur Türe. Agnes hielt ihn jedoch mit einem kurzen »Gehen Sie besser nicht« zurück. Herr Herz blieb stehen, protestierte: »Warum nicht?« Was waren das für neue Einrichtungen. Er mußte Rosa berichten, was die Schank gesagt hatte; aber während er so vor sich hinzankte, ward ihm unbehaglich zumut. Agnes sah so feierlich aus – wischte eifrig und unnahbar den Staub von der Kommode – und machte ihr ernstes Gesicht, zog den Mund auseinander, so daß an den Mundwinkeln große Falten entstanden; eine Miene, die sie nur dann aufsetzte, wenn sie Kopfweh hatte oder wenn etwas vorgefallen war.

»Was ist denn geschehen?«, fragte Herr Herz plötzlich.

»Wegen der Reise«, versetzte Agnes, »brauchen Sie der Rosa nichts zu sagen. Jetzt kann sie nicht reisen.«

»Nicht?« Herr Herz stand mitten im Zimmer und machte ein sehr verwirrtes Gesicht.

»Nein«, fuhr Agnes fort, hastig die Platte der Kommode reibend: »Wir haben gedacht, sie soll nach Tiglau – – für einige Zeit – – zu meiner Schwester. Wenn auch nicht gleich – –« Sie bog den Kopf zur Seite, um zu sehen, ob die Politur nicht einen Flecken behielt.

»Nach Tiglau, sagst du?« Herr Herz verstand nicht, was vorging. »So? – Du meinst der Landluft wegen – was?« Agnes zuckte die Achseln und ordnete die Bände der illustrierten Zeitschrift. »Was? – So sprich doch –«, wiederholte Herr Herz leise und dringend. Da wandte sich Agnes ihm zu und sagte langsam: »Nach Tiglau – muß sie; zu meiner Schwester – Böhk.«

»Zu deiner Schwester Böhk«, sprach er ihr sinnend nach. – »Nach Tiglau – ja – ja –« Und als er aufschaute, begegnete er den fest auf ihn gerichteten Blicken seiner alten Dienerin. Sie sahen sich schweigend an. Herr Herz errötete, um gleich wieder ganz bleich zu werden. Agnes wandte sich ihrer Arbeit zu. Sie wußte es: jetzt hatte er verstanden.

Der Ballettänzer stand noch eine Weile regungslos mitten im Zimmer, dann ging er mit zitternden Beinen zum Schrank, um seinen Hut einzuschließen, wie er es stets tat. »Also nach Tiglau! So – so«, murmelte er, »je nun! – Das geht –«, mechanisch, in gleichgültigem Ton hingeworfene Worte, die er selbst nicht hörte. Er setzte sich, schlug die Beine übereinander, steckte die Hände unter das Knie.

Als Agnes das Zimmer verlassen wollte, schaute sie sich nach ihrem Herrn um und fand, daß er seltsam verfallen und grau dasaß. »Sie sollten ein wenig an die Luft gehen«, warf sie hin. »An die Luft«, antwortete er. »Ja, das kann nichts schaden.« Agnes half ihm den Überrock anziehen, reichte ihm den Hut, während er immer halblaut wiederholte: »Ja, das kann nichts schaden!«

Im Stadtgarten kam ihm der Doktor entgegen und rief ihn an: »Hallo – Herz! Was laufen Sie denn da herum!« – »Ich mache mir Bewegung«, antwortete Herr Herz. Ja, er machte sich sehr heftig Bewegung! Den Hut im Nacken, den Überrock offen, ging er mit Fieberhast die Kieswege auf und ab. Die greisen Augenbrauen zuckten, und er sprach eifrig mit sich selbst: »Nein, das habe ich nicht erwartet – das nicht! Ich meinte, das Schlimmste sei vorüber, nun kommt so etwas! Jahr um Jahr hat man gearbeitet, um dem Kinde eine Zukunft zu verschaffen – und alles umsonst!«

Die Schande, das Elend, die er als Komödiant hinuntergewürgt hatte, sie kamen, wie eine böse Krankheit, bei seinem Kinde wieder zum Vorschein. Rosa mußte es büßen, daß er – Herz – nicht von jeher ein ordentlicher Bürger gewesen war. – Zuweilen blieb er stehen, stemmte einen Arm in die Seite – versuchte sich wieder zu den leichtfertigen Ballettänzeranschauungen zu überreden: Was ist dabei? Kannte denn jemand all die Geschichten, die Zerline ausgeführt hatte? Ach, was die Leute nicht sehen …! Und dennoch – dennoch – es war schrecklich! Was sollte er Rosa sagen. Er zürnte ihr und war es doch so ungewohnt, ihr zu zürnen.

Daheim aber schmolz aller Zorn im übergroßen Mitleid dahin vor der blassen Gestalt seiner Tochter. Rosa schaute ihrem Vater mit großen, angstvollen Augen entgegen und wartete, was er sagen würde. – Er jedoch vermochte nichts zu sagen; beim ersten Wort wären die Tränen gekommen. Er küßte Rosa auf den Scheitel – streichelte sanft ihren Arm.

»Armer Papa«, sagte Rosa, ohne die Liebkosungen zu erwidern, indem sie ruhig sitzenblieb, die Hände im Schoß gefaltet.

»Laß es gut sein«, versetzte Herr Herz mit bebender Stimme.

»Habt ihr schon gegessen?«

»Nein, Agnes wartet.«

Für die Familie Herz kam jetzt eine Zeit trüben, selten unterbrochenen Schweigens. Selbst Agnes fand nichts mehr zu sagen – von Tiglau durfte nicht gesprochen werden. In den Zimmern, die von der Oktobersonne mit nüchterner Klarheit erfüllt wurden, gingen die drei bekümmerten Menschen still und in sich gekehrt nebeneinander her, und über einen jeden von ihnen kam oft ein tiefes Sinnen, das ihn auf den Fleck, auf dem er stand, die Hand an der Arbeit, die er eben verrichtete, festbannte.

Rosa empfand anfangs nur unnennbares Staunen, das war nicht möglich! An so etwas hatte sie nie gedacht. Es war zu ungeheuerlich und erregte in ihr eine unklare, ungläubige Furcht. Zwar, in den Romanen, von denen Fräulein Schank sagte, daß sie Gift für jedes junge Mädchen seien, da pflegte wohl ein armes, bleiches Weib mit einem Kinde vor dem vornehmen jungen Mann zu erscheinen, der gerade mit seiner Braut spazierengeht. Also –

so etwas war's, was ihr begegnete. Ein großes Unglück, natürlich! Sie stand aber in ihrer kindischen Unbeholfenheit davor und versuchte es sich dadurch klarzumachen, daß sie an die heimlich gelesenen Romane dachte.

Agnes hatte ihr an jenem Morgen, sehr erschrocken, sehr erregt, aber klar und bar gesagt: »Liebes Kind, mit dir steht es so und so.« Gut, es war entsetzlich! Dennoch hätte Rosa gern mehr darüber erfahren. Endlich – eines morgens – trat sie, tief errötend, zu Agnes in die Küche, schloß die Türe hinter sich und veranlaßte ein langes, halblaut geführtes Gespräch, das ihr vieles klarmachte.

Wunderbar blieb es immerhin!

Stundenlang saß sie in ihrer Kammer, sah den rötlichen Zweigen der Kastanie zu, wie sie sich sachte auf dem Hintergrunde des hartblauen Himmels hin und her wiegten, und dachte nach: Also – ganz einfach – einen Menschen sollte sie zur Welt bringen, ein Wesen wie sie selbst, wie jene dort unten, deren Schritte zu ihr herauftönten; nur daß dieses Wesen ihr gehören würde – ganz ihr, nicht wahr? So gut wie ihre Stecknadeln und ihr Fingerhut? Seltsam! Und dieses Eigentum wird essen und trinken und lieben und unglücklich sein wie sie – wie Ambrosius – ? Nein – schlecht und unglücklich sollte es nicht werden! Es? – Was? – Wer war das? Rosas armes Mädchenhirn stand ratlos vor den großen Fragen des Lebens. Sie schauerte in sich zusammen. Sie fürchtete sich vor sich selbst! Gespenstisch erschien ihr der eigene Körper, in dem so wunderbare Dinge vor sich gehen sollten – erschien ihr das eigene Herz, das plötzlich etwas zu verteidigen und zu lieben begann, was gar nicht da war – was niemand kannte. Nein, zu begreifen war es nicht! – Sie ließ ihren Kopf auf das Fensterbrett sinken und weinte.

Aber in dem tiefen Schmerz, der sie laut und lange schluchzen ließ, war etwas – kaum geahnt und doch empfunden – etwas wie Trost, etwas, zu dem ihr verarmt und verödet Leben hinstrebte; etwas Reines, Schönes, das ihr vielleicht werden konnte. So unverstanden dieses Gefühl auch war, dennoch ließ es Rosas Tränen sanfter rinnen.

Drittes Buch: Tiglau

1.

An einem trüben Morgen – Ende Januar – trat Rosa ihre Reise nach Tiglau an. Agnes sollte sie begleiten, alles dort einrichten und wieder zurückkommen.

Herr Herz war an diesem Abschiedsmorgen schweigsam und tief bekümmert. Er konnte nur immer wieder sein Kind sanft streicheln – bald das Haar – bald die Schulter – bald den Arm – und unzählige Male »Mein altes Kind!« sagen.

Als der Wagen vor dem Tor hielt und Agnes zur Abfahrt mahnte, kniete Rosa bei ihrem Vater nieder, ihm noch einmal Lebewohl zu sagen. Er nahm das Gesicht, das ihn so liebend anlächelte, wie nur Rosa es konnte, in seine beiden zitternden Hände, hielt es und schaute es mit feuchten Augen an: »Du weißt«, sagte er, »du und ich, wir gehören zueinander.« – »Ja – Papa!« – »Natürlich, mein Kind, du – und ich.« Dann küßte er seine Tochter auf den Scheitel.

Als der Wagen fortrollte, weinte der alte Mann ungestört. Es sah ihn ja niemand. Frei ließ er die Tränen an den faltigen Wangen niederrinnen und schluchzte ganz laut. Möglich, daß ein alter Bürger der Stadt so nicht hätte weinen sollen. Lanin hätte es nicht getan, hätte das unwürdig genannt. Was hatte es aber dem armen Ballettänzer genützt, ein würdiger Bürger zu sein? Jetzt saß er einsam in seiner Stube und sehnte sich nach seinem Kinde. Da wollte er wenigstens so unbändig weinen, wie er es zuweilen damals tat, als er noch ein unwürdiger Ballettänzer war und Zerline ihn quälte.

Rosa und Agnes mußten den ganzen Tag über fahren und konnten erst mit der Dunkelheit in Tiglau eintreffen. Als sie durch die Stadt fuhren, steckte Agnes den Kopf zum Wagenfenster hinaus und murrte: »Aha! Da schaut die Sally Lanin zum Fenster hinaus. Die ist mir auch die Rechte! Da geht der flirrige Apotheker und guckt sich nach uns die Augen aus. Guck du nur, du Flidder! Dich brauchen wir nicht mehr.« Rosa mochte nichts sehen. Sie schloß die Augen und lehnte sich in den Wagen zurück. Das Bimbim der Pferdeglocke, das Rattern und Schütteln des Wagens gaben ihr den Trost, daß sie fortgetragen werde von Lanins, Klappekahl, dem Trödler – fort – fort. Erst als die Stadt hinter ihr lag, öffnete sie die Augen und blickte auf das flache, leicht mit Schnee überdeckte Land hinaus, und ihr ward ums Herz wie dem Schwimmer, dem es gelungen ist, sich durch eine schlammige

Stelle hindurchzuarbeiten und der nun mit Wonne wieder ins klare Wasser kommt. Die weiße Ruhe ringsum tat dem Mädchen wohl, erregte in ihm das kindliche Hingezogenfühlen zur Natur, das unentwickelte Seelen erst empfinden, wenn sie elend sind. Rosa beneidete die Nebelkrähen, die breitbeinig auf den Feldern spazierengingen und nachdenklich mit den schwarzen Köpfen wackelten. Sie hüpften gleichgültig beruhigt herum, wie Kinder im Elternhause. Wenn der Wagen zu nah an ihnen vorüberfuhr, stießen sie ärgerlich knarrende Laute aus und flogen auf – fort – in den grauen Winterhimmel hinein, einem fernen Waldrande zu, wo sie ihren Platz hatten. »Ja, gut muß es tun, in dieser stillen, reinen Welt seinen Platz zu haben – hier zu Hause zu sein!«, dachte Rosa.

An kleinen Landschänken hielt der Wagen, damit die Pferde sich verschnauften. Schmutzige Kinder standen auf den Treppenstufen, hüpften von einem Fuß auf den andern und sahen die Fremden neugierig an. Durch die Haustüre schlug der Rauch des Herdfeuers ins Freie hinaus, und durch die Fenster sah man in kleine, dunkle Stuben hinein. – Gegen Abend begann es zu schneien. Aber durch das krause Wirbeln der Flocken konnte Rosa doch auf den heller werdenden Horizont hinabschauen, ein zartgoldnes Band und ein Stück durchsichtig weißen Himmels. Gegen diese Helligkeit hoben sich ein spitzer Kirchturm und die gradlinigen Massen einiger Häuser dunkel ab. Lichter erwachten dort, trübrote Funken, auf das reine, blasse Himmelsgold gestreut.

»Ist das Tiglau?«, fragte Rosa. Agnes fuhr aus dem Schlaf, in den sie versunken war, auf und meinte, freilich sei das Tiglau.

So hatte es sich Rosa gewünscht, verloren im weiten, dämmerigen Lande. Hier mußte man Ruhe finden können.

Die ersten Häuser des Marktfleckens zeigten sich schon, ärmliche einstöckige Häuser. Durch die Fenster ohne Vorhänge sah man im Schein einer Petroleumlampe ungekämmte Kinderköpfe – Frauen in zerknitterten Baumwolljacken – nackte Säuglinge auf dem Arm. An den Bretterzäunen, die die Straße einfaßten, warfen sich Buben mit Schneeballen, und wenn der Wagen an ihnen vorüberfuhr, hoben sie rote, erfrorene Gesichter zu ihm auf, lachten und pfiffen ihm nach. An den meisten Häusern befanden sich kleine Vorgärten, und dort, zwischen den beschneiten Büschen, standen Männer und sprachen zu dunklen Gestalten hinauf, die sich aus dem Fenster zu ihnen niederbeugten. Die ganze enge Gasse ward von frischem Kichern, von ausgelassenem Kreischen, von einem jugendlich lustigen Treiben belebt, das sich in der Dämmerung gehen ließ.

Vor einem dunklen Hause mit spitzem Giebel hielt der Wagen. Die Haustür stand offen. »Hier – hier Kind«, sagte Agnes und führte Rosa durch den finstern Flur. »Ist denn niemand zu Hause? Hier muß die Türe zur Küche sein, das weiß ich noch. Richtig, da ist sie.« – Sie traten in einen dämmerigen Raum. Ein starker Geranium- und Zwiebelgeruch und ein heftiger Zugwind schlugen ihnen entgegen. Die beiden Fenster des Gemaches waren geöffnet, und in einem jeden derselben lag jemand, den Oberkörper hinausbeugend; man unterschied nur zwei faltige Mädchenröcke und vier unruhige Füße, die sich auf die Spitzen stellten. Ein gedämpftes Sprechen – Männer- und Frauenstimmen klangen herüber, zuweilen von einem hellaufprasselnden Gelächter unterbrochen.

»Das ist doch wirklich!«, schalt Agnes. »Mädchen, hört ihr denn nicht?« Nein, die Mädchen hörten nicht; Agnes mußte kräftig an einem der Röcke ziehen, da erst ward es still. Zwei Gestalten richteten sich mit leisen Schreckensrufen auf, und wie sie sich gegen den hellen Horizont abhoben, erschienen sie Rosa seltsam groß und breit.

»Was macht ihr denn?«, zankte Agnes. »Wir stehen hier und rufen, aber niemand hört. Werdet ihr nicht die Fenster schließen, mein Fräulein wird sich erkälten.« Die Mädchen gehorchten, aber große Männerhände wurden von außen hereingestreckt und mußten erst zurückgeschoben werden.

»Du – Martha – bist die ältere«, kommandierte Agnes weiter, »stecke die Kerze an. Ist die Tante nicht daheim? Habt ihr uns heute gar nicht erwartet? Ich schrieb doch.«

Martha beugte sich tief auf das Streichholz nieder, mit dem sie das Licht anmachte, und erwiderte: Doch, die Tante hatte gewartet. Am Nachmittage aber hatte die Bäckerin nach ihr geschickt; sie mußte gleich wieder da sein.

»So – so«, meinte Agnes besänftigt und half Rosa ihren Mantel ablegen: »Zieh dich hier aus, Kind, dann gehen wir ins Wohnzimmer hinüber. Gefroren hast du – was? Kommt, Mädchen, leuchtet uns. Ah, hier ist's warm! Setz dich dort auf den Sessel, Kind, lege die Füße auf den Fußschemel. So! Wenn wir jetzt nur bald etwas Warmes für den Magen hätten. Was, darf man euch nicht ansehen?«

Die beiden Mädchen standen, von ihren Gästen abgewendet, in der dunkelsten Ecke des Zimmers; erst als Agnes sie anrief, kehrten sie Rosa große, lächelnde Gesichter zu mit roten Wangen, runden, hellgrauen Augen, breiten Lippen und sehr weißen Zähnen. Braune Zöpfe legten sich um die kugelrunden Köpfe, und die blauen Jacken waren fest über den hohen Busen geknöpft.

Eine derbe Frische lag über diesen Mädchen, und Rosa mußte auch lächeln, als sie in diese Gesichter schaute, die noch feucht von Schneeflocken waren.

»Das sind Mädchen, was?«, rief Agnes begeistert aus. »Wie die Mannsleute, wie die Soldaten!«

Stramm und aufrecht standen sie da, als trügen sie statt der Jacken Kürasse, und ließen sich betrachten.

»Du bist Martha«, fuhr Agnes fort, »das sah ich schon im Finstern, denn du bist die Größere. Aber die Grethe ist auch hübsch in die Höhe gegangen. Ja – ja, aber wie man Gäste empfängt, habt ihr doch nicht erlernt; weiß es Gott! So geht doch, Feuer in der Küche anmachen, daß wir etwas Warmes bekommen, hurtig!«

Die Mädchen machten kehrt, daß die Röcke sausten, und liefen hinaus. Nebenan in der Küche hörte man sie mit schweren Schritten umhergehen, flüstern und kichern.

»Vom Lande eben!«, entschuldigte Agnes und schaute sich im Zimmer um. »Recht fein hat sich die Schwester eingerichtet, diese Decken – diese Bilder! Nicht wahr?«

»Ja – sehr fein.«

Das blau tapezierte Zimmer war von Gegenständen überfüllt: Drei Kommoden, viele braun polierte Stühle mit rotem Überzug, ein Sofa, vier Lehnsessel, ein großer und zwei kleine Tische. Überall lagen weiße, aus Baumwolle geknüpfte Schutzdecken umher. Kleine Fotografien in schwarzen Rahmen hingen an den Wänden – die einen mit Wacholderzweigen, andere mit Papierblumen bekränzt. Endlich – in der Ecke am Fenster – stand ein Glasschrank, in dem sich allerhand fremdes, geheimnisvolles Gerät befand. Agnes lobte die Sessel und setzte sich auf einen derselben bequem zurecht. Der guten Seele tat es wohl, auch einmal Gast sein zu dürfen, und sie rieb sich die Hände, was sonst ihre Gewohnheit nicht war.

Plötzlich ward die Türe heftig aufgerissen, und eine tiefe, laute Frauenstimme rief atemlos aus dem Flur in das Wohnzimmer hinein: »Ich sagte es gleich, sobald ich fort bin, kommen sie. Aber diese Bäckerin, die gibt mir keine Ruh. Täglich muß sie mich holen lassen, für nichts und wieder nichts!«

Die kleine breite Frau Böhk stürmte ins Zimmer hinein, gehüllt in ein graues Umschlagtuch, weiße Pakete unter beiden Armen. Sie streckte Agnes ihr rotes, kühles Gesicht zum Kusse entgegen und sprach dabei weiter, immer noch in ihr Tuch gehüllt, die Pakete unter den Armen. »Guten Abend, Schwester! Wie gesagt, nur die Bäckerin ist schuld daran, daß ich nicht zu Hause war. Ich sage dir, diese Person bringt mich um. Eine Mutter von fünf

Kindern, und doch jedesmal derselbe Tanz, sie kennt ihren Termin nicht. Läßt mich in einem fort holen, glaubt, sie stirbt schon. Ah, das ist dein Fräulein! Guten Abend, Fräulein! Wir wollen uns schon miteinander vertragen.«

Frau Böhk hatte viel Ähnlichkeit mit Agnes, nur war sie eine sehr blühende, in die Breite gegangene Agnes. Die Schwestern hatten gleich graue Augen, aber die der Hebamme waren runder, traten mehr hervor und rollten unternehmender. Das ganze Gesicht hatte ein jüngeres, gesünderes Aussehen und glänzte, wie von Firnis überzogen. Sie entledigte sich endlich ihres Tuches und ihrer Pakete, sprach immerzu und belebte das Gemach mit ihren runden, hastigen Bewegungen, und als noch die Mädchen hereinkamen und, von der Tante gescholten, hin und her schossen, da ward das Treiben so bunt und lebhaft, daß es Rosa schwindelte.

»Wo sind die Jungen?«, fragte Frau Böhk.

»Hans ist in seinem Zimmer und schläft«, berichtete Martha. »Der Onkel ist ausgegangen.«

»Was der auch nie zu Hause bleiben kann.«

»Vielleicht eine Bestellung«, meinte Grethe, mußte aber schnell zur Türe hinaus, weil ein zu wildes Lachen in ihr auf stieg.

»Bestellung!«, sagte Frau Böhk verächtlich. »Wenn die Grethe doch einmal etwas Vernünftiges sagen würde! Gleichviel! Mit dem Essen wird nicht gewartet!«

Als die Familie sich um die Kalbsleber mit Erdäpfeln geschart hatte, ward Frau Böhk ruhiger, und ihre Nichten machten sich mit Ernst über das Essen her. Die roten, blanken Gesichter auf die Teller herabgebeugt, die Arme weit auf den Tisch geschoben, bewegten sie bedächtig die Kinnbacken. Vor der Hausfrau stand ein Bierkrug, aus dem sie sich ein Glas nach dem andern vollschenkte. »Ja. Fräulein«, wandte sie sich an Rosa, »bei meiner Arbeit muß ich Bier trinken, denn ich brauche Kraft, viel Kraft. Ordentlich ringen muß ich mit manchen Frauen. Wenn Sie meinen Arm sehen würden, blau ist er, und hier oben – die Narbe muß noch da sein –, später, wenn ich mich auskleide, werde ich sie Ihnen zeigen – hier hat mich die Jenny Walter gebissen – du weißt, Agnes, die Tochter von dem Schmied Walter, sie hatte das Kind von dem Karl Martis, der als Soldat fortmußte. Die arme Jenny also biß mich in den Arm – aber fest, wissen Sie, wie die Martha jetzt in den Erdapfel beißt.«

Die Mädchen räumten das Gerät ab. »Dem Hans«, befahl Frau Böhk, »tragt das Essen hinauf. Des Fräuleins wegen wird er nicht herabkommen wollen.« Und nun setzte sie sich bequem zurecht, nestelte sich die Jacke auf, schenkte ein Bier ein und plauderte.

Ach, Rosa wußte es gewiß nicht, was für eine geplagte Person Frau Böhk war, wie sollte sie auch! Die Fräuleins in der Stadt dürfen ja von solch einer Person gar nicht sprechen; das wußte Frau Böhk wohl. Aber wenn man Frau Böhk nötig hatte, dann war sie nicht mehr unanständig. Sie lachte ein lautes, fettes Lachen, das ihr die Tränen in die Augen trieb. Ach was, ihr war's gleich, ob man in der Stadt von ihr sprechen durfte oder nicht. Was sie von einem jeden vernünftigen Frauenzimmer verlangte, war, daß es sich im großen Augenblick benahm, wie es sich gehört.

Die Mädchen setzten sich mit ihrer Näherei auch an den Tisch, die Köpfe so tief in die Arbeit niederbeugend, daß man nur das braune Haar und die weißen Scheitel sah. Zuweilen jedoch, während die Tante ihren Vortrag hielt über das richtige Verhalten einer Frau in der schweren Stunde, zuweilen hoben Martha und Grethe die Köpfe, sahen sich an und drückten die Leinwand, an der sie nähten, gegen die Lippen, um das Lachen zu dämpfen.

Rosa war müde und schläfrig, ein süßes Behagen breitete sich über sie unter diesen derben, gesunden Menschen, die nach Wolle und frischer Winterluft rochen. Sie fühlte sich unter ihnen sicher geborgen, und das Leben erschien ihr wieder wie ein einfaches, selbstverständliches Ding, das man ruhig hinnimmt und trägt, bis es einem wieder genommen wird. Nichts weiter.

Frau Böhk wünschte Rosa eine sehr gute Nacht; sie umschlang sie mit beiden Armen und sagte warm: »Schlafen Sie recht süß, liebes Kind, und lassen Sie sich etwas Gutes träumen. Sie wissen das doch, in unserem Fall muß man von Vögeln oder Hunden träumen; besonders Hunde sind gut.«

Rosas Zimmer war ein enges Giebelstübchen, das nach frischem Kalk roch. Ein Bett, ein kleines schwarzes Sofa, ein Tisch und Stühle standen darin, an dem Fenster hingen weiße Vorhänge, und ein verkümmerter Rosenstock schmückte das Fensterbrett. Rosa schob die Vorhänge zurück und schaute hinaus. Die Nacht war hell. Im Sternschein schliefen die niedrigen Häuser unter ihrer Schneedecke. Mitten auf der Straße stand der Nachtwächter mit seiner spitzen Kapuze, seiner Laterne und schnarrte – brrr, brrr – eine meckernde, eintönige Weise, wie das Lied einer alten Kindsfrau, die schläfrig an den weißen Kinderbetten sitzt.

»Morgen«, sagte Agnes, »bleibe ich noch bei dir. Dir wird bange sein unter den fremden Leuten.«

»Nein!«, erwiderte Rosa. »Fahr nur. Der Vater blieb so allein zurück, und mir – mir, glaube ich, wird nicht bange sein.« –

2.

Bei Agnes' Abreise weinte Rosa doch. Die Tränen und Segenswünsche der alten Frau bewegten ihr das Herz. Nun saß sie unten im Wohnzimmer und fühlte sich verlassen. Frau Böhk machte einen Geschäftsgang. Die Mädchen wuschen nebenan den Fußboden der Küche, ihr Lachen und das Klatschen der nassen Tücher tönten zu Rosa herüber. Draußen schmolz der helle Sonnenschein den Schnee und hing stark leuchtende Tropfen an die Dächer. Im Hof flimmerten die Wasserlachen. Stroh, Dünger, grau gewordener Schnee lagen dort. Einige Hühner schüttelten ihre nassen Federn und gingen langsam auf und ab. Durch die offene Stalltüre sah man die braunen Hinterfüße und ein Stück des blanken Rückens einer Kuh, während auf der anderen Seite ein Schwein vergeblich seinen Rüssel durch die Stäbe des Verschlages zu zwängen versuchte. Und zwischen dem Stall und dem Speicher konnte Rosa auf das Land hinaussehen. Ein fernes Birkenwäldchen war die einzige Unterbrechung der einförmigen Weise. Die zarten Stämme standen auf dem Schnee wie dünne Striche auf einem Bogen Papier.

Plötzlich ward die Türe aufgerissen, und Martha erschien. Sie trug nur ein Hemd und ein kurzes Röckchen. Füße und Beine waren nackt, die Ärmel des Hemdes bis über die Ellenbogen aufgestreift, das Gesicht rot und lachend. In der rechten Hand trug sie einen Wassereimer, während sie den linken Arm gerade von sich streckte, um das Gleichgewicht zu halten. Lustig stampften die nackten Füße durch die Pfützen. Im Vorübergehen stieß Martha wie ein übermütiger Bube mit dem Fuß gegen den Rüssel des Schweines und schob die Kuh, die ihr den Weg verstellte, kräftig mit den Armen zur Seite.

Rosa, die trübselig vor sich hingeträumt hatte, fühlte ihr Herz vor diesem lebenstrotzenden, halbnackten Mädchen warm werden. Gern wäre auch sie lachend und sorglos in den Tag hinausgelaufen. Sie begann Martha mit jener neidischen Liebe zu lieben, mit der sich oft ein krankes, unglückliches Kind an ein schönes, glückliches zu hängen pflegt.

Rosa ging in die Küche hinaus; sie wollte mit Martha und Grethe jung und lustig sein. Die Mädchen knieten in der Küche und rieben die Fliesen, Schweißtropfen auf der Stirn, die Haare wirr über den Rücken niederfallend.

Sie blickten auf, als Rosa eintrat, senkten aber sogleich die Köpfe und kicherten.

»Ich wollte sehen, was Sie tun«, sagte Rosa befangen. »Es muß lustig sein, so zu waschen, nicht?« Die Mädchen lachten.

»Ich würde Ihnen gern helfen«, fuhr Rosa fort. Eine wilde Lust ergriff sie, sich auszukleiden, auf den Boden niederzuwerfen und mit den Mädchen zu arbeiten. »Das kann das Fräulein wohl nicht«, meinte Martha und zwang sich, ernst auszusehen. »Warum?«, fragte Rosa zögernd; dann schwieg sie. Eifrig arbeiteten die Mädchen fort, warfen sich flüchtige Blicke zu und bissen sich auf die Lippen. – »Sie machen's wie wir, wenn Fräulein Schank da war«, dachte Rosa und ging seufzend in das Wohnzimmer zurück. Sie war es nicht gewohnt, als strenges Fräulein behandelt zu werden, vor dem man sich schämt und über das man hintennach lacht. Sie hätte lieber mitgescheuert und mitgelacht. Niedergeschlagen setzte sie sich an das Fenster und fühlte sich alt. Ja! Martha und Grethe waren die glücklichen Kinder, die sich in der Dämmerstunde ihre Liebsten ans Fenster bestellten und vom Leben alles Schöne erwarteten. Sie aber war das arme Fräulein, das Unglück gehabt hatte. Sie gehörte nicht mehr zur frohen Gilde der Jungen, die über die älteren Leute und deren Erfahrungen spotten. – Sie wollte in ihr Zimmer hinaufgehen und die Hemdchen und Jäckchen nähen, die Agnes ihr zugeschnitten hatte. Das war die einzig passende Beschäftigung für ein armes Fräulein, das Unglück gehabt hat. Als sie sich der Türe zuwandte, sah sie einen Herrn mitten im Zimmer stehen. Er rieb sich die Hände, die Ellenbogen fest an den Leib gedrückt, und lächelte. In seinem knochigen, braunen Gesicht saßen zwei blanke Augen. Der Bart um Lippen und Kinn sowie das stark gelockte, spärliche Haupthaar waren tiefschwarz, und die kleine schmächtige Gestalt im abgetragenen braunen Sommeranzug verkroch sich linkisch in sich selbst.

»Ich wollte Sie bitten, Fräulein«, begann er mit einer dünnen, hohen Stimme, »mich zu entschuldigen, weil ich Sie gestern nicht empfangen konnte. Ich machte gerade einen Geschäftsgang. Ich bin nämlich der Hausherr. Bitte, nehmen Sie doch Platz, Fräulein.« Seine Hand wollte mit einer edeln Bewegung auf einen Stuhl deuten, besann sich jedoch unterwegs und fuhr unbeholfen in die Hosentasche. »Oder wollten Sie fortgehen?«

»O nein!«, erwiderte Rosa. »Ich habe ja nichts zu tun.« Sie setzte sich und machte ein Gesicht wie ein sehr junges Mädchen, das ernsthafte Konversation machen soll. Herr Böhk rückte einen Stuhl heran, lächelte, leckte sich die Lippen. »Das kann ich mir denken«, sagte er, »solch ein Fräulein braucht nichts zu arbeiten, das weiß ich auch. Ja – wie gesagt, es ist mir sehr unangenehm, daß ich gestern nicht hier war – sehr unangenehm.«

»Aber da Sie Geschäfte hatten«, wandte Rosa ein.

»Ach was! Ich hätte es sein lassen sollen. Es war unhöflich von mir. Gewiß! Ich weiß auch, was sich schickt. Hat die Al.... meine Frau Sie wenigstens gut aufgenommen?«

»Ja – sehr gut.«

»So – so.« Herr Böhk zwirbelte bedächtig seinen Bart. »Ja, auf die Wirtschaft versteht sie sich recht gut. Ich überlasse ihr auch ganz die Wirtschaft. Wir Männer haben keine Zeit dazu, wissen Sie, Fräulein.«

»Natürlich.«

»Ja! – Na – aber doch schwere Zeiten!«

»Wirklich?«, fragte Rosa erstaunt.

»Ja«, meinte Herr Böhk, »wenig zu tun! Ich bitte Sie, Fräulein, in einem Nest wie Tiglau, was soll da ein Uhrmacher zu tun haben? Lächerlich! Ich habe das anders gekannt.«

»Sie waren früher in einer größeren Stadt?«

»Einer?« – Er lachte: »In vielen – in allen Städten fast. Gott, wo bin ich nicht alles gewesen! Dort überall herum.« Er wies mit dem Daumen über Stall und Speicher hinaus. »Studieren wollte ich auch – auf der Universität, wissen Sie.«

»So?«

»Ja, ja; das Kurieren wollte ich lernen.«

»Arzt wollten Sie werden?«

»Ja – für das Vieh – wissen Sie. Wie das nun heißt. Aber es wurde nichts daraus; und bei mir, sehen Sie, Fräulein, war auch die Liebe an allem schuld. Meiner Seel! Ich hatte da eine Flamme – nicht meine jetzige Frau, nein – das war ein schönes und feines Mädchen; Petronella hieß sie. Da sieht man schon; gleichviel, was für eine heißt nicht Petronella, nicht wahr? Sie zog fort und ich ihr nach, wie das schon so geht. Mit dem Viehdoktor wurde es aber nichts. Übrigens, meine jetzige Alte ist auch brav. Ein wenig vorschnell, aber tüchtig. Sie werden ja sehen. Wenn Sie einmal mit der Verpflegung nicht zufrieden sind, sagen Sie's nur mir, ich werde schon Ordnung schaffen.« Er beugte den Kopf herab, und während er nachdachte, wie er die Unterhaltung fortsetzen sollte, wiederholte er langsam: »Mit dem Viehdoktor war's nichts.« Dann blickte er schnell auf. Vielleicht verachtete ihn Rosa deshalb? Sie hatte so etwas wie ein Lächeln auf den Lippen und um die Augen. »Später hab ich noch vieles gelernt«, sagte er. »Die Uhrmacherei ist nicht leicht, wissen Sie, Fräulein. – Ich spiele auch die Geige. Hören Sie gern die Geige?«

»Ja – sehr!«

»Oh, dann spiele ich Ihnen etwas vor. Meine Alte ist fortgegangen. Nicht, als ob die Alte Musik nicht mag. Aber sie will, daß, wenn sie heimkommt, das Feuer im Ofen angemacht ist. Dazu kam ich herein; es hat jedoch keine Eile.« Seine spitzen Backenknochen wurden rot, und in der hastigen Beweglichkeit, mit der er einen Violinkasten unter dem Sofa hervorzog, lag eine knabenhafte Ausgelassenheit, die Rosa lachen machte. »Sie verstehen nicht die Geige zu streichen?«, fragte er, während er das Instrument auspackte.

»Es ist auch nicht so leicht, wie es aussieht.« Er setzte sich auf seinem Stuhl zurecht, streckte das rechte Bein von sich, stemmte die Geige unter das Kinn und stimmte sie. »Sehen Sie, ich habe mit der Musik schon als Kind angefangen, da geht es schon. Was wünschen Sie? Etwas Süßes, das lieben die Fräuleins.« Er wurde ernst, drückte die Augenlider zusammen und spitzte den Mund; ab und zu nur warf er blanke, verhimmelte Blicke auf Rosa. Er spielte eine verschollene zärtliche Melodie; ein gleichmäßiges Auf- und Niedersteigen der Töne, ein regelmäßig wiederkehrender langgezogener Aufschrei als Refrain, bei dem Herr Böhk jedesmal leidenschaftlich die Schultern hob. Draußen in der Küche begannen die Mädchen zu singen, vereinigten ihre herben Stimmen mit dem abgestandenen näselnden Ton der alten Geige. Die Worte des Liedes verstand Rosa nicht, nur bei dem gefühlvollen Aufschluchzen der Schlußtakte klang es herüber wie: »Sie hat sich verliebt in ein' andern – ein' andern – ein' andern.« – – –

Rosa hörte zu und wiegte sachte ihren Kopf. Auf ihr Herz war so viel eingestürmt, daß es seltsam reizbar und empfindsam geworden war. Ein zärtliches Wort, ein klagender Ton beregten es schon fast schmerzhaft. Auch jetzt standen ihre Augen voller Tränen. Herr Böhk sah das und ließ die Geige sinken: »Sie dürfen nicht weinen, Fräulein!«

»Ich weine nicht«, antwortete Rosa, wandte ihr Gesicht ab und lächelte: »Bitte – spielen Sie weiter.«

»Doch – Sie haben geweint«, behauptete Herr Böhk und drohte mit dem Violinbogen. »Aber wissen Sie, Fräulein, mir geht es oft auch so. Bei diesem Liede kommen mir die Tränen, das macht eben die Musik. Dieses Lied sang früher eine Minna, die ich kannte; ach, eine seltene Minna. Jetzt spiel ich Ihnen etwas Lustigeres vor. Nicht wahr?« Er spielte nun eine hüpfende, kreischende Weise; Martha und Grethe fielen jubelnd ein, und Herr Böhk konnte sich nicht enthalten, mitzusingen:

»Was hilft mir das Grasen,
Wenn die Sichel nicht schneidt;
Was hilft mir mein Schätzchen,
Wenn's bei mir nicht bleibt.«

Frau Böhk war unbemerkt in das Zimmer getreten, stand, in ihr graues
Umschlagtuch gehüllt, weiße Pakete unter den Armen, da und schöpfte tief
Atem. »Was ist denn heute für ein Feiertag?«, brach sie plötzlich los. In der
Küche wurde es mäuschenstill. Herr Böhk errötete, stellte die Geige an die
Wand und schob sich, ein gezwungenes Lächeln auf den Lippen, zum Ofen
hin. Ohne ihren Mann anzusehen, warf die Hebamme ihre Pakete auf einen
Stuhl und wandte Rosa ihr erhitztes, glänzendes Gesicht zu – den Mund ein
wenig in die Breite ziehend, um freundlich auszusehen: »Was machen denn
Sie, liebes Fräulein? Die da haben Ihnen einen Heidenlärm vorgemacht.
Nein – nein, sagen Sie nichts, unten auf der Gasse hab ich's gehört. Gott,
bin ich müde!«

Herr Böhk kauerte vor dem Ofen und füllte ihn mit Holzscheiten, den
Kopf fast in das Ofenloch steckend. »So«, begann Frau Böhk wieder, nachdem
sie eine Weile still zugesehen hatte, »also nicht einmal einheizen konntest
du? Du mußtest Konzerte geben. Und wenn das fremde Fräulein sich ver-
kühlt, wessen Schuld wird es dann sein? Wirst du die Vorwürfe zu hören
bekommen? Was? Nicht eine Minute kann man fort sein, ohne daß die
Kinder was angeben!«

»Wilhelmine«, versetzte Herr Böhk und steckte ein sehr stolzes, hochmütiges Gesicht in das Ofenloch. Frau Böhk ärgerte das. »Ach was, Wilhelmine!
Wenn du nur tun würdest, was man von dir will. Ich sage ja nicht mehr,
du sollst ordentlich arbeiten; aber einheizen wirst du doch noch können;
das ist doch nicht so schwer wie eine Uhr machen?«

»Wenn du nur die Uhr gesehen hättest, die ich gemacht habe!« Herr Böhk
war nun auch beleidigt; vor dem Ofen kniend, stemmte er die Arme in die
Seite und schob die Unterlippe vor; seine Frau aber lachte: »Ja – ja, wenn
ich die gesehen hätte, würde ich vielleicht an sie glauben. Ach, geh mir mit
deiner ewigen Uhr! Das wird auch so eine gewesen sein, die von zwölf bis
Mittag geht. Gott, was dieser Mann mich mit seiner Uhr quält!«, redete Frau
Böhk die Zimmerdecke an. »Seit wir verheiratet sind, spricht er von dieser
Uhr. Wer hat sie gesehn? Wo ist sie? Wie ein Gespenst ist dieses Ding.
Wollte ich von einem Kinde sprechen, das keiner gesehn hat, von dem nichts

im Kirchenbuch steht, da würden die Leute mich kurios ansehen. Der aber immer mit seiner Uhr!«

»Wilhelmine!«, sagte Herr Böhk sanft, »das Fräulein wünschte Musik.«

»Was der nur immer mit seiner Wilhelmine hat!«

»Du heißt ja doch so.«

»Ja, ich heiße so; ich sage auch nichts. Du tätest besser, nachzusehen, ob die Mädchen die Kuh beschickt haben, statt uns deine Faxen vorzumachen.«

»Wilhelmine«, entgegnete Herr Böhk, »du bist heute giftig, Wilhelmine. Du hast unrecht, so zu sein, Wilhelmine.«

»Laß mich mit deiner Wilhelmine zufrieden!«, schrie die Hebamme und wandte sich ab; sie mochte das Lachen, das sie übermannte, nicht zeigen; ihr Mann bemerkte es jedoch, blinzelte verschmitzt mit den Augen und entfernte sich, indem er triumphierend die Absätze aneinanderschlug.

»Gott, was ich mit dem Jungen für ein Kreuz habe!«, rief Frau Böhk mit zuckenden Mundwinkeln.

»Mit seinem Spiel hat er mir wirklich Freude gemacht«, entschuldigte Rosa.

»Ja – ja, so unnützes Zeug versteht er«, meinte die Hebamme mit der verhaltenen Zufriedenheit einer Mutter, die ihren ungezogenen Buben nicht offen loben mag und sich dennoch der Anerkennung freut, die ihm andere zollen, »das Spielen hat er heraus; das ist auch das einzige.« Der Zorn hatte sich gelegt, sie lachte wieder ihr fettes, herzliches Lachen: »Was der tolle Junge nur heute mit der Wilhelmine hatte? Er glaubt, das ärgert mich.«

»Heißen Sie nicht so, Frau Böhk?«, fragte Rosa.

»Doch! Ich bin auf den Namen Wilhelmine getauft. Gleichviel! Sonst sagt er: Frau Böhk, oder, wenn er ungezogen ist: Alte. Die Wilhelmine war nur, um vor Ihnen Staat zu machen und mich zu ärgern. So ein unnützer Schlingel! Haben Sie aber meinen Hans gesehen? – Nein? – Dacht ich mir's doch! Der Vater ist zu frech; und der Sohn, wenn er weiß, daß ein Fremder im Hause ist, so sitzt er in seiner Kammer und ist nicht herauszubringen. Beim Mittagessen werden Sie ihn sehen. Ein hübsches, gutes Kind; nur sein Kopf ist etwas schwach.«

Zum Mittagmahl mußte Hans von Martha und Grethe gewaltsam in das Zimmer gestoßen werden. Dort blieb er ungeschickt stehen und schielte angstvoll zu Rosa hinüber. Er hatte die schmächtige, biegsame Gestalt seines Vaters, das glatt an den Kopf gekämmte Haar, aber die rosige Gesichtsfarbe und die grauen Augen stammten aus der Familie der Mutter, nur daß Hans' Züge nichts von dem tatkräftigen Lebensmut der Frau Böhk zeigten.

Die Hebamme lachte gerührt über ihren linkischen Sohn: »Bist du dumm! Setz dich; das Fräulein wird auch ohne dein Kompliment auskommen.«

Grethe trug die Suppe auf, und Frau Böhk schöpfte vor. »Ah, Zwiebelsuppe!«, meinte Herr Böhk; »das habe ich schon heute morgen gewußt. Ich hab's gerochen.«

»Freilich!«, erklärte Martha, »der Onkel hat den ganzen Morgen über die Nase über den Suppentopf gehalten.«

»Martha«, ermahnte Herr Böhk sanft, »das ist nicht wahr. Du solltest über deinen Pflegevater nicht solche Lügen verbreiten.«

Als ein jeder seine Suppe hatte, ward es still. Nur ein wohliges Schlürfen und das Aufklappen der Löffel waren vernehmbar. Eine begeisterte Eßlust beseelte die Tischgenossen. Die Mädchen, wenn sie den vollen Löffel hoben, öffneten die breiten roten Lippen ganz weit und zuckten mit den Wimpern. Hans stützte sein Kinn auf den Tellerrand und warf die Suppe mit dem Löffel schnell und gierig in den Mund. – Nun waren die Teller leer – so leer, daß kein Tröpfchen zurückgeblieben war. Martha holte die Fleischspeise: geräuchertes Schaffleisch mit weißen Bohnen – und sie lächelte feierlich, als sie die Schüssel voll dunkelroter Fleischstücke ins Zimmer trug und mit beiden Armen emporhob.

»Für das Fräulein muß gebratenes Rindfleisch da sein«, verkündete Frau Böhk. »Rauchfleisch ist nichts für uns«, fügte sie sanft hinzu und strich Rosa mit der Hand über das Haar. »Wir müssen vernünftig sein.« Grethe blickte erschrocken und mitleidig auf Rosa, als fürchtete sie, Rosa würde weinen.

Ebenso andächtig wie die Suppe ward auch das Fleisch verzehrt. Frau Böhk und die Mädchen zerteilten mit liebkosender Langsamkeit das Fleisch und schoben es vorsichtig in den Mund. Unter den Herren jedoch entstand Lärm. »Mutter! Er nimmt mein Stück; ich hatte es mir ausgesucht!«, klagte Hans.

»Was heißt ausgesucht«, protestierte Herr Böhk ernstlich böse; »was einer hat, das hat er.«

»Nein! Gerade dieses Stück wollte ich haben. Mutter, sag ihm, daß er's mir gibt.«

Herr Böhk lachte verlegen. Er fürchtete, vor Rosa lächerlich zu erscheinen, und wollte doch sein Stück nicht fahrenlassen: »Nein, mein Sohn!«, meinte er, »jetzt gerade nicht. Der Erziehung wegen – weißt du. Es ist ja unmoralisch.«

»Und nur weil ich es wollte, nimmt er's!«, wiederholte Hans. Ärgerlich blickte Frau Böhk von ihrem Teller auf: »Könnt ihr Jungen denn nicht Ruhe halten? Böhk, du bist der ältere, gib doch nach.«

»Der ältere! Natürlich bin ich der ältere!« Herr Böhk war tief verletzt: »Ich möchte wissen, wo der da wär, wenn ich nicht der ältere wäre! Sonst muß der Sohn den Vater ehren, aber hier – nein – da muß der Vater dem Sohn gehorchen. Bitte, lieber Hans, nimm das Stück; sei so gut und sage mir, bitte, ob du später noch eins nehmen wirst, damit ich dir nicht dein Stück fortnehme. Oder soll ich vielleicht gar nicht essen und warten, bis du fertig bist? Sag mir das, mein süßer Hans.«

»Gib mir das Stück.«

»Nimm es! Es ist ein Skandal.«

Frau Böhk hatte sich längst wieder ihrer Portion zugewandt, sie wollte sich von diesen dummen Geschichten nicht stören lassen.

Die Mahlzeit war endlich beendet. Erhitzt lehnten sich die Tischgenossen in ihren Stühlen zurück. Die Mädchen zögerten noch mit dem Abräumen und blieben sitzen, die Arme auf den Tisch gestützt. Frau Böhk trank Bier und sprach dabei zwischen jedem Zuge aus dem Glase einen kurzen Satz: Agnes war alt geworden – nicht wahr? Sie – Frau Böhk – mußte sich doch gewiß mehr plagen, aber sie war kräftiger. Immer auf dem Posten sein, wie ein Soldat, das erhält. Herr Böhk knetete Enten aus Brot, und Hans schaute ihm gespannt zu. Eine behagliche Mattigkeit beschwerte sie alle, wie sie da saßen unter den Speiseresten und Geräten – im gelben Licht der Mittagssonne.

»Nun, Mädchen, werdet ihr nicht ans Abräumen gehen?«, mahnte Frau Böhk. »Man wird wohl müssen«, erwiderte Grethe, streckte ihre beiden Arme empor und reckte sich.

Rosa war die erste, die den Tisch verließ. »Ja, ja«, sagte die Hebamme. »Gehen Sie nur, schlafen Sie ein wenig, liebes Kind.«

In ihrem Zimmer eilte Rosa zu dem kleinen Spiegel, der über dem Waschtisch an der Wand hing. Sie verstand es selbst nicht, welch seltsame Neugierde sie antrieb, anhaltend und aufmerksam ihr eigenes Gesicht zu betrachten. Dieses Gesicht mit den übergroßen blauen Augen erschien ihr heute so vergänglich und überfeinert. Ja! Das war es, wonach sie sich sehnte, etwas, bei dem sie sich von dem derben Lebensmut dort unten erholen konnte, der sie plötzlich mit einem Gefühl der Übersättigung und des Widerwillens bedrückt hatte. Das schmale, vornehme Gesichtchen aber, das ihr aus dem Spiegel melancholisch und geheimnisvoll entgegenlächelte, gab ihr wieder ihre Mädchenträume zurück, und als sie sich auf ihr Bett legte, ward sie von schönen, unklaren Gedanken in Schlaf gewiegt.

Der Abend war schon hereingebrochen, als Rosa erwachte. Mondschein lag auf dem Fußboden. Der Rosenstock auf dem Fensterbrett warf einen großen gezackten Schatten über den Vorhang.

Aus einem tiefen, traumlosen Schlummer erwachend, zögerte Rosa noch, wieder an das Leben anzuknüpfen, und gab sich ganz dem süßen Gefühl körperlicher Ruhe hin. Langsam nur kehrte ihr das Bewußtsein ihrer Lage zurück: Dort unten lag Tiglau; dieses war das kleine Gemach bei Böhks, ganz recht! Die Böhks hatte sie im Wohnzimmer um den Mittagstisch versammelt zurückgelassen. Bei alldem war nichts Trauriges. Die gute Böhk, die hübschen Mädchen, Herr Böhk mit seiner Violine. Und dennoch! Etwas Betrübendes mußte es doch geben, sie war ja doch unglücklich. Oh, da war es! Jetzt wußte sie es! Eine innere Unruhe trieb Rosa aufzuspringen. Sie ging ans Fenster und schob die Vorhänge zurück. Unten lag Tiglau, hell beschienen, und über die Dächer hin schaute Rosa auf das Land hinaus, das sich dort – ganz weit – in ein bleiches, sanftes Flimmern verlor. »Das ist schön«, sagte sich Rosa. Sie fühlte wohl die Friedenspoesie dieses stillen Landes und wollte sie genießen. Trotz Kummer und Harm war die schöne, ruhevolle Welt doch da. Rosa stützte den Arm auf das Fensterbrett und schaute hinab.

Oft schon hatte sie es versucht, in gesammeltem Anschauen die Welt zu genießen. Daheim, wenn der Mondschein auf dem Dach des Pfarrhauses lag und die Kastanienwipfel voller Sterne hingen, hatte sie einen Stuhl an das Fenster gerückt und sich zum Betrachten niedergesetzt. Aber, weiß es Gott, lange hatte sie es nie ausgehalten. Die Mondnacht flößte ihr Unruhe ein, Lust mitzutun. Sie mußte hinaus, mußte mit Sally und Marianne durch die Straßen schreiten, an die Fensterscheiben des Fräulein Katter pochen, in den Häusernischen kichern.

Rosa wollte es kaum glauben, aber so war es auch heute, sie vermochte nicht ruhig dazusitzen, es trieb sie wieder mitzutun. »Hinabgehen kann ich wenigstens«, sagte sie sich.

In dem engen Mauerraum, der die Wendeltreppe enthielt, befand sich ein rundes Fenster, durch das der Mond hereinschien. Auf den schmalen Treppenstufen lagen gelbe Lichtflecken, vom Schatten des groben Maßwerkes mit schwarzen Strichen verziert. Rosa blieb stehen. Hier war es hübsch, und gern hätte sie hier etwas erlebt. Kindheitserinnerungen stiegen in ihr auf. Zu Hause hatte die große Stiege im Mondlicht stets ein verändertes Wesen, ein abenteuerliches Aussehen angenommen, so daß es den Kindern in den

Ecken voll bleichen Lichtes bang und süß ums Herz geworden war, als steckten sie mitten in einem Märchen. Rosa entsann sich dessen wohl.

Unten im Flur mußte die Außentüre offengeblieben sein, denn ein kalter Luftzug strich bis zu Rosa hinauf; auch Flüstern und leises Lachen klangen herüber. »Das sind die Mädchen und ihre Liebsten«, sagte sich Rosa und lehnte sich an die Treppenrampe. Für sie war das vorüber. Dieser Gedanke schmerzte so, daß sie hätte weinen mögen. Sie wollte ins Wohnzimmer hinabgehen; wenn sie die Mädchen dadurch störte, um so schlimmer für jene! Fest auftretend stieg sie die Treppe hinab.

An der Hoftüre lehnte Martha. Vor ihr stand ein Bursche und hielt ihre Hände. Als Rosa an ihnen vorüberging, sagte Martha ruhig: »Es ist nur der Peter, Fräulein, drüben von der Schmiede.« Peter ließ Marthas Hände los und zog die Mütze ab. »Guten Abend«, sagte Rosa, blieb stehen und sah das Liebespaar mit klaren, erregten Augen an.

Wie sorglos die da Hand in Hand auf der hellbeschienenen Schwelle standen und ihre Liebesstunde begingen, wie etwas, das ihnen zukam!

»Sie werden Licht brauchen, Fräulein«, meinte Martha. »Die Tante ist fortgegangen.«

»Nein, ich danke.«

Rosa ging weiter. Durch die Küchentüre sah sie Grethe im Fenster liegen. Zwei große Hände wurden von außen ins Zimmer gesteckt und faßten den runden, braunen Kopf des Mädchens.

Im Wohnzimmer stützte Rosa die Stirn an die Fensterscheibe und war tief bekümmert. Sie begriff es wohl, ihre Liebesstunden waren vorüber, waren alle ausgegeben.

Ach, jetzt wollte es ihr fast scheinen, sie habe sie nie gehabt. Neben den friedlich lächelnden Liebesleuten dort im Flur nahm sich ihre eigne Liebesgeschichte wie ein wirrer, alberner Fiebertraum aus. Sie hätte es gern anders gemacht!

3.

Im Böhkschen Haushalt ging ein jeder seinen eignen Weg, das sah Rosa schon am ersten Tage. Frau Böhk war wenig zu Hause. Sie war sehr beschäftigt. Bei Tag und bei Nacht verlangten die Leute nach ihr, und an der Haustüre hing eine Schiefertafel, auf welche Frau Böhk, wenn sie das Haus verließ, schrieb, wohin sie ging, damit ein jeder, der sie suchte, sie finden konnte. Aber riefen sie auch nicht gerade Amtsgeschäfte, es litt sie doch nicht lang zwischen ihren vier Wänden. Sie liebte es, mit Bekannten an den Straßenecken zu plaudern, sich durch die Küchenfenster einen Tropfen Kirschgeist, einen Löffel eingemachten Stachelbeeren herausreichen zu lassen und dafür ihre vernünftigen Grundsätze, ihre alleinseligmachenden Lehren auszustreuen. Wenn man einer ganzen Generation dazu verholfen hat, das Licht der Welt zu erblicken, dann hat man auch ein Recht zu erfahren, wie diese Generation lebt. Mein Gott, was es heutzutage für unverständige Mütter gibt. Wenn Frau Böhk mit ihren Ratschlägen nicht da wäre!

Beim Schreiner erkundigte sie sich nach dem kleinen skrofulösen Martin. Das arme Kind! Eine so schöne leichte Geburt, und solch ein Würmchen! Beim Gewürzkrämer riet Frau Böhk, dem Friedrich, dem ungezogenen Bengel, tüchtige Schläge zu geben, wenn er die Nacht über schrie. Die Apothekersfrau war zwar eine eingebildete Gans, die vornehm tat, aber zuweilen sprach die Hebamme auch dort vor, ließ sich ein Glas Soda mit Himbeeren reichen und erteilte Lehren, denn des Apothekers Elise war im gefährlichen Alter, und da muß man... Gott, was wäre aus der armen Elise geworden, wenn Frau Böhk nicht hinter dem gelbpolierten Ladentisch der Apothekerin Verhaltensmaßregeln gegeben hätte!

Außer den Mahlzeiten konnte sich Frau Böhk somit den Ihrigen nur auf Augenblicke zeigen.

Die Mädchen trieben unterdessen daheim ihr Wesen. Zuweilen kam ein Arbeitsfieber über sie, wenn die Tante zufällig einen Blick in die Küche und die Ställe geworfen hatte. Ein Sturm von Unzufriedenheit pflegte dann loszubrechen: »Wie in einem Schweinestall leben wir hier! Hab ich euch dazu ins Haus genommen, damit ihr die Hände in den Schoß legt oder damit ihr euch mit Schmiedegesellen herumtreibt?« So ging es fort, bis Frau Böhk wieder auf der Straße war. Nach solch einem Wetter strengten sich die Mädchen an. In allen Winkeln des Hauses klatschten nasse Tücher; im Hof wurden Polster und Betten gestäubt. Diese Aufregung dauerte jedoch nicht lange. Bald kam wieder tiefer Friede über das Haus. Martha und Grethe saßen auf den Fensterbänken umher, sangen vor sich hin, schauten hinaus, stießen sich, lachten – wenn sie nicht gerade etwas an ihren Kleidern auszubessern hatten oder Wäsche bügeln mußten. Martha hatte oft drüben beim Schmied etwas zu tun. Stundenlang konnte man sie vor der Werkstatt stehen sehen – an den rußigen Türpfosten gelehnt. Bis zum Schreiner, wo Grethchens Liebster Gesell war, war es zwar weiter, dafür erschien er pünktlich unter dem Küchenfenster.

Wie Herr Böhk seinen Tag verbrachte, konnte niemand genau angeben. Er ging – er kam – die Hände in den Hosentaschen, eine sanfte Melodie pfeifend. Er war immer heiter, hatte immer Zeit, half den Mädchen ihre Hüte bestecken – verschwand dann auf viele Stunden, saß plötzlich wieder im Wohnzimmer und baute an einer Maus mit einem Uhrwerk, wartete auf das Mittagessen, auf das Abendessen, guckte in den Kochtopf, ging wieder fort und kam oft sehr spät nach Hause. »Wohin gehst du?«, fragte Hans seinen Vater.

»Was kümmert das dich, mein Junge?«, erwiderte Herr Böhk heiter.

»Ich will mit.«

»Das geht nicht, mein einziges Kind.«

»Ja!«

»Nein!«

»Die Mutter erlaubt es nicht, daß du fortgehst.«

»Deshalb frage ich sie auch nicht.«

»Ich will aber mit.«

»Unmöglich! Ich nehme dich aber nicht mit, mein süßer Hans.«

Die geheimnisvollen Gänge seines Vaters waren das einzige, nach dem Hans sich mit einiger Leidenschaft sehnte. Sein Kopf war »zu schwach«, darum brauchte er nicht die Schule zu besuchen, so hatte er denn nichts auf der ganzen Welt zu tun, ging von einem Zimmer in das andere, neckte den Hahn im Hof, schlief in allen Ecken ein, hing sich an die Röcke der Mädchen; nur wenn der Vater eilig und schmunzelnd zur Tür hinausschlüpfte, ward Hans unruhig und wollte mit. Stundenlang bewachte er den Hut seines Vaters, so daß dieser gezwungen war, sich einen zweiten Hut anzuschaffen, um der Aufsicht seines Sohnes zu entgehen, und als Hans endlich dieses Manöver begriff, weinte er und trat den zurückgebliebenen Hut mit Füßen. Täglich klammerte sich dieses enge Gehirn an die Hoffnung, hinter des Vaters Schliche zu kommen.

Nun – und Rosa ging auch ihren eigenen Weg; aber sie fühlte es wohl, ihr Weg war der wenigst heitere. In ihrer Kammer saß sie am Fenster, nähte Kinderhemdchen und schaute auf die Straße hinab. Sie interessierte sich für die Vorgänge in der Schmiede, für das regelmäßige Aufflackern des Schmiedfeuers, für das helle Pingping des Hammers, und wenn Martha in die Türe der Werkstatt trat, legte Rosa ihre Arbeit beiseite und drückte die Stirn an die Fensterscheiben. Marthas Geliebter sah zwar ein wenig seltsam aus mit seinem übergroßen Kopf voll struppiger brauner Haare, mit dem berußten Gesicht und den kurzen, ein wenig krummen Beinen; aber – immerhin!... Auf der sonnigen Straße, an den schwarzen Türpfosten standen die Liebesleute beieinander, stießen sich mit ihren kräftigen Fäusten und lachten so laut, daß Rosa es oben hören konnte... War Martha fort, war die Straße leer – dann beugte sich Rosa seufzend auf ihr Kinderhemd nieder. Unten im Wohnzimmer sang Grethe mit halber Stimme eine Melodie in ihre Arbeit hinein, ein schläfrig-träges Geträller. Vor dem Fenster zirpten aufgeblasene Spatzen.

In der Einsamkeit dieser Stunden mußte Rosa nachdenken, und wenn man so grübelt und grübelt, werden die Gedanken wunderlich farbenvoll; sie nehmen die Körperlichkeit von Träumen, von Visionen an, daß man sich fast vor ihnen fürchten muß und mit einem Schauer über den ganzen Körper zur Wirklichkeit erwacht. Dazu kam noch eine große Ernüchterung in Rosas Anschauungen. Sie verstand es jetzt, daß im bunten Durcheinander menschlicher Schicksale für sie nur ein kleiner Winkel reserviert war. Ihr Winkel lag sehr abseits und war, fürchtete sie, nicht allzu hell. »Ich hab's eben verdorben«, sagte sie sich und strich mit dem Nagel ihres Daumens über den Saum, an dem sie nähte. Ein friedvolles Verzichten kam über sie. Mit ihrem Kinde wollte sie hier, in einem abgelegenen Häuschen, wohnen, hierbei konnte ihre Phantasie wieder verweilen; ein kleines Haus mit einem Vorgarten, helle Zimmer – jeden Morgen ging Rosa auf den Markt, Einkäufe zu machen – und dann das Kind...

Frau Böhk hatte Rosa Bewegung in freier Luft verordnet. »Kraft kann man sich nur draußen holen«, meinte sie, »und vor allem haben wir Kraft nötig.« So wanderten Martha und Rosa jeden Nachmittag um die Stunde, da die Sonne rötlich auf den Schnee schien und die Schulkinder auf der Gasse lärmten, hinaus ins Freie. Wenn Rosa aus ihrer stillen Kammer trat, wunderte sie sich über den fröhlichen Tumult draußen, über die vielen Menschen, die vor den Türen standen und plauderten. Alle nickten ihr und Martha zu, riefen ein lautes »Guten Abend« herüber. Es war die Feierstunde von ganz Tiglau, das sich auf der einen langen Gasse des letzten Sonnenstrahls freute, um sich mit der Dunkelheit wieder in die engen Häuser einzuschließen.

Martha, ohne Hut, ein rotes Tuch über die Brust gebunden, ging sittig neben Rosa einher und versuchte es, kleine Schritte zu machen; wenn aber ein gerade unbenützter Schneeball vor ihren Füßen lag, hob sie ihn auf und warf ihn einem der Buben an den Kopf. Dort, hinter der schwarzen, zerfallenen Hütte der Frau Leb, der Kräuterfrau, hörte Tiglau auf, und wenn die Mädchen durch den Lärm der engen Gasse hindurchgegangen waren, erschien ihnen das offene Land erschütternd weit und schweigsam. Der Wind zauste an ihren Kleidern, und die Sonne blitzte so hell auf der Schneedecke, daß es den Augen wehtat. Arm in Arm gingen die Mädchen mit festen, eiligen Schritten vorwärts. »So ist's lustig, nicht, Fräulein?«, sagte Martha und schüttelte die Schultern. Ja, Rosa fand es auch lustig. »Es ist, als ob man schwimmt«, meinte sie. »Wie?«, fragte Martha, doch dann nickte sie: »Ja – so kühl.« Es war nicht ganz das, was Rosa meinte. Das Sprühen und Rennen der roten und weißen Lichter auf der Fläche, der zitternde Glanz allerorten, den man nur mit zuckenden Wimpern anschauen konnte, gaben Rosa die Empfindung, als woge und fließe alles um sie her. Ein munteres Jugendgefühl beseelte sie wieder. Sie drückte ihre Schulter fester an Marthas Arm und sagte: »Wie war doch das Lied, das Sie gestern sangen, von dem Liebchen, von dem man nichts hat?«

»Ah das!« Und Martha begann zu singen, schrie die Töne so laut sie konnte in die Weite hinaus. Rosa sang mit, und beide hoben die Köpfe, blinzelten lächelnd in das letzte Aufflackern des Tages hinein.

Plötzlich war die Sonne fort. Einen Augenblick stand das Birkenwäldchen in Flammen, und der Horizont strahlte wie dunkelrotes Glas; dann fing das Erlöschen an. Das Gold der langgezogenen Wolken wurde bleicher, durchsichtiger und setzte einen grauen Rand an, wie von seiner Asche.

Bedauernd schauten die Mädchen auf dieses Erlöschen.

»Wir müssen heim«, sagte Martha endlich.

»Können wir nicht noch bis an die Birken gehen?«, bat Rosa.

Aber Martha schüttelte verlegen mit dem Kopf.

»Die Tante wird böse sein, wenn wir lange fortbleiben.«

So kehrten sie denn um. Die Lichter auf dem Schnee waren fort, mattgraue Schatten krochen über die Fläche hin.

»Aber wissen Sie, Fräulein«, sagte Martha beschwichtigend, als rede sie einem Kinde zu. »Wenn es Frühling ist, dann gehen wir ins Birkenwäldchen.«

»Ja, dort muß es schön sein.«

»Freilich! Ein Bach geht an den Birken vorüber, dort fangen wir Krebse, unter den Birken ist das Moos so dicht, daß man auf den Baumwurzeln wie auf Kissen sitzt. Oh, es ist schön dort! Dabei duften die Birken so stark, daß man davon wie betrunken wird. Gewiß! Wenn wir bei Nacht dort saßen, bekamen wir Kopfweh davon.«

»Wer?«

»Ich und der Peter«, antwortete Martha ruhig.

Es dunkelte immer mehr. Durch die Luft flogen winzige harte Schneeflocken, die wie Nadeln stachen. Die Mädchen mußten die Köpfe niederbeu-
gen, um sich zu schützen.

Martha hatte einen Augenblick geschwiegen, nun nahm sie das Gespräch
mit gedämpfter Stimme wieder auf: »Ja, wissen Sie, Fräulein, ich durfte den
Peter zu Hause nicht mehr sehen, die Tante hatte es verboten, drum gingen
wir ins Wäldchen hinab. Ach, die Tante war dem Peter so böse – so böse.«

»Warum denn?«

Martha lachte: »Der Peter ist auch zuweilen ein zu dummer Junge! Er
wollte mich erschrecken. Sie wissen doch? Vom Speicherdach kann man in
unsere Fenster hineinlangen. Nun, in einer Nacht stieg der Peter da hinauf,
um an unser Fenster zu klopfen. Einen Spaß wollte er machen. Wir haben
gelacht und dann ein wenig geplaudert, er stand auf dem Speicherdach, ich
im Zimmer. Wie er da wieder herunter will, kommt die Tante gerade von
der Krämerin zurück, die damals in den Wochen lag. Es war heller Mondes-
schein, so erkannte die Tante den Peter. Du liebe Zeit, das gab einen Lärm!
So erbost hatte ich die Tante noch nie gesehen. Der Peter durfte sich bei
uns nicht mehr zeigen; in die Schmiede hinüberzugehen traute ich mir auch
nicht. Was sollten wir da tun? Sehn mußte ich den Peter, dachte ich. Ich
geh doch mit ihm. Und ist er zu mir herauf über das Dach gekommen, so
kann ich auch über das Dach zu ihm hinabkommen. So bin ich denn bei
Nacht hinabgestiegen, und wir trafen uns bei den Birken. Was sollten wir
anderes tun, nicht wahr?«

»Ja«, sagte Rosa leise. Es war ihr selbst wunderlich, wie vernünftig und
natürlich sie alles fand, und über das bleiche, dämmerige Schneefeld kam
es wie der weiche Hauch der Frühlingsnächte, der berauschende Birkendüfte
mitbringt. »Und jetzt?«, fragte sie, um Martha zum Weitererzählen zu ver-
anlassen. »Jetzt«, sagte Martha, »sind diese alten Geschichten vergessen. Die
Tante kann den Peter zwar immer noch nicht leiden, aber – mein Gott!«
Sie beendete den Satz mit einem Zucken ihrer breiten Schultern, als fühlte
sie sich wohl imstande, mit einem Stoß dieser Schultern alles beiseitezuschie-
ben, was sich zwischen sie und den Peter stellen wollte.

»Sie lieben den Peter sehr?«, forschte Rosa weiter.

»Ach Gott! Fräulein! Wie kann ich sagen, daß ich den Peter liebe! Und
doch, es wird wohl so etwas sein. Natürlich haben wir uns gern. Wir gehen
schon drei Jahre miteinander; da gewöhnt sich eins ans andere. Die Tante
sagt wohl, der Peter ist arm; das ist aber nicht wahr. Der Mutterbruder des
Peter ist nach Amerika gegangen. Dort soll man reich werden können, und

wenn dieser Mutterbruder nicht heiratet oder keine Kinder hat, dann erbt Peter alles. Ja – und dann, ich hab nun einmal den Peter genommen, da muß ich zu ihm halten. Ich kann nicht, wie des Krämers Minna, jedes Jahr einen anderen Geliebten nehmen. Das wäre der Tante auch nicht recht. Es ist ja auch kein anderer da.«

Sie schlugen einen kürzeren Weg nach Hause ein. Die Straße vermeidend, gingen sie an der Rückseite der Häuser einen engen Pfad entlang. Küchengerüche und eine warme, dumpfe Luft wehten hier. Hie und da flatterte das unsichere Licht eines Herdfeuers oder der Glaskugel eines Schusters über den finsteren Weg.

»So! Jetzt sind wir daheim«, sagte Martha, als sie im Flur des Böhkschen Hauses standen. Rosa stieg die Treppe zu ihrem Zimmer hinan, sie ward aber zurückgehalten. Martha hatte Rosas Hand ergriffen und ihre Lippen fest daraufgedrückt. »Mit Ihnen, Fräulein, plaudert's sich so gut«, meinte sie. An der Hoftüre aber lehnte schon Peters breite Gestalt; er streckte die Arme aus und griff nach den kühlen, von Schneeflocken feuchten Wangen seines Mädchens.

Während Rosa die Treppe hinanstieg, fühlte sie sich angenehm erregt. Die Schönheit der abendlichen Welt, alles, was sie gehört und gesehen, endlich Marthas warme Zärtlichkeit ließen Rosas gereiztes, gequältes Herz schneller pochen. Oben jedoch, in der schweigsamen Dunkelheit ihrer Kammer, kam der Rückschlag. Ein peinvolles Verlangen nach Lust und Glück schrie in Rosa auf. Sie wollte auch über die mondbeglänzten Dächer in grüne Birkenwäldchen eilen, um dort einen Geliebten zu finden, der sie warm – warm in die Arme schloß – – das Blut kochte in ihr, gab ihr schwüle, widrige Gedanken, die wie Fieber in ihr brannten und ihr Fleisch beben ließen.

Als Rosa zum Nachtmahl hinabging, war sie so bleich, daß alle sie verwundert anschauten; nur Frau Böhk klopfte sie auf die Schulter und meinte: »Das sind die Kindsmucken; das kennen wir.«

4.

Endlich kam der Frühling. Laue Winde fuhren über Tiglau hin. Der Schnee war fort. Von den Dächern tropfte es beständig und erfüllte den Ort mit heimlichem Klingen. Die Ebene um Tiglau war blank von Wasserlachen, und auf der Gasse lag der Kot fußhoch. Frau Böhk hatte täglich während der Mahlzeiten neue Geschichten zu erzählen, von schwierigen Passagen und von den Waden der Tiglauer Frauenzimmer. Um die Zeit, da man nur hochgeschürzt über die Straße gehen konnte, erlebte Frau Böhk Wunder.

»Daß des Apothekers Elise spindeldürr ist, wußte ich längst«, sagte sie, »aber solche Beine habe ich ihr doch nicht zugemutet. Und die Schreinerin hat Säbelbeine, das habe ich auch noch nicht gewußt. – Was? Die Gertrud vom ›Roten Hirsch‹ soll hübsch sein? Ich bitte dich, Böhk, sie hat ja keine Waden – sowenig wie ich am kleinen Finger Waden habe!«

Unter dem Rinnen und Tropfen, unter dem Regen, der fein und hastig niederfiel, während die Sonne wie durch ein Glasgitter hindurchschien, begann die Erde langsam zu grünen. Durch die geöffneten Fenster brachte der Wind die angenehmen Düfte feuchter Erdschollen und junger Weidenkätzchen ins Zimmer.

Die Mädchen waren in dieser Zeit rein wie toll. Soviel Frau Böhk auch zankte, sie hielten es auf die Dauer bei keiner Arbeit mehr aus. Kaum kehrte die Tante den Rücken, so waren sie fort; weiß es Gott, wo! Nach langer Abwesenheit erst kehrten sie mit roten Backen, nassen Haaren und ausgelassenen blanken Augen zurück, besonders Martha. Sie konnte nicht mehr leben, ohne den Peter neben sich zu haben. Lief sie nicht zu ihm hinüber, so saß er gewiß in irgendeinem Winkel des Hofes und wartete auf sie.

»Im Frühjahr, wissen Sie, Fräulein, ist es immer so. Warum, weiß ich nicht«, sagte sie mit ihrem hübschen breiten Kinderlachen, »und dann, wer weiß, was dieses Jahr noch geschieht!«, fügte sie ernst hinzu und seufzte so tief, daß die blaue Jacke krachte,

Rosa war leidend. Bei jeder Beschäftigung mußte sie bald vor Müdigkeit die Arme sinken lassen, um sich bleich und matt auf ihr Sofa zu legen, die Glieder schwer wie Blei. Dort lag sie den Tag über. Von ihrem Lager aus sah sie durch das Fenster ein Stück des grellgrünen Landes und den Himmel, dessen Blau hell und kräftig geworden war. Wunderlich zerrissene und gezackte Wolken wurden vorübergetrieben; die einen weiß und zerbrechlich, andere massiger und mit grauem Metallglanz. Auf dem Fensterbrett stand ein Teller voller Veilchen, und gelbe Sonnenstrahlen spielten über ihn hin. Im Hause war es still, nur im Hofe krähten die Hähne unablässig.

Heute vor einem Jahr hatte die ganze traurige Geschichte noch nicht begonnen, dachte Rosa, und nun gemahnte sie alles an jene Tage, die ihr rein und glücklich schienen. Alles sah sie wieder vor sich: die Reihe der nassen Galoschen im Flur der Schankschen Schule, die Schulzimmerfenster weit offen, so daß man nach der winterlichen Abgeschlossenheit das Gefühl hatte, als würde der Unterricht auf der Straße erteilt; die Unterhaltungen mit Marianne und Sally auf den Fliesen der Treppe, während es vom Dache beständig herabregnete; Musik im Stadtgarten, wozu man den neuen Hut aufsetzte. Ja, die ganze ausgelassene, erwartungsvolle Frühlingsunruhe, die einem das Herz bis in den Hals hinauf schlagen ließ! –

Ab und zu ging Rosa in den Garten hinunter, der neben dem Speicher lag, und saß dort auf einer Schaukelbank, während Hans vor ihr ein Beet umgrub.

»So geht es nicht!«, erklärte Frau Böhk eines Tages, »noch sind wir nicht so weit, daß wir zu Hause hocken müssen. Heute haben wir erst den 10. Mai. Frische Luft – Zerstreuung! – Sie bekommen ja weiße Wangen. Morgen gehen wir alle an den Bach, Krebse fangen. Die Leb kommt auch mit. Sie müssen dabeisein. Ich sehe schon darauf, daß es Ihnen nichts schadet. Nur nicht die Courage verloren, das taugt nichts.«

Von diesem Krebsfang sprach Herr Böhk schon viele Wochen. Er und Hans beschäftigten sich mehrere Tage damit, die runden Netze an die Stecken zu binden, und überwachten eifersüchtig die Fleischabfälle der Küche, um sie als Köder für die Krebse zu verwenden.

Spät am Nachmittage brach man zum Birkenwäldchen auf. Die Mädchen, Herr Böhk und Hans trugen die Geräte voraus. Frau Böhk führte Rosa. Frau Leb ging nebenher und trug den Eßkorb. Sie war eine kleine, sehr dürre Frau mit einem bleichen, verkümmerten Gesicht, rotgeränderten Augenlidern und einer verschnupften Nase. Sie trug ein schwarzes Kleid, und auf dem spärlichen rotbraunen Haar saß eine verstaubte Haube aus schwarzen Baumwollspitzen. Sie sprach ununterbrochen. Frau Böhk hatte ihr soviel von dem Fräulein erzählt, aber so hübsch hatte sie es sich doch nicht vorgestellt. Wann war der Termin? Ende Juni – so – so –, da wird die Leb wohl auch helfen müssen. Die Leb half immer bei solchen Gelegenheiten, denn Frau Böhk war so beschäftigt, daß sie ihre Kranken oft verlassen mußte.

Über die Ebene fuhren eilige Wolkenschatten hin. Rechts von Tiglau lag die Landstraße, von Pappeln eingefaßt, die schmal und dunkel in all dem Lichte standen. Mitten auf der Wiese stand das Birkenwäldchen, ein luftiger grüner Nebel.

Die anderen waren weit voraus. Martha und Grethe in ihren weiten blauen Röcken wiegten sich sachte in den Hüften und trugen die Stangen und Netze auf den Schultern. Herr Böhk hob sich unendlich dünn gegen das Himmelsblau ab.

Als Rosa, Frau Böhk und die Leb im Wäldchen anlangten, waren die Netze bereits ins Wasser gesteckt worden. Dort, wo das Erlengebüsch den Bach beschattete, wo das Wasser still und schwarz war, dort sollte, wie Herr Böhk versicherte, die geeignetste Stelle sein.

»Nur nicht dort, wo die Sonne hinscheint! Da merken ja die Krebse, daß wir sie betrügen wollen. So klug sind sie auch. Später, wenn's finster ist, dann ist es gleich. Die großen Krebse kommen ohnehin erst mit der Dunkelheit. Jetzt steigen nur die kleinen, dummen.«

»Gut, gut!«, meinte Frau Böhk. »Sorgt ihr für die Krebse, wir setzen uns hierher. Bis Sonnenuntergang kann das Fräulein einige Netze herausziehen, das wird ihr nicht schaden.«

Rosa errötete vor Freude. In letzter Zeit daran gewöhnt, von jeder Fröhlichkeit der Jugend ausgeschlossen zu werden, erschien es ihr jetzt wie ein großes Glück, mittun zu dürfen. Herr Böhk leitete sie sehr liebenswürdig an. Behutsam mußte sie an den Bachrand treten, die Netzstange erfassen und geschwind herausziehen, dann fielen die Krebse, die sich um den Köder versammelt hatten, zappelnd in das runde Netz. Prächtig war es, die glänzenden schwarzen Tiere vorsichtig zu fassen und in den Korb zu tun, wo sie ihre Schalen aneinander rieben und ein Geräusch machten, als flüstere jemand. Martha und Grethe hatten sich Schuhe und Strümpfe ausgezogen, stampften lustig im nassen Moose umher und kreischten auf, wenn das Wasser ihnen kalt an die Beine schlug.

Die Sonne ging unter. Ihre letzten Strahlen gaben den Birkenstämmen rosige Fleischtöne, daß es aussah, als hielten viele knorrige Arme das zarte Laub empor. Eine Schafherde, die fern auf der Wiese weidete, ward rot angeleuchtet, und über den ganzen Himmel war ein roter Farbentopf ausgegossen.

»Wie gesottene Krebse sieht alles aus«, bemerkte Herr Böhk. Niemand lachte darüber. Alle hielten sich in dem Lichtbade still, das über sie hinfloß.

»Die Sonne geht unter«, mahnte Frau Böhk. »Kommen Sie zu uns, liebes Fräulein.«

Rosa setzte sich zu den Frauen, ließ sich von der Hebamme warm zudecken, lehnte den Kopf an einen Baumstamm und schaute zu. Ihr war wohl. Alles Trübe und Schwere muß vorübergehen – und dann bleibt noch immer das schöne Ding – Leben – übrig – noch Raum für manches Glück.

Schnell zog die Dunkelheit heran. Der Himmel wurde bleich und gläsern. In den Birkenzweigen hing hie und da ein Stern. Der Bach dampfte; über die Wiese ergoß sich der Nebel weiß wie Milch. Weiter unten am Bach ward ein Feuer angesteckt, Stimmen schallten herüber. »Dort krebsen die vom ›Roten Hirsch‹«, sagte die Leb. Auf der anderen Seite ward Pferdegetrappel laut. Die Pferde des Orts wurden auf die Weide getrieben. Sie zerstreuten sich über die Wiese; man vernahm ihr Schnaufen, und zuweilen klatschte es, wenn ein Pferd auf eine sumpfige Stelle geraten war. In der Ferne spielte eine Harmonika einen Tanz; der Ton kam näher – jetzt war er ganz nah, und zwei dunkle Gestalten tauchten am Bache auf.

»Der Schmied- und der Schreinergesell«, erklärte Frau Böhk. Sie war heute milde gestimmt und ließ alles geschehen.

Am Bache wurde es jetzt lebhaft; sie lachten dort, schrien auf, die Netze plätscherten im Wasser, die Harmonika sang mit ihrer durchdringenden Stimme dazwischen, dann plötzlich wurde es still.

Die Frauen hatten sich über den Eßkorb hergemacht, aßen und sprachen halblaut miteinander. »Die Wurst ist gut. Von vorigem Herbst, nicht wahr?«, fragte die Leb. »Ich nehme auf solche Partien nichts mit, des Schleppens wegen, wissen Sie. Nur meine Flasche.«

»Was haben Sie denn Gutes in der Flasche?«

»Sehen Sie hier. Kirschgeist ist das – für den Magen. So etwas muß ich immer bei mir haben, das frischt das Herz auf.«

»Ja – ja«, erwiderte Frau Böhk; dann tranken sie beide.

»Daß es mit der Bäckerin so schnell zu Ende gehen würde, habe ich nicht gedacht,« hub die Leb wieder an. »Eine hübsche, leichte Geburt, und dann kommt so ein Fieber, und aus ist's.«

»Ja, da kann niemand helfen«, bestätigte die Hebamme. »Und in letzter Zeit hab ich Unglück mit dem Kindbettfieber. Der dritte Fall in diesem Jahr. Alles geht gut, und eh man sich's versieht, ist die Person tot! Wahrhaftiger Gott, dieses Jahr hab ich Unglück.«

»Wann wird die Bäckerin bestattet?«

»In zwei Tagen; aber der Bäcker wird keine großen Umstände machen.«

»Hören Sie, die Beerdigung beim Krämer war nicht schlecht.«

»Es ging an.«

»Oh, nicht schlecht! Die Schweinssulz war sogar recht gut; und für's Herrichten der Leiche hat er mir auch ziemlich nobel gezahlt.«

Rosa hörte zu. Die Bäckerin war also tot. Diese Nachricht ging anfangs an ihr vorüber, wie so viele der Krankengeschichten, die Frau Böhk zu erzählen pflegte. Plötzlich jedoch kam ihr der Gedanke: Wie? Daran stirbt man? Es ist ein unglückliches Jahr, sagt die Frau Böhk. Und ich? Ein wunderliches, nie empfundenes Gefühl der Todesfurcht ergriff Rosa. Das Wort

»Tod«, dieses alte Wort, das sie unzählige Mal ausgesprochen hatte, klang heute bedeutungsvoll und fremd, nun, da es zu ihr gehörte.

Die Dunkelheit, die feuchte Kälte, die von den Zweigen niederfiel, bedrückten Rosa. Der starke Duft der Birken erinnerte sie an die Kirche, die man für einen Toten mit Maien schmückt. Und doch – sie mußte hier bleiben. Eine unverstandene Schamhaftigkeit ließ sie fürchten, die anderen könnten ihre Angst bemerken.

Schräg durch die Birkenzweige drang ein Licht wie der Schein einer Lampe, der durch Vorhänge auf die Straße fällt. Das Licht stieg und wuchs. Der Mond war hinter den Wolken des Horizonts hervorgekommen, und als er hoch am Himmel stand, verbreitete er eine große, milde Klarheit. Die Pappeln standen ganz in silber. Auf der Landstraße unterschied man deutlich einen Wagen, mit zwei Pferden bespannt. Er rollte dahin wie ein zierliches schwarzes Spielzeug, an dem eine Glocke unablässig läutete.

»Der Mond ist schon da«, meinte Frau Böhk, »da muß es spät sein. Gott, mein Fräulein hat ganz kalte Hände! Geschwind nach Hause! Wo sind nur die anderen?«

Frau Leb hielt nachdenklich ein Stück Wurst in der Hand, sagte: »Der Mond ist schön rund«, und blickte empor, den Kopf leicht zur Seite neigend, wie ein Hund, der ins Kaminfeuer schaut.

»Hu – hu – nach Hause!«, rief Frau Böhk in die Nacht hinaus.

»Wir kommen«, antwortete es hinter den Erlen.

»Gut, gut!«, sagte Frau Böhk, »sie mögen die Netze nehmen. Wir gehen voraus.«

Auf dem Heimweg waren die Frauen sehr angeregt und sprachen eifrig miteinander. Rosa ging still neben ihnen her. Die schwarzen Gedanken waren fort, und große Müdigkeit lastete auf ihr.

Die anderen kamen nach. Man hörte sie singen. Als Rosa sich umschaute, sah sie im hellen Mondschein ein jedes der Mädchen eng an einen Burschen geschmiegt einhergehen. Herr Böhk spielte die Harmonika; Hans trottete nach.

In der Nacht hatte Rosa einen peinvollen Traum. Sie lag in ihrer Kammer, träumte ihr, die Leb stand vor ihr und sagte: »Die vierte, die uns stirbt.« Und mit der Unfehlbarkeit, mit der im Traum das Erwartete eintrifft, begann das Sterben schon: Eine kalte Schwere bedrückte die Glieder, und sie fühlte eine große Leere in sich. Das war das Sterben. Noch als Rosa erwachte, spürte sie die Traumempfindung im ganzen Körper.

Seit jener Nacht kehrten die Todesgedanken immer wieder. Es wurde bei Rosa zur ausgemachten Sache, daß sie sterben würde. Dieser arme Mädchenkopf, dem es nie eingefallen war, das Wesen der Dinge ergründen zu wollen, der nur ruhig die Torheiten des Lebens in sich hatte herumsummen lassen, er mühte sich jetzt ab, das Unbegreifliche zu fassen: »Ich werde krank sein. Alle Menschen werden mich verstoßen. Auf der Straße werde ich betteln müssen. Bei Sally werde ich Dienstmagd werden, wenn sie Toddels geheiratet hat.« Das ließ sich doch alles wenigstens denken, so unmöglich und schrecklich es auch war. Aber »ich werde nicht mehr sein«, wie ist das? –

Oft, wenn die Todesahnungen zu einem empfindsamen Mitleid um das eigene Ich wurden, konnte Rosa wohl in ihrer alten, kindischen Weise sich alles ausmalen, an sich wie an die Heldin eines Buches denken: der letzte Brief an den Vater, die Abschiedsworte an Frau Böhk, an die Mädchen: »Martha, werden Sie glücklich!« –, der Sarg ganz von weißen Rosen überdeckt – und dann? Dann erhob sich wieder die schwarze Mauer, an der sich alle Phantasien die Flügel knickten; dann – nichts mehr.

Diese dumpfe Todesangst verließ Rosa nicht mehr; wenn sie dieselbe auch auf Augenblicke vergaß, sie spürte sie dennoch, wie einen Schmerz, der sich unverstanden durch unsere Träume zieht und sie verbittert.

Ihre Jugend sträubte sich gegen diesen Gedanken: »Es kann nicht sein! Wer stirbt denn mit achtzehn Jahren?« Dieser Kampf, den Rosa sorgfältig in sich verschloß, gab ihrem Wesen etwas rührend Mildes. Einen jeden, der mit ihr sprach, sahen ihre Augen hilfesuchend an. Nach Menschen sehnte sie sich. Gleichviel wer, wenn es nur ein Mensch war, wenn sie sich nur fest an das Menschliche, an die Erde anklammern durfte. Brachte Herr Böhk ihr eine Decke, um ihr auf der Schaukelbank damit die Füße zu bedecken, tätschelte Frau Böhk ihr den Arm und nannte sie »liebes Kind«, so war Rosa tief bewegt. Dieses junge Wesen, das sich gegen seine Vernichtung auflehnte, griff nach allem, was es mit den Menschen und dem Leben verbinden konnte.

Zuweilen dachte Rosa an die Religion. Wenn man stirbt, kommt man entweder in den Himmel oder in die Hölle; das war eine alte Geschichte, die jedes Kind kannte, schon bevor es in die Schule ging. Später, im Konfirmationsunterricht, lernte man mehr darüber: Um in den Himmel zu kommen, muß man berufen – erleuchtet – geheiligt werden. Auch die Stufen der Buße konnte Rosa noch an den Fingern herzählen. Sie wiederholte sich das alles jetzt. Es sagte ihr jedoch nichts. Ihre sinnliche, auf das Unmittelbare gerichtete Natur vermochte nicht, sich vor der Hölle zu fürchten oder sich nach dem Himmel zu sehnen. Das Aufhören des Irdischen war die Tatsache, bei der ihr Herz aufschrie. Trotz aller Bitternisse, die sie erfahren hatte, war der Tod doch für Rosa das Verlassen eines Festes, während die anderen weitertanzen durften. Nicht mehr zu sein, das ging ihr gegen die Natur.

Während Rosa mit ihren neuen düsteren Empfindungen rang, sah es im Böhkschen Familienkreise auch nicht lustig aus. Martha und Frau Böhk hatten einen sehr heftigen Auftritt miteinander gehabt. Das Mädchen erklärte der Tante eines Morgens: »Der Peter geht nach Amerika zu seinem Onkel. Ich gehe mit – und bitte die Tante, mir das Geld von meinem Vater, das sie mir aufhebt, zu geben.«

Frau Böhk war anfangs sprachlos vor Entrüstung, dann fuhr sie auf das Mädchen los: »Nicht einen Schritt gehst du diesem Menschen nach – solch einem Lumpen, solch einem Habenichts. Gut, daß er nach Amerika geht, das tun alle Lumpen. Aber du ihm nachlaufen!«

Martha ward sehr bleich, rang krampfhaft ihre Schürze und sagte: »Ja, Tante, ich werde den Peter doch nicht allein fortgehen lassen, und – da wollte ich mein Geld.«

»Ihr Geld!« Frau Böhk lachte: »Frag in zwei Jahren nach. Solange der Onkel dein Vormund ist, bekommst du keinen Heller. Ja, das Geld will der Lump haben, nach dir fragt er verteufelt wenig. Geh du mit ihm zum Kuckuck, das Geld bekommst du nicht. Hast du gehört? Nach Amerika will das liederliche Ding mit dem ersten besten – mir nichts, dir nichts durchgehen!«

Von der Sache war nicht mehr die Rede. Martha ging ernst im Hause umher und sprach kein Wort mit der Tante. Am Abend, an dem Peter den Ort verlassen sollte, sah Rosa vom Fenster aus Martha über die Wiese heimkommen. Die Arme ließ sie müde am Körper niederhängen und hielt den Kopf gesenkt. Sie hatte Peter das Geleite gegeben. Von Zeit zu Zeit blieb sie stehen, schirmte mit der Hand die Augen und blickte zu den Pappeln der Landstraße hinüber. Heimgekommen, stieg sie still zu ihrer Kammer hinauf.

Rosa ward von Mitleid tief ergriffen. Jetzt, da sie selbst litt, konnte sie keinen leiden sehen. Sie verstand fremdes Leid zu gut, und es quälte sie wie eigenes. Sie wollte Martha trösten, wollte ihr sagen, daß es vielleicht so besser sei, wie es gekommen. Sie war ja weise geworden und konnte andere warnen.

Am folgenden Morgen saßen Rosa und Martha im Garten auf der Schaukelbank. Der Tag war schwül. Die Sonne brannte auf die wenigen Beete des Gartens nieder, und die Luft war voll warmer Narzissen- und

Holunderdüfte. Martha, bleich, dunkle Ringe unter den Augen, biß an einem Grashalm und hörte zu, während Rosa sehr eindringlich sprach: »Sehen Sie, Martha, wir glauben zuweilen: Jetzt ist die Liebe da, weil wir so ungeduldig auf sie warten, immer von ihr sprechen. Nachher ist es dann doch keine Liebe gewesen, und wir sind unglücklich und können es nicht mehr ändern.« Rosa hielt inne. Sie staunte über ihre eigenen Worte. Erst im Sprechen war ihr das, was sie sagte, klargeworden. Martha aber schüttelte sachte den Kopf: »Manchen mag es so gehen«, meinte sie, »aber bei mir, Fräulein, glaube ich nicht, daß es besser kommen wird. Wie es ist, so wird es bleiben. Für mich ist das gut genug. Ich habe mich an den Peter gewöhnt, bin drei Jahre mit ihm gegangen; nun wäre es für mich zu hart, ohne ihn auszukommen, drum geh ich ihm nach. Nach zwei Jahren kann die Tante uns das Geld schicken, bis dahin werden wir zusehen, wie wir auskommen.«

Rosa errötete. Es war ihr, als hätte sie vorhin dem Mädchen ihre eigene elende Liebesgeschichte verraten, und Martha antwortete ihr mit dem festen, überlegenen Ausdruck ihrer einfachen Liebe: »Es wäre zu hart für mich, ohne ihn auszukommen. Drum geh ich ihm nach.« – Oh, sie hatte tausendfach recht! Rosa beugte demütig das Haupt vor dieser ruhigen Liebe – die sich ihrer selbst bewußt war.

»Anfangs wollte er nichts davon hören«, fuhr Martha fort. »Nun ja, die Männer, wissen Sie, Fräulein, die gewöhnen sich leichter an eine andere. ›Was wirst so weit fortgehen?‹, sagte er. Er glaubt vielleicht, ich werde ihm dort zur Last sein. Aber als er ging, hat er doch geweint: ›Es tut mir leid, von dir zu gehen‹, sagte er. Gott! Der wird Augen machen, wenn ich übermorgen früh bei ihm bin! Morgen abend geh ich aus, übermorgen früh geht das Schiff ab, so bin ich noch zur rechten Zeit in der Stadt. – Ja, was soll man machen«, schloß Martha, seufzte und ging ins Haus.

Am Abend der Trennung gaben Rosa, Grethe und Georg, der Schreinergesell, Martha das Geleite. Martha trug ihr gewöhnliches blaues Kleid; um den Kopf hatte sie ein weißes Tuch geschlungen; ihre geringe Habe war in ein Bündel geschnürt. Grethe weinte und fragte ihre Schwester immer wieder, ob sie auch genug zum Essen mit auf den Weg genommen habe. »Ach, da war auch der Käse, den der Georg mir gestern brachte, daß ich dir den nicht mitgegeben habe! Georg, lauf nach Hause...«

»Nein, laß es nur!«, sagte Martha. »Ich habe selbst einen Käse mitgenommen.«

»Solche Birken gibt es wohl drüben nicht«, bemerkte Georg, wies auf das Birkenwäldchen und lachte verlegen.

»Ich weiß nicht«, erwiderte Martha.

Die Wiese hatten sie quer durchschritten und näherten sich den Pappeln.

»Weiter darf das Fräulein nicht gehen«, meinte Martha.

Sie nahmen Abschied. Martha küßte alle, auch Georg. Niemand weinte. Die Feierlichkeit des Augenblickes bedrückte diese einfachen Menschen und machte sie befangen. So wurde denn der Abschied kurz und wortarm.

Als Martha fortging, wandte sie sich noch einmal um, lächelte und sagte: »Grüßt mir den Onkel, und den Hans auch. Behüte euch Gott.« Die anderen schauten ihr eine Weile nach, dann gingen auch sie heim. Grethe drückte ihr Gesicht fest an den grauen Rockärmel ihres Schreinergesellen und schluchzte. Sterne standen schon am Himmel, ganz blaß und silbern in der Dämmerung der Frühlingsnacht. Drüben in den Birken schlugen zwei Nachtigallen, und in der Ferne hörte man abgerissene Töne eines Liedes. Rosa blieb stehen und horchte. War es nicht Martha, die sang? Dort ging sie ja. Hinter den Pappeln stand am Himmel noch ein Streifen milden Goldes; von diesem lichten Streifen hob sich Marthas Gestalt scharf ab; ihr Bündel in der Hand, das flatternde weiße Tuch auf dem Kopf, schwankte sie ein wenig beim Gehen – und von dort kamen die Töne. Rosa mußte ihr nachschauen, bis sie in der Dämmerung verschwand. »Martha«, sagte sich Rosa, »geht mutig ihrer Liebe nach. Mir ist nie der Gedanke gekommen, meiner Liebe nachzugehen; ich habe ja auch nur jenes dumme Ding gekannt, das wir in der Schule ›verliebt sein‹ nannten. Nur, daß ich diese alberne Schulliebe ernster nahm als die anderen. Aber bei Martha – da ist's schön!«

Frau Böhk erfuhr erst am nächsten Morgen Marthas Flucht. Anfangs sagte sie nur: »Hol sie der Kuckuck!« Plötzlich aber stieg ihr die Aufregung zu Kopf. Sie tobte gegen jeden, von dem sie annahm, er habe um Marthas Geheimnis gewußt; sie wollte sich sogar an die Gerichte wenden. Aber auch dieser Zorn verrauchte bald, und Marthas Name wurde von Frau Böhk nie mehr genannt.

Viertes Buch: Das Kind

1.

Für Rosa begann jetzt ein wunderliches Pflanzenleben. Einem Gedanken zu folgen, sich einer Träumerei hinzugeben, wie sie es sonst wohl liebte, vermochte sie nicht mehr. Sie konnte nur still daliegen und in sich hineinhorchen. In ihrem Kasten hatte sie eine Flasche Rosenessenz entdeckt, die Ambrosius ihr einst verehrt hatte. Er liebte diesen Duft. Alles an ihm, sein Haar, sein Schnurrbart, seine Kleider dufteten nach Rosenessenz. Jetzt, als Rosa die Flasche fand, brachte dieser Duft ihr die alten Erinnerungen mit erschreckender Deutlichkeit wieder. Angewidert von den aufsteigenden Bildern, warf sie die Flasche beiseite und ging in den Garten hinab. Dort lag sie im Sonnenschein auf der Schaukelbank und starrte mit halbgeschlossenen Augen zum Himmel auf. Nach kurzer Zeit jedoch erfaßte sie ein quälendes Verlangen nach dem schwülen Duft der Rosenessenz; er war ihr zuwider, und dennoch!... Sie mußte wieder zu ihrer Kammer hinaufsteigen, die Türe schließen, als hätte sie etwas Unerlaubtes vor, und sich an dem süßen Duft berauschen, bis der Ekel ihr die Kehle zuschnürte und sie die Flasche übersatt fortwarf.

Dieses rein leibliche Leben, in das Rosa versank, bedrückte sie zuweilen; die Zeit wurde ihr lang. Sie mußte beständig auf die Mahlzeiten warten, ins Haus hinüberhorchen, ob Grethe nicht schon mit den Tellern klapperte, mußte nach der Uhr sehen, ob es nicht Schlafenszeit sei, und mißlang eine Speise, auf die sie sich gefreut hatte, oder störte jemand ihre Bequemlichkeit, dann konnte sie vor Zorn weinen, als sei ihr schweres Unrecht zugefügt worden. Außer ihrem körperlichen Zustande verlor alles für Rosa an Interesse. Die Natur zwang sie, nur ihrer Frauenpflicht zu leben, nur des zukünftigen Kindes wegen da zu sein. In manchen Augenblicken ahnte Rosa das Geheimnis, das einen so großen Wandel über Geist und Körper brachte. Sie staunte darüber, und ihr ward ein wenig bang. Es war zu fremd und unbehaglich, sich selbst nicht mehr ganz anzugehören.

In einer Nacht – Ende Juni – fühlte Rosa heftige Schmerzen und rief nach Hilfe. Frau Böhk ward geholt, und diese sagte munter, als sie Rosa sah: »An die Arbeit – an die Arbeit.«

Viele Stunden hindurch quälte sich Rosa. Bewußtlos vor Schmerz, hatte sie stets das Gefühl, als müßte sie eine schwere Last mit aller Anstrengung weiterschieben; dann plötzlich verließen sie die Kräfte, eine große Ruhe kam über sie, und regungslos lag sie da. Sie hörte, wie man um sie flüsterte, leise ab und zu ging. Wenn sie die schweren Augenlider halb emporhob, sah sie die Dämmerung des Krankenzimmers von grellen Lichtstreifen durchzogen. Im fieberhaften Halbschlummer suchte sie diese Erscheinung zu ergründen, mühte ihren armen, schmerzenden Kopf mit der Frage ab: Wo kommen die Lichtstreifen her? Endlich fand sie die Energie, die Augen vollends aufzuschlagen. Nun erkannte sie, daß das Fenster mit Tüchern verhangen war und das Tageslicht sich zwischen denselben hindurchstahl. Ja – auch die Gegenstände im Zimmer unterschied sie jetzt deutlich. Dort – in der Ecke – saß jemand, eine kleine schwarze Gestalt. Ah, das war die Leb. Sie schlummerte, den Kopf zurückgebogen; ein Sonnenstrahl traf ihre flachen, rotbraunen Haarbänder an den Schläfen und die rotgeränderten, faltigen Augenlider. Ja – das war die Leb, denn Frau Böhk war so beschäftigt, daß sie ihre Kranken oft verlassen mußte; dieser Satz klang Rosa noch von der Krebspartie her in den Ohren.

Neben Rosas Bett standen zwei Stühle dicht beieinander; ein Polster lag auf ihnen, Leinzeug und ein dichter weißer Schleier, der etwas bedeckte. Rosa blickte scharf hin. Was war das? Am Ende...! Freilich, irgendwo mußte ja doch ein Kind sein, das war klar. Gern hätte sie den Schleier fortgezogen; sie wagte es jedoch nicht. Sie wartete; wird es sich regen?

Sehr still war es im Krankenzimmer, nur Frau Leb stieß zuweilen einen leisen Kehllaut aus.

Den Kopf gehoben, die Augen sehr groß in dem bleichen Gesicht, beobachtete Rosa das weiße Paket nebenan. Jetzt hatte sie einen Ton vernommen. Sie beugte sich vor. Eine zarte Röte überflog ihr Gesicht, und wie erschrocken öffnete sie die Lippen. Da war er wieder, dieser Ton! Ganz fein, ein wenig knarrend; wie der Laut, den manche Puppen von sich geben, wenn man sie drückt. Was sollte Rosa beginnen? Die Leb schlief. Etwas mußte aber doch geschehen! Wenn man wimmert, so bedarf man der Hilfe, nicht wahr? Rosa streckte die Hand aus und blickte scheu zur Leb hinüber. Die Hand, während sie den Schleier faßte, zitterte, doch zog sie ihn entschlossen herab.

Auf dem Polster lag ein winziges rotes, faltiges Gesicht, aber unzweifelhaft ein Gesicht: Da war eine Nase, ein Mund, eine Stirn, über die sorgenvolle Furchen hinliefen, Augenlider, so durchsichtig und geädert wie bei jungen Vögeln, die Augenlider zuckten, hoben sich – und ließen zwei blanke, runde Punkte sehen. Der Mund, der wie ein winziges Tröpfchen roter Farbe unter der Nase saß, verzog sich, öffnete sich und stieß wieder den knarrenden Puppenlaut aus. Rosa erschrak: Warum weinte es? Was sollte sie tun? Ach

Gott, erwachte doch die Leb! »Frau Leb, Frau Leb!« Vergebens! Rosa sank in ihre Kissen zurück und weinte auch; sie wußte sich nicht anders zu helfen.

Das Wimmern des Kindes mußte doch bis zur Frau Leb gedrungen sein, denn diese erwachte plötzlich, eilte zum Kinde, sprach leise mit ihm, rückte es zurecht und gab ihm etwas zu trinken. Als sie sich aufrichtete, bemerkte sie, daß Rosa wach dalag. Sie lächelte ihr zu: »Guten Tag, Fräulein! Aber Sie weinen ja?«

»Oh, es ist nichts!«, erwiderte Rosa befangen, »das – das Kleine weinte, und ich wußte nicht, was ich tun sollte.«

»Hat man so etwas gesehen?«, lachte die Leb in sich hinein, »über so etwas zu weinen! Lassen Sie das Kind nur schreien, das ist ihm gesund, das ist seine Arbeit. Solch ein Wurm will auch zeigen, daß er lebt. Also – betrachtet haben Sie's schon? Das ist gut! Ein ganz fehlerloser Bub, nicht? Ein wenig klein und leicht, aber solche kommen oft besser fort als die dicken und schweren, da kann man schon gratulieren. Bei einer ersten Niederkunft geht's nicht immer so glatt ab. Wollen Sie das Kind nehmen?«

»Nein – ich danke«, versetzte Rosa zögernd, »schlafen möchte ich.«

»Freilich!«, meinte die Leb, »ein Kind in die Welt setzen ist keine Kleinigkeit. Wenn die Männer über schwere Arbeit klagen, sag ich immer: Ihr solltet ein Kind zur Welt bringen, da würdet ihr wissen, was Arbeit heißt; das ist schwerer als Holz spalten und pflügen. Nun, schlafen Sie, mein Engelchen!«

Rosa schloß die Augen und sagte leise: »Bitte, Frau Leb, schieben Sie die Stühle näher an mein Bett«, und als die Frau Leb die Stühle mit dem Kinde näher an das Bett gerückt hatte, lächelte Rosa und meinte: »So ist es gut. danke, Frau Leb.«

Die Schwäche in allen Gliedern brachte einen wohligen Frieden über sie und einen süßen, traumlosen Schlummer. Die Leb setzte sich mit ihrem Strickstrumpf an das Fenster, und tiefe Ruhe herrschte wieder im Krankenzimmer.

2.

Im engen Giebelstübchen lagen Rosa und ihr Kind nebeneinander und warteten, daß das mächtige Band, mit dem eins an das andere geknüpft werden sollte, sich fühlbar mache. Rosas Blicke ruhten unausgesetzt auf dem weißen Paket wie auf einem Gegenstande, von dem sie eine große Wirkung auf sich erwartete. Sie ließ zwar die Leb für das Kind sorgen, beobachtete es jedoch eifersüchtig, als sei es ein Geschenk, das ihr noch nicht feierlich übergeben worden war, von dem sie aber wußte, daß es ihr gehören sollte. Erst als Frau Böhk ihr das Kind zum ersten Male an die Brust legte, empfand Rosa voll ihren Besitz. Sie nahm das Kind in ihre Arme, fühlte den Pulsschlag dieses zarten Lebens, fühlte, wie die warmen Lippen sich an ihre Brust festsogen, und ein heißes, tiefinneres Behagen durchwallte sie. Ihre Glieder bebten leicht. Am liebsten hätte sie mit all ihrer Kraft das Kind an sich gedrückt, hätte sie nicht gefürchtet, ihm Schaden zuzufügen. So hielt sie denn ganz still, das sonst so erregte, wechselvolle Mädchengesicht nahm einen Ausdruck milden Ernstes an, der ihm bisher fremd gewesen war. Dieser Augenblick hatte für Rosa soviel Feierliches, daß die Gegenwart der Hebamme sie störte. »Sie sehen, Frau Böhk«, sagte sie errötend, »nun kann ich's schon. Unten ging die Haustüre, vielleicht hat der Briefträger mir einen Brief gebracht.«

»Gut, ich gehe schon«, sagte Frau Böhk, die doch etwas von dem wahren Sachverhalt zu ahnen schien, »in zehn Minuten bin ich wieder bei Ihnen.«

Nun war Rosa mit ihrem Kinde allein und durfte sich ganz dem Anblick des kleinen, sorgenvollen Gesichtes widmen, konnte ungestört der wonnigen Aufregung Raum geben, die in ihr zitterte. Nicht Gedanken beschäftigten sie, es war ein nie empfundenes Überwallen ihres Gefühles, das sie verklärte. Ihr ganzes Wesen versenkte und verlor sich in das junge Leben an ihrer Brust. Der Bund erwachender Mutterliebe, der dort in dem Tiglauer Giebelstübchen geschlossen ward, bestand in einem plötzlichen und vollständigen Ausliefern des eigenen Daseins an das Kind. Zum ersten Male trat Rosas Seele aus ihrer Einsamkeit heraus, um sich mit einem anderen Wesen eins zu fühlen.

Als Rosa sich ihrer Zusammengehörigkeit mit dem Kinde bewußt ward, begann sie in ruhiger Vertraulichkeit sich mit ihm zu schaffen zu machen, mit ihm leise zu sprechen: »Wie? Du willst nicht mehr trinken? Nein, laß es nur, schlafe, ich halte dich. So, lehn dich an mich. Hier darf niemand dir etwas tun. Niemand darf dich fortnehmen. Hier kannst du ruhig schlafen.«

Das Kind schien sie zu verstehen. Es weinte nicht mehr, sondern lehnte seine weiche Wange an die Brust seiner Mutter, und der kleine Körper zog sich in sich selbst zusammen, wie es Menschen tun, die sich behaglich fühlen. – Von jetzt an trug Rosa ihre Krankheit mit Ungeduld. Sie wäre gern kräftig und Herr ihrer Bewegungen gewesen, um ganz allein ihrem Kinde dienen zu dürfen. Mit mißtrauischer Eifersucht betrachtete sie es, wie die Leb und Frau Böhk das Kleine umbetteten und bepflegten. Sie sehnte sich nach der Zeit, da sie allein das Kind würde berühren dürfen. Solche Ungeduld glaubte Rosa nur als ganz kleines Mädchen schon empfunden zu haben. In der Nacht, die dem Christabend folgt, pflegte sie in ihrem Bett zu liegen und vor Ungeduld mit den Füßen zu zappeln, wünschend, die Nacht wäre vorüber, und sie dürfte wieder bei den neuen, blanken Sachen sein.

3.

Dürre, schwüle Julitage waren angebrochen. Den Tag über mußte man die Fenster des Giebelstübchens dicht verhängen, um der Sonne und der Hitze zu wehren. Dort saß Rosa an der Wiege ihres Kindes. Sie durfte schon das Bett verlassen, sich regen und frei schaffen. Das Gesicht war noch von überzarter Blässe, zeigte jedoch einen ruhig befriedigten Ausdruck. Rosa fühlte das wohl. Das stete Ringen, das qualvoll verwickelte Grübeln, mit dem sie doch nimmer ins reine kam, waren fort, waren von dem Interesse an den kleinen Vorkommnissen der Kinderstube verdrängt. Die Vorhänge, die das Fenster verhüllten, verhüllten für Rosa auch die ganze übrige Welt. Nur das Giebelstübchen blieb, dessen Mittelpunkt die Wiege bildete.

Lange Stunden einsamen Stillsitzens kamen auch jetzt zuweilen. Das Kleine schlief. Rosa saß ihm zu Häupten und wehrte mit einem Erlenzweig den Fliegen. Aber nie – nie ward sie mehr von dem nagenden Sehnen nach Freuden und Glück, von dem bitteren Bedauern der Vergangenheit gequält. Farblos und fern erschien ihr die Zeit, da das Kleine noch nicht war. Natürlich war sie damals unglücklich gewesen; jetzt verstand sie das, denn sie blickte auf jene Zeit mit ruhiger Überlegenheit zurück.

Nach Liebe hatte dieses leidenschaftliche Mädchenherz verlangt. Es war ihm in ihrer Abgeschlossenheit zu eng geworden, es hatte die Liebe beschleunigen, erzwingen, sich zu ihr überreden wollen. Jetzt, da sich die Liebe in ihrer ganzen Wirklichkeit und Reinheit nahte, jetzt gab sich ihr dieses Herz rückhaltlos hin und war tief beruhigt. Daß der Gedanken- und Wirkungskreis sich eng um das kleine nackte Kindeshaupt zusammenzog, übersehbar, verständlich und ganz mit Liebe ausgefüllt, das brachte den Frieden über Rosa.

Allzuviel Zeit zum Nachdenken fand sie ohnehin nicht. Das Kleine war unruhig, weinte viel. Oft mußte Rosa es die ganze Nacht über auf ihren Armen wiegen. Dann studierte sie eifrig dieses kleine Wesen, das da schrie und nicht still sein wollte. Wo fehlt es ihm? Was will es? Sie wandte es hin und her – sie fragte, untersuchte es, legte es an die Brust, und half alles nichts, dann weinte Rosa über das unerbittliche kleine Rätsel.

»Wie kann ich dir denn helfen, wenn du mir nicht sagst, wo es dich schmerzt? Ich will ja nicht, daß du leiden sollst. Alles, nur das nicht! Aber, wie kann ich's ändern? So weine doch nicht, mein Engel, bitte, weine nicht. Sei vernünftig. Zeige mir, was du willst.«

Eines Tages, da Rosa wie gewohnt neben ihrem schlummernden Kinde saß, lächelte dieses im Schlaf. Die schmalen roten Linien der Lippen verzogen sich und zuckten. Rosa beugte sich ganz nahe auf diese Lippen herab. Ja, unzweifelhaft! Das war Ambrosius' Lächeln, das sanftspöttische Emporziehen des rechten Mundwinkels, das Grübchen in der Wange. »Nun das wieder!«, sprach Rosa vor sich hin, wie jemand, dem wieder eine Freude gestört wird. Sie war im Begriff, das Kind zu wecken. So sollte es nicht lächeln. Doch sie besann sich, küßte behutsam die Stirn des Kindes, und ihr Gesicht nahm wieder seinen milden, beruhigten Ausdruck an: Das Kleine sollte fortlächeln. Es gehörte ja ihm auch, und um des Kindes willen wollte sie dieses Lächeln, wollte sie ihn lieben. Gehaßt hatte sie Ambrosius nie, dazu war ihre Liebe zu wenig tief und wahr gewesen. Jetzt, an der Wiege ihres Kindes, dachte sie ohne Bitterkeit und Aufregung an Ambrosius. Es galt ihr als ausgemacht, daß sie trotz allem doch zu ihm gehörte. Er war der Vater ihres Kindes.

Dann wieder schnürte eine große Bangigkeit Rosa das Herz zusammen. Ambrosius' lüstern-süßes Lächeln in diesem Kindergesicht erschien ihr wie eine Gefahr für das Kind. Wurde es dadurch nicht der bösen Welt nähergebracht? Störte es nicht den Kindesfrieden? Großes Mitleid ergriff Rosa, Mitleid für den kleinen Märtyrer, der nicht ahnte, was seiner harrte. Ach Gott, blieb das Kind doch immer so klein, daß sie es vor dem feindlichen Leben schützen könnte. Doch Rosa lächelte über ihre eignen Gedanken. Noch hatte das Kleine viele Jahre in ihren Armen Raum, und niemand durfte es kränken. Es sollte glücklich sein und oft – oft lächeln, wenn es auch Ambrosius' Lächeln war!

Während der folgenden Nacht mußte Rosa das Kind beständig auf ihren Armen wiegen, denn es schrie und jammerte kläglich. Plötzlich wurden die Glieder des Kindes steif, das Gesicht nahm eine blaurote Farbe an, und der Kopf wurde krampfhaft zurückgerissen. Anfangs war Rosa starr vor Schreck, dann rief sie nach Frau Böhk, nach einem warmen Bade. Eine zielbewußte Geschäftigkeit trat an die Stelle des ersten Schreckens und ließ für die Sorge kaum Raum übrig. Erst als das Kind wieder ruhig auf den Knien seiner Mutter schlief, fühlte diese am Beben ihres ganzen Wesens, wie furchtbar es sie erschüttert hatte, ihr Kind leiden zu sehen. Bleich und ernst auf das Kind niedergebeugt, saß sie noch da, als die Sonne schon hoch am Himmel stand. Frau Böhk trat in das Zimmer. »Jetzt scheint es vorüber zu sein. Gott sei Dank«, sagte sie und setzte sich auf einen Stuhl.

»Ja«, erwiderte Rosa, »es schläft ruhig. Wir wollen leise sprechen, damit es nicht erwacht.«

Frau Böhk lachte. »Ach was, das stört so 'n kleinen Kerl nicht. Von der Stimme der Böhk ist noch kein Kind aufgeweckt worden, will ich meinen. Aber«, fügte sie hinzu und rieb sich bedächtig die Schenkel, »ich wollte Sie fragen, liebes Kind, wie wird es mit der Taufe? Morgen ist Sonntag; da haben wir den Pfarrer.«

»Hat denn das Eile?«, fragte Rosa erstaunt. »Agnes wollte kommen; und dann...«

»Gut, gut! Ich verstehe schon. Ich meine aber gerade, wir können nicht warten.«

»Wie?«

»Verstehen Sie mich recht, liebes Fräulein.«

Frau Böhk machte ein strenges, höfliches Gesicht. »Das Kind hat in voriger Nacht böse Krämpfe gehabt und ist überhaupt ein verteufelt zartes Würmchen. Jedem Menschen kann etwas zustoßen, wie viel mehr einem so schwachen Kinde. Nicht? – Ich habe nun darauf zu sehen, daß ein Kind getauft ist, wenn etwas passiert. Dafür werde ich verantwortlich gemacht, niemand anderes. Von der Taufe ist auch noch kein Kind gestorben.«

Rosa hatte ernst zugehört, nun schaute sie auf ihr Kind nieder, das ruhig in ihren Armen schlummerte. Sie lächelte. »Nein, Frau Böhk«, sagte sie. »Das wird es nicht tun, das nicht! Sterben kann es nicht.«

Ungeduldig erhob sich Frau Böhk. »Kann – kann! Warum kann es nicht? Wir alle können heute oder morgen sterben. Ich sage nur: Die Verantwortung hab ich zu tragen. An mich muß ich auch denken.«

»Ich habe ja nichts dagegen, daß morgen die Taufe ist«, beschwichtigte Rosa die Hebamme. »Herr Böhk ist vielleicht so gut, der Pate des Kleinen zu sein. Ich sage nur...«

»Dann ist ja alles in Ordnung«, rief Frau Böhk erleichtert aus. »Der Pfarrer kommt ohnehin nur alle vierzehn Tage vom Schloß zu uns herüber, dem Kinde wird's auch guttun, ein Christ zu werden. Hernach trinken wir Schokolade. Das muß so sein; das ist selbstverständlich. Ich besorge schon das nötige, später berechnen wir uns. Die Leb hab ich auch eingeladen. – Sie sind ein liebes, vernünftiges Kind.«

Als Frau Böhk fort war, blickte Rosa sinnend ihr Kind an. Die Hebamme hatte sie erschreckt. So etwas war nicht möglich! Dieses arme, zarte Kindchen und eine so grausame, finstere Sache wie der Tod, was konnten die gemein haben? »Nein, das tust du nicht, mein Engel! Das werd ich dir nie erlauben«, flüsterte sie.

Der Sonntagnachmittag war für die Familie Böhk voll großer Geschäftigkeit. Schon das Aufsetzen der Haube mit den gelben Bändern, die Frau Böhk nur an Tauftagen aus dem Kasten nahm, war ein Ereignis. Herr Böhk, als der Welterfahrenste, besorgte das. »Sitz still, Frau Böhk!«, befahl er. »Die eine Seite mit der großen Rose muß zurückgeschoben werden, sonst sieht es steif aus. Eine Haube muß ein wenig schief sitzen, nicht gerade wie eine Nachtmütze. Nein, ein wenig, wie soll ich sagen? Ein wenig liederlich muß es aussehen; so – so – ›Komm und küsse mich‹ – verstehst du?«

»Böhk, Böhk!«, mahnte die Hebamme. »Daß du mich nicht ganz gottlos herrichtest!«

»Nein, Wilhelmine!«, erwiderte Herr Böhk überlegen. »Du kannst ruhig sein. Für die Würde ist gesorgt, aber auch für die Schönheit. So, jetzt siehst du gut aus, blühend – gelb und rot.«

Für sich holte Herr Böhk einen Frack, weiße Handschuhe und einen Zylinder aus dem Kasten. Er war stolz auf diese Sachen. Die Schöße des Frackes vorsichtig in der Hand haltend, ging er mit ausgebogener Taille feierlich im Zimmer auf und ab, gefolgt von seinem Sohn, der über die Kleidung des Vaters spottete. »Wie dumm das ist, so 'n Frack.«

»Dumm?«, erwiderte Herr Böhk hochmütig. »Der Frack ist hier nicht der Dumme.«

»Da fehlt ja vorne was!«

»Lieber Hans, dir fehlt etwas.«

Dieses Mal nahm Frau Böhk die Partei ihres Mannes. »Laß ihn, Hans, du verstehst wirklich nichts davon.« Sie hegte selbst große Achtung vor diesem Kleidungsstück.

Endlich war alles bereit, man wollte jedoch noch warten, bis der Gottesdienst ausgeläutet wurde, um das Gedränge zu vermeiden. Rosa hielt das Kind auf dem Schoß. Sie trug heute ihr weißes Musselinkleid und weiße Rosen im Haar. Wer sie dasitzen sah mit dem erregten blassen Gesicht, hätte sie für ein kleines Mädchen gehalten, das man zur Einsegnung führt.

»Also das Kind wird Ernst nach Ihrem Herrn Papa und Arnold nach mir heißen?«, fragte Herr Böhk und blieb vor dem Täufling stehen. Rosa nickte. Da beugte er sich auf das Kind herab und sagte gerührt: »Was machst du, kleines Arnoldchen?«

Als die Kirchenglocken zu läuten begannen, machte sich die Taufgesellschaft auf den Weg. Sie hatte es nicht weit; links hinter dem Böhkschen Hause lag die Kirche auf einer Anhöhe, dicht von alten Ahornbäumen umgeben. Sie war ein achteckiger Pavillon ohne Turm. Das flache Land und die Nähe der See ließen befürchten, ein Turm könnte die Schiffe irreleiten. Der Gottesdienst war zu Ende. Eine große Menschenmenge bewegte sich die Anhöhe herab.

In der lichtvollen Atmosphäre des Julitages nahmen die sonntäglichen Gestalten, die Bäume, die Kirche mit ihrem spitzen Ziegeldach lustige, schreiende Farben an. Die kleine Schar, von Frau Böhk geführt, ging zuerst in die Sakristei. In dem kleinen Gemach mit den nackten weißen Wänden saß der Pfarrer an einem Tisch: ein dicker alter Herr mit einem sehr weißen, unfreundlichen Gesicht. Er wandte sich hastig nach den Eintretenden um und sagte verstimmt:

»Warum kommen Sie nicht zur rechten Zeit?«

Frau Böhk machte einen Knicks und entschuldigte sich: »Wir warteten, bis der Gottesdienst...«

»Der ist lange schon zu Ende«, unterbrach sie der Pfarrer. »Um fünf Uhr muß ich zum Diner im Schloß sein. Nun also schnell. Wo ist das Kind?«

Er warf einen prüfenden Blick auf Rosa, faßte seinen Talar vorn zusammen und ging voran in die Kirche.

Auf Frau Böhks Anordnung mußte Rosa sich in einen Kirchenstuhl setzen, während die anderen mit dem Kinde vor dem Altar standen. Durch die hohen Fenster schien die Sonne voll herein und badete die Holzgalerie des Chors, die vergoldeten Holzblumen des Altarblattes in gelbem Licht.

Auf dem Altar funkelten der Kelch und die Leuchter; überall ein reges Glimmen und Flimmern. In den Kirchenstühlen lagen welkende Jasminstengel und Feldblumen, die Kinder und Mädchen mit hereingenommen und dort vergessen hatten. Eine Schwalbe hatte sich in die Kirche hineinverirrt und zog ihre Kreise oben an der gewölbten Decke, kurze sanfte Rufe ausstoßend.

Herr Böhk ließ sich das Kind auf die Arme legen; Frau Böhk, Grethe, die Leb standen andächtig mit gefalteten Händen neben ihm. Der Pfarrer blätterte in einem Buch und zog das Gesicht in fette Falten, weil die Sonne ihm in die Augen schien. Das Kind wimmerte – ein leiser Ton, wie das Zwitschern der Schwalbe oben an der Wölbung. Hinter sich hörte Rosa vorsichtige Schritte auf den Fliesen. Die Leute kamen von draußen wieder in die Kirche, standen an den Kirchenstühlen und hörten zu. Jetzt war der Pfarrer bereit.

Er wischte sich mit zwei Fingern die Mundwinkel und hielt eine kurze Anrede, leise und schnell sprechend, wie jemand, der bald fertig zu sein wünscht. Er machte die Eltern und Taufpaten darauf aufmerksam, daß ein Kind ein teures, ihnen anvertrautes Gut sei, über das sie einst Rechenschaft ablegen müssen. Nicht den Eltern gehöre das Kind, sondern Gott, und Gott wache eifersüchtig über sein Eigentum, wie der Bibelspruch es schon besage: »Bei deinem Namen habe ich dich gerufen, in meine Hände hab ich dich gezeichnet, du bist mein.«

Rosa entsann sich nicht, daß bisher eine kirchliche Handlung auf sie großen Eindruck gemacht hätte. Das Frösteln unter der kühlen Kirchenwölbung war für sie stets der Inbegriff der Andacht gewesen. Heute aber erregte die Stimme des Pfarrers in ihr ernste Rührung. All die frommen Worte wurden ja zu ihrem Kinde gesprochen, hatte auf dieses Bezug. Es freute sie zu hören, daß ein so allmächtiger Beschützer sich ihres Kindes annahm, ihr half, es zu verteidigen. Dafür nahm Rosa sich vor, recht fromm zu sein, alles zu tun, wovon der Pfarrer Raser im Konfirmationsunterricht gesagt hatte, daß Gott es von den Menschen verlange. Wenn Gott nur auf das Kleine recht Obacht geben würde.

Der Pfarrer schwieg. Frau Böhk nestelte dem Kinde das Häubchen auf, und die Taufe begann. Alle sprachen das Credo; der Pfarrer eilte mit seiner routinierten Stimme voraus, Herr Böhk, der Pathos hineinlegen wollte, blieb stets um einen Satz zurück, bis seine Frau ihn mit dem Ellenbogen in die Seite stieß; da schwieg er ärgerlich ganz. Nun war es zu Ende. Der Pfarrer ging ohne Gruß fort, er fürchtete, zu spät zum Diner zu kommen.

»Den Taufschein und das übrige besorge ich morgen«, meinte er.

Die anderen gingen auch heim.

Über die Wiese waren zahlreiche Spaziergänger verteilt, viele bunte Punkte, die sich bewegten und durcheinanderrannten. Tiglau lag ganz im Laub versteckt da, und über alldem webte ein bläulicher Dunst, der zu leben schien, blickte man hinein.

Gemütlich, mit kleinen Schritten, ging die Taufgesellschaft heim. Herr Böhk erzählte seine Erlebnisse: Er hatte gefürchtet, das Kind fallen zu lassen. Der Pfarrer hatte ihm den Frack mit Taufwasser besprengt. Die Leb fand die heilige Handlung sehr erbaulich, was Herr Böhk bestritt.

»Das Glaubensbekenntnis schleuderte er nur so hin.«

Frau Böhk zuckte die Achseln.

»Es war heute gerade so wie immer«, sagte sie.

Für sie, die so viele Taufen mitgemacht hatte, war eine Taufe kein Ereignis mehr.

Zu Hause trank man Schokolade. Frau Böhk und Grethe nestelten sich die engen Feiertagsjacken auf. Herr Böhk steckte sich eine Serviette hinter den Hemdkragen.

»Du solltest den Frack lieber ausziehen«, riet seine Frau.

Er entgegnete jedoch sehr gereizt: »Warum? Laß mich doch.«

Er fand so selten Gelegenheit, den Frack anzulegen; jetzt, da sie sich bot, wollte er sie ausnutzen.

»Sehr gut«, meinte die Leb und nickte ihrer Tasse zu. »Auch der Stollen ist gut. Zuweilen gelingt es dem Bäcker. Der Arme! Weiß Gott, wen er heiraten wird! Denn heiraten muß er – mit so vielen kleinen Kindern.«

Nun sprach man von der Bäckerin. Ein jeder gab zwischen einem Schluck Schokolade und einem Bissen Stollen seine Meinung ab. Durch die geöffneten Fenster sah man auf den stillen Hof und den Garten hinaus, wo Feuerlilien und einige Rosenbüsche regungslos im Abendsonnenschein standen. Von der Wiese tönten Rufe und Stimmen der sonntäglichen Spaziergänger herüber.

Rosa schwieg und ließ sich von einem angenehmen Feiertagsgefühl wiegen. Die helle Welt ringsum beruhigte sie. Hier war es behaglich und sonnig. Die rechte Welt für den kleinen Ernst. Eine lange, lichtvolle Zukunft, verloren in der stillen Ebene, ein ungestörtes Zusammensein mit ihrem Kinde, ein Leben voll warmer Liebe tat sich ihr auf und tröstete sie. Oben bei ihrem Kinde wollte sie diesen Traum weiterträumen.

»Ah, Sie gehen zu unserem jungen Christen?«, fragte die Leb gefühlvoll.

»Arnoldchen wird wohl schlafen«, fügte Herr Böhk hinzu.

»Ernst wird er genannt«, verbesserte Grethe.

Herr Böhk aber machte eine wegwerfende Handbewegung. Er wußte wohl, was er tat. Er war der Pate, er nannte das Kind Arnold; die anderen konnten es halten, wie sie wollten, für ihn gab es keinen Ernst.

In ihrer Kammer drückte Rosa das Kind fest an ihre Brust und sprach ihm leise zu:

»Weine nicht. Hörtest du nicht, wie der Herr Pfarrer sagte, daß der liebe Gott mir hilft, dich bewachen! Sei nur ruhig, groß und schön wirst du werden. Du wirst niemanden betrügen. Du wirst zu lieben verstehen – wirst deine alte Mutter sehr – sehr treu lieben, denn sie hat es nötig. Du wirst von allem Garstigen, das sie erlebt hat, nichts wissen, und wenn du bei ihr bist, wird sie alles, was sie getan und ihr andere angetan, vergessen. Nicht wahr?«

4.

Auf die Taufe folgten böse Tage für Ernst und seine Mutter. Die Krämpfe wiederholten sich. Das Kind magerte ab und befand sich in einem besorglichen Zustand der Schwäche. Der Arzt vom Schloß ward herbeigerufen, denn in Tiglau selbst wohnte keiner.

»Wäre das Schloß nicht«, meinte Frau Böhk, »wir Tiglauer könnten alle sterben und noch dazu ohne Gotteswort begraben werden, denn einen eignen Pfarrer und Arzt haben wir nicht.«

Doktor Bartauer war ein junger Mann mit kohlschwarzen krausen Haaren, einem spitzen schwarzen Schnurrbart, roten Wangen und Augen wie brauner Samt; dabei trug er sich nach der neuesten Mode, und seine Finger staken voll goldener Ringe. Mit Frau Böhk stand er auf Neckfuß und nannte sie »Madamchen«, Rosa behandelte er mit süßlicher Höflichkeit: »Für einen so jungen Organismus ist die Zumutung solcher Krämpfe ein wenig zu stark«, sagte er, nachdem er das Kind untersucht hatte und, sich anmutig an der Rücklehne eines Stuhles hin- und herwiegend, Rosa das Resultat dieser Untersuchung mitteilte. »O ja, viel zu stark«, wiederholte Rosa und heftete ihre gespannt flehenden Blicke auf den Arzt. »Ich meine«, fuhr Dr. Bartauer fort und lächelte, wobei die Spitzen seines Schnurrbartes zitterten: »Ich meine, solche Krämpfe müssen einen so jungen Organismus notwendigerweise arg mitnehmen, daher die Schwächeerscheinungen. Vor allem müßten die Krämpfe beseitigt werden. Ich habe da einiges verordnet...«

»Dann werden die Krämpfe nicht mehr wiederkommen?«, fragte Rosa und atmete tief auf.

Der Doktor lächelte wieder und zog seine Manschette unter dem Rockärmel hervor. »Ja – das zu wissen«, versetzte er und suchte einen Augenblick nach einer passenden Anrede, dann sagte er entschlossen: »Liebe Dame! Das zu wissen, liebe Dame, vermögen wir Ärzte nicht; das geht über unsere Kunst. Wenn die Natur nicht will, dann sind wir ohnmächtig. Übrigens schaue ich morgen nach. Sie selbst sollten sich auch schonen. Ich empfehle mich bestens.« Er verbeugte sich und ging.

Mutlos fiel Rosa auf einen Stuhl nieder. »Wenn die Natur nicht will! Wie soll ich es denn wissen, ob die Natur will? Was hilft mir die Natur? Er ist ja der Arzt, er muß es doch wissen, der dumme, dumme Mensch!« Sie hatte

Tränen in den Augen und machte ein sehr zorniges Gesicht. Zum Klagen jedoch war keine Zeit; das Kind weinte, sie mußte zu ihm.

Rosa ließ die große Sorge gar nicht aufkommen, sondern diente nur unablässig ihrem Kinde, machte sich stets etwas zu schaffen, floh jeden leeren Augenblick. Wenn die Hebamme sie einmal überredete, sich Ruhe zu gönnen, dann brach eine unnennbare Furcht, ein tiefes Mitleid über sie herein, und Mitleid, mit großer Liebe vereint, ist das herzbrechend peinvollste Gefühl. Rosa sah wieder den gequälten Körper des Kindes, das arme entstellte Gesicht vor sich und fuhr bebend auf. Kaum vermochte sie sich in der Dämmerung der Sommernacht zurechtzufinden; dort glomm das bleiche Fünkchen der Nachtlampe, dort stand die Wiege, dort hörte man des Kindes leisen, schnellen Atem, und die schwere Traurigkeit, die Rosas fieberhaften Schlummer bedrückt hatte, hing auch über dem Gemach und war Wirklichkeit. – Rosa mußte sich wieder mit ihren Beschäftigungen betäuben. Nur nicht stillhalten, dennoch – zuweilen versagte ihr Körper ihr den Dienst. Sie wunderte sich über ihre Hände, die so zitterten, daß sie nichts zu halten vermochten, über ihre Beine, die nicht stehen wollten. Sie hätte diese ungehorsamen Glieder schlagen mögen. –

»Heute scheint es besser zu gehen«, sagte die Hebamme eines Abends. »Heute morgen waren die Krämpfe zwar heftig, jetzt aber schläft das Kind ja ganz ruhig. Ich geh zu Bett. Tun Sie das auch. Sollte etwas passieren, so rufen Sie; Grethe schläft nebenan.«

Das Kind war rot im Gesicht, fühlte sich heiß an, schien aber fest zu schlafen, die Wange in das Kissen gedrückt, die winzigen Hände geballt und in das Bettuch gewickelt.

Gut! Rosa beschloß, sich auf ihr Bett zu legen, ohne zu schlafen. Ehe sie sich jedoch dessen versah, entschwand ihr das Bewußtsein, und sie verfiel in einen öden Schlummer, aus dem sie betäubt und gebrochen auffuhr, als hätte sie eine schlechte Tat begangen.

Es mochte ein Uhr morgens sein. Durch die Fensterscheiben sahen das kühle Blau des nächtlichen Himmels und einige blasser werdende Sterne herein, am Wiesenrande dämmerte es weiß. Still und schwül war es im Gemach, die Nachtlampe warf einen engen, trübgelben Lichtkreis um sich herum.

Rosa, die Ellenbogen in die Kissen gestützt, saß auf. Es fröstelte sie, und schwere Müdigkeit lähmte ihr die Glieder. Sie dachte nach; es war ihr, als hätte ihr etwas Böses geträumt, dessen sie sich nicht mehr entsinnen konnte.

Plötzlich drang ein leiser Ton zu ihr; ein Schlucken; es klang, als gösse man Wasser aus einer Flasche mit zu engem Hals in ein Glas. Da war es wieder! Von der Wiege kam der Ton. Hastig sprang Rosa auf. Das Kind lag regungslos da und hielt die Augen offen, so weit offen, wie Rosa es bei ihm bisher nie gesehen hatte. – »Mein Gott!«, stöhnte Rosa. Sie ging zur Türe, rief nach Frau Böhk, nahm dann das Kind auf ihre Knie, als sie es anfaßte, wand es sich jedoch hin und her. Die roten Puppenhändchen fuhren hilflos empor, und in der kleinen Brust kochte es. Mit den Füßen stemmte sich das Kind gegen Rosas Arm, und der ganze Körper arbeitete, als wollte er sich aufrichten. Rosa beugte sich tief auf ihr Kind nieder und sah es an. Vor dieser stummen Qual wurde sie mutlos und gedankenlos. Alle Energie ihrer Liebe verließ sie. Sie wartete. Von irgendwoher mußte doch Hilfe kommen! »Gott, es stirbt ja!«, sagte jemand neben ihr. Sie schlug die Augen auf, deren Blau ganz dunkel vor Entrüstung und Erregung wurde. Frau Böhk und Grethe standen in der Türe: »Wer sagt es Ihnen, daß es stirbt?«, fragte Rosa mit zitternder tiefer Stimme. »Das wird es nicht!« Wie um ihr Kind zu schützen, beugte sie sich wieder auf dasselbe nieder und bedeckte es mit ihren blonden Haaren. »Nein! Niemand soll sagen, daß es stirbt!«

Frau Böhk zuckte verlegen die Achseln: »Ein Bad könnte man versuchen«, meinte sie, »obgleich wohl kaum noch zu helfen sein wird.« Als sie aber das Kind nehmen wollte, keuchte dieses und zuckte zusammen, als fürchte es sich. »Lassen Sie es nur!«, rief Rosa heftig und ließ den Vorhang ihrer Haare dichter auf das Kind niederfallen. »Sie glauben ja, daß es stirbt. Gehen Sie, ich will es allein pflegen.« Frau Böhk wich zurück und blieb mit Grethe stumm auf der Türschwelle stehen. Rosa achtete nicht darauf, ganz hingenommen von dem verzweifelten Kampf, den der hilflose Kinderkörper auf ihren Knien kämpfte.

Die Hände des Kindes bewegten sich unsicher und matt, als wollten sie etwas fortschieben, abwehren. An den Mundwinkeln war weißer Schaum, und die Augen flehten angstvoll zu Rosa empor. Was konnte sie tun? Das war die entsetzliche Pein, die ihr das Herz abdrückte, daß sie ohnmächtig vor der bitteren Not ihres Kindes stand. Das arme kleine Wesen, das noch keinen Schmerz kannte, wurde ganz allein einem dunklen, grausamen Etwas gegenübergestellt, mit ihm zu ringen. Das Kleine, das sich vor seinen eigenen Händen fürchtete, sollte einsam den dunkelsten, unheimlichsten Weg gehen, und seine Mutter mußte müßig zusehen, mußte es dem Tode überlassen. Dazu mischte sich in das übermächtige Erbarmen der menschliche egoistische Abscheu vor dem Tode. Rosa hatte es nie gesehen, wie ein Mensch stirbt, und jetzt machte sich eine schmerzliche Neugier geltend. Rosa verfolgte genau jede Bewegung des Kindes, als lese sie in den krampfhaft zuckenden Zügen etwas von dem Geheimnis des Todes, das sie mit schauderndem Erstaunen erfüllte.

Sehr stille war es im Zimmer geworden; nur ein ganz leises Geräusch war hörbar, wie das Prasseln einer Nachtlampe, die verlöschen will. Das war das Röcheln des Kindes. Endlich verstummte auch dieses. Das Kind bewegte seinen Kopf hin und her, wie taumelnd, zuckte mit den Händen, streckte sich und lag bewegungslos da.

Frau Böhk winkte Grethe mit den Wimpern zu, und beide entfernten sich auf den Fußspitzen. Rosa blickte unverwandt den Körper an, der jetzt steif in ihren Armen lag. Was sich eben vollzogen hatte, dachte sie nicht klar; nur die eine Empfindung war in ihr wach: »Das Kind ist nicht mehr da, es ist fort – ist irgendwo verlassen und allein im Finstern, und ich kann nicht zu ihm.« Die Spannung ihres Geistes ließ nach, ihre Glieder wurden lose und weich. Es war ihr, als sänke sie unaufhaltsam in einen Abgrund nieder; sie durfte nicht nachgeben – sie verließ etwas – sie gab etwas auf; und doch – wie konnte sie widerstehen? Es tat ihr wohl. Immer tiefer – finsterer – stiller. Ihr totes Kind in den Armen haltend, den Kopf an die Wand gelehnt, versank Rosa in einen ohnmächtigen Schlummer.

5.

Frau Böhk beabsichtigte, im Wohnzimmer einen kleinen Katafalk aufzuschlagen, die Leiche des Kindes auf demselben in Blumen zu betten und mit vier Kerzen zu beleuchten. Herr Böhk hatte für die Kerzen hübsche Ringe aus Silberpapier verfertigt. »So können wir dort sitzen; für das liebe Kleine beten. Die Leb wird auch kommen. Die Nacht vor dem Leichenbegängnis wachen wir natürlich. Grog werde ich schon besorgen; das gehört sich. Später berechnen wir uns, daß ich nicht zu Schaden kommen werde, das weiß ich.«

Auf diese Vorschläge antwortete Rosa in ihrer müden, abwesenden Weise, die sie seit dem Tode ihres Sohnes angenommen hatte: »Ich danke Ihnen, Frau Böhk, Sie sind sehr freundlich. Das Kind aber dürfen Sie aus meinem Zimmer nicht fortnehmen.«

»Warum denn nicht?«, sagte die Hebamme eindringlich, »hier unten wird sich alles viel besser machen. Die Blumen, das schwarz ausgeschlagene Gerüst, die Kerzen. Denken Sie sich nur, wie hübsch das sein wird!«

»Ja, sehr hübsch! Aber aus meinem Zimmer dürfen Sie das Kind nicht fortnehmen.«

Was war gegen solchen Eigensinn zu tun? Frau Böhk wollte es versuchen, auch oben alles so anständig wie möglich herzurichten, obgleich mit der engen Kammer kein großer Staat zu machen war. Die Wiege wurde mit schwarzem Tuch behangen, mit Blumen besteckt; die Kerzen mit ihren Ringen aus Silberpapier standen nebenan auf der Kommode. Was zu machen war, geschah; dennoch sah es nicht besonders aus.

Am Abend versammelten sich die Hausgenossen um die Kindesleiche. Stumm, mit gefalteten Händen, saßen sie auf ihren Stühlen und nickten mit den Köpfen. Die Leb neigte sich an Frau Böhks Ohr heran und flüsterte: »Wie ein Engel sieht es aus. Ganz unverändert.« Rosa barg ihr Gesicht in ihr Taschentuch und weinte. Wenn sie zuweilen aufblickte, bekamen die Flammen der Kerzen krause Strahlen, und die Anwesenden neigten die Köpfe auf die Seite und schauten Rosa mitleidig an, als erwarteten sie etwas von ihr. Frau Böhk und die Leb wischten sich dann die Augen, Herr Böhk war unruhig, flüsterte mit den Frauen, ging knarrend ab und zu; endlich lehnte er sich gegen die Wand, steckte die rechte Hand in den Ausschnitt seiner Weste und stimmte einen Choral an. Alle sangen mit, den Mund weit öffnend, die Hände im Schoß gefaltet; darauf las Herr Böhk ein Gebet vor. Rosa merkte nicht auf die Worte, nur der getragene, betrübte Tonfall beeindruckte sie, sie schaute auf und interessierte sich dafür, was die anderen taten: jetzt beteten sie, ein jeder still für sich; die Leb schielte dabei beständig zu Rosa herüber; jetzt flüsterten sie miteinander: »Kommen Sie, etwas zu nehmen«, sagte Frau Böhk zur Leb. Diese nickte und deutete auf Rosa. »Liebes Kind«, wandte sich die Hebamme an Rosa, »kommen Sie, trinken Sie etwas für die Herzstärkung.«

»Nein, ich danke«, hörte Rosa ihre eigene Stimme tief und klagend erwidern, »ich will es nicht allein lassen.« Die Leb blinzelte mit den Wimpern und legte den Zeigefinger auf die Stirn. Dann gingen sie alle ins Wohnzimmer hinab, um Grog zu trinken, in der Türe drängten sie sich, als hätten sie Eile hinauszukommen.

Rosa blieb allein. Das Gesicht in die Hände gestützt, saß sie ruhig da. Sie sehnte sich nach einem stürmischen Schmerzensausbruch; sie hätte weinen und schluchzen mögen; die furchtbare Öde in Kopf und Herz war unerträglich. Ein Nachlassen des Schmerzes erschien ihr wie ein Unrecht, und doch, was war der Schmerz? Wollte sie sich seiner bewußt werden, so zerfiel er in kleinliche, fernabliegende Gedanken, über denen trostlose Wehmut hing. In ihrem Jammer ward Rosa unablässig von der Unzulänglichkeit dieses Jammers gequält.

An das Kind – nur an das Kind wollte sie denken. Das liebe kleine Wesen! Wie sorgenvoll es die Stirne kraus zog, wenn sie es an die Brust legte! Wie eng und warm es sich anschmiegte und dabei beständig die winzigen Fußspitzen bewegte. Ja – ihr gehörte es, ihr ganz allein. Sie wollte es so erziehen, daß sie es nie zu strafen brauchte. Es wäre ihr unerträglich, wenn Ernst je ein ähnliches Gefühl gegen sie hegen könnte, wie sie es gegen Fräulein Schank, Agnes, sogar gegen ihren Vater gehegt hatte, wenn diese sie tadelten. Sie würde mit ihrem Sohne dort unten an der Wiese in dem weißen Häuschen leben, munter und kameradschaftlich wie Freundinnen, die die Ferien miteinander verbringen. Nie durfte Ernst sich vor ihr fürchten, nie erschrocken zu anderen Kindern sagen: »Sie kommt«, oder gar: »Die Alte kommt!« Nie! Rosa hob den Kopf auf und blickte entsetzt auf die schwarze Wiege. Sie fand sich in die fremde feierliche Gegenwart nicht mehr hinein, und noch heiß von mütterlichen Liebesgedanken, wurde sie wieder in das wirre, grausame Bangen zurückgeworfen. Das Kind war ja nicht mehr, war irgendwo an einem unbekannten, unerreichbaren Orte – ganz allein. Bleich bis in die Lippen, zwischen den Augenbrauen eine aufrechte Falte, erhob sich Rosa und trat an die Wiege heran. Von Rosen und Jasmin bedeckt, lag die kleine Leiche da, nur das Gesicht war zu sehen, ein rundes, wachsgelbes Gesichtchen – der Mund eine feine bläuliche Linie, die Nase dünn wie Papier, über den Augenlidern bläuliche Schatten. Dennoch lag in diesen nur angedeuteten Zügen eine fremde Herbheit. Auf der einen Wange bemerkte Rosa einen dunklen Fleck. Sie fuhr zurück, von Grauen und Abscheu überwältigt, und verzog ihr Gesicht, als wollte sie weinen.

Sie blickte zur Türe hinüber. Sollte sie fortgehen? Es war ja doch ihr Kind, sie durfte sich nicht fürchten. »Ich will es küssen«, sprach sie laut vor sich und beugte sich auf die Leiche herab. Die welkenden Rosen- und Jasminblüten atmeten einen starken süßen Duft aus, und – dann noch – – – Nein! Dieses starre, gelbe Gesichtchen mit seinen dunklen Flecken auf der Wange erfüllte Rosa mit unsäglichem Grauen. »Ich will es aber küssen!«, wiederholte sie und faßte krampfhaft mit zitternden Händen den Rand der Wiege. »Ach du mein armer, armer Engel! Ich liebe dich doch. Vor dir sollte ich mich fürchten? Glaube das nicht! Wenn du auch tot bist, ich werde nie aufhören, dich zu lieben!« Und sie drückte ihre Lippen fest auf die kalte Stirn des Kindes, dann aber entfernte sie sich mit bebenden Knien. Sie öffnete das

Fenster, der Duft der Blumen, die Schwüle des Gemaches erstickten sie. Das Fensterkreuz mit beiden Armen umschlingend, beugte sie sich hinaus.

Die Julinacht war schwarz und still, zuweilen nur regte sich ein sanftes Rauschen, das an große, kühle Fernen voll feuchten Duftes gemahnte. Diese verhüllte Welt erschien Rosa unendlich weit, hier konnte sie sich hineinverlieren und verstecken. Auf das Zimmer und seine Pein blickte sie nicht mehr zurück. Sie ließ sich vom Winde die Stirne kühlen, die Nacht tat ihr wohl mit ihrer Unergründlichkeit, durch die es wie ein Hauch – wie eine Stimme irrte, die eintönig und klagend »weit – weit« vor sich hinzusingen schien.

Unten im Wohnzimmer wurde es auch still. Grethe stieg die Treppe herauf, schaute durch das Schlüsselloch zu Rosa herein und begab sich in ihre Kammer. Sie anderen schliefen wohl auch schon, der Grog mochte für die ganze Nacht nicht ausgereicht haben.

Der Morgen dämmerte. Im Zwielichte standen Bäume und Häuser in nüchterner Farblosigkeit da. Der Himmel wurde weiß, einige Wolken färbten sich rot; in den Birkenwipfeln, an den Dachfirsten sprühten rötliche Lichter auf – endlich kam die Sonne. Blendendes Licht ergoß sich über die Ebene, allenthalben entbrannte ein rücksichtsloses Leuchten, die Wiese voll blühender Gräser nahm einen rotbraunen Metallglanz an, und die Wölkchen, welche die Nacht über in festen Ballen am Himmel gehangen hatten, wurden zerrissen und als weiße Flocken über das Blau gestreut.

Mit heißen, verweinten Augen blickte Rosa in den Tag hinaus, das ausgelassene, lebensfrohe Ausströmen von Helligkeit tat ihr weh. Sie hätte gewünscht, alles wäre dunkel und schweigend geblieben. Sie war zu Ende, und draußen fing alles wieder von neuem an. Dennoch blieb sie am Fenster stehen, feindselig zuschauend, wie sich die anderen zum neuen Tage anschickten.

Aus dem Grase stiegen Lerchen auf. An den Häuserecken bauten Schwalben. Eine Herde zog die Straße entlang, der Hirt folgte ihr, verschlafen den Hut über die Stirn ziehend. Gegenüber, in der Schmiede, öffnete die bleiche Schmiedsfrau Fenster und Türe und begann ihre Schwelle zu kehren. Der Postbote ging vorüber, auf das Land hinaus; die schwarze Ledertasche baumelte über seinem Bauche hin und her; er gähnte; den Mund weit dem Sonnenscheine öffnend, blieb er vor der Schmiedfrau stehen und sprach mit ihr.

Ein Bursche kam auf das Böhksche Haus zu. War das nicht Grethes Georg? Recht rosig, die Mütze auf einem Ohr, pfiff er laut vor sich hin und trug etwas unter dem Arm. Jetzt schellte er an der Haustüre, ihm ward geöffnet, im Flur wurden Stimmen laut, man stieg die Treppe hinan, öffnete Rosas Tür. »Leg es dorthin, Georg«, erklang Frau Böhks Stimme. »Liebes Kind, Sie hätten besser getan, ein wenig zu schlafen. Der Schreiner hat den Sarg geschickt; recht hübsch blau angestrichen. Sehen Sie doch!«

Auf einem Stuhl neben der Wiege stand der Sarg, klein und bunt wie ein Spielzeug. »Jetzt müssen Sie mit hinuntergehen, etwas essen«, fuhr die Hebamme fort. »Hier oben besorgt die Leb alles. Um neun Uhr müssen wir auf dem Friedhof sein, sonst geht uns der Pfarrer durch. Er kommt ohnehin nur im Vorüberfahren zu uns.« Rosa ließ sich fortführen. Die qualvoll durchwachte Nacht raubte ihr jede Willenskraft. Was nun um sie her vorging, drang nur als Bild zu ihr, das keine unmittelbare Beziehung auf sie zu haben schien.

Im Hause war alles voller Geschäftigkeit. Heute zum ersten Mal fiel es Rosa auf, daß bei Böhks beständiger Lärm herrschte und daß die Leute ganz ohne ersichtlichen Zweck durch die Zimmer schossen. Plötzlich hieß es, es sei die höchste Zeit; man mußte zum Friedhof eilen. »Kommen Sie«, sagte Frau Böhk und nahm Rosas Arm so fest unter den ihren, als fürchte sie, Rosa könne ihr entlaufen. Vor der Haustür mußten sie auf die Leb und Herrn Böhk warten, die noch oben beschäftigt waren. Endlich stieg Herr Böhk die Treppe herab, unter dem Arm trug er den Sarg. Die Leb folgte ihm, beladen mit Blumen. Rosa wurde unruhig: »Oh, bitte, geben Sie es mir. Halten Sie es nicht so«, flehte sie. Frau Böhk drückte Rosas Arm fester an sich und drängte zum Gehen.

Der Zug setzte sich in Bewegung. Voran ging Herr Böhk mit dem Sarge, neben ihm die Leb. Auf ihren Armen türmten sich Rosen- und Jasminkränze bis an ihr spitzes Kinn auf. Ihnen folgten Rosa und Frau Böhk; als letzte ging Grethe. Hans war daheim geblieben, denn er fürchtete sich vor dem Sarge. Die Hitze war drückend in der engen, menschenleeren Gasse, hie und da blickte eine Magd, die den Hausflur kehrte, auf, wenn der Zug an ihr vorüberging, stützte das Kinn auf den Besenstiel und machte große Augen. Auf dem Wege, der an der Wiese entlangführte, konnte man freier aufatmen. Zwischen den blühenden Halmen lärmten die Feldgrillen; der Wegerich und die Distelstauden am Wegrande waren weiß vom Staub, und fern am Horizont stieg es wie violetter Rauch auf. Das Hinanklimmen des Kirchenberges war sauer genug. Frau Böhk stöhnte; die Leb mußte ihrem Nachbarn beim Tragen des Sarges helfen. Nun – und als man oben anlangte, war die Eile unnütz gewesen, denn der Pfarrer war noch nicht da. »Das ist großartig!«, zürnte die Hebamme. Der Sarg ward neben das offene Grab auf den Boden gestellt. Nicht weit davon lag der Totengräber unter einem Ahornbaum und schlief. Die Leb stieg auf einen Grabstein, reckte den Hals und spähte auf die Landstraße hinab.

»Man muß eben warten, da hilft nichts«, bemerkte Herr Böhk philosophisch.

Das ärgerte aber seine Frau. »Natürlich muß man warten«, brummte sie. »Ich meine nur, wenn man von anderen Pünktlichkeit erwartet, sollte man selbst auch pünktlich sein.«

Rosa saß auf einem Stein neben dem Sarge ihres Kindes. Dieses arme blaue Kästchen sollte nicht so allein neben dem offenen Grabe stehen; sie blieb bei ihm. Am liebsten hätte sie es auf ihre Knie genommen und ihre Wange darauf gestützt; dagegen hätte aber Frau Böhk vielleicht etwas eingewendet. So legte denn Rosa nur ihre Hand sanft auf den Sargdeckel.

Hier, im Schatten der alten Bäume, war es kühl und wohlig, wie in der Kammer, wenn Rosa neben ihrem Kinde saß und mit dem Erlenzweig ihm die Fliegen abwehrte. Ein lauer Wind strich zuweilen vorüber, ließ die Rosen auf den Gräbern nicken und streute die Fruchtkapseln der Bäume über den Kies. Frau Böhk hatte sich ins Gras gesetzt; sehr rot im Gesicht, schalt sie Grethe, daß sie mitgekommen sei, statt zu Hause fürs Mittagmahl zu sorgen. Herr Böhk lehnte an einem Baumstamm, fächelte sich mit seinem Hut Kühlung zu und schielte zu Rosa hinüber. Er fand sie heute hübsch mit ihren fremdartig blanken Augen und überlegte bei sich, ob er die letzten Tage nicht dazu benützen sollte, dem Fräulein recht herzhaft die Cour zu schneiden. »Jetzt ist er da!«, rief die Leb. Ein Wagen hielt am Friedhofgitter, dann kamen zwei Männer eilig den Weg herauf. Der Pfarrer in seinem bestaubten Talar trocknete sich mit dem Taschentuch den Schweiß von der blanken Glatze; der Küster trug ihm ein Buch nach. Rosa blieb, in Gedanken versunken, auf ihrem Stein sitzen, bis Frau Böhk sich zu ihr gesellte und wieder fest ihren Arm faßte.

Alle umstanden die Gruft. Ein Sonnenstrahl fiel hinein, und Rosa konnte den rötlichen Boden des Grabes sehen. Zuerst sprach der Pfarrer mit seiner leisen, fetten Stimme, dann ward gesungen; plötzlich schwieg alles. Frau Böhk zwang Rosa, sich umzuwenden. Rosa widerstrebte, da sie jedoch nichts ausrichtete, weinte sie. Hinter ihr wurde etwas halblaut gesprochen, wurde etwas gehoben und geschoben – jetzt sprach der Pfarrer wieder. Rosa schaute auf das Grab und sah in der Tiefe, dort, wo der Sonnenstrahl den Lichtfleck auf den Grund des Grabes warf, eine Ecke des blauen Sarges und einige weiße Narzissen.

Nachdem ein jeder der Anwesenden Erde mit der Hand in die Gruft geworfen hatte, begann der Totengräber mit einem Spaten das Grab zuzuschütten. Rosa hörte die Erdschollen auf den Sarg fallen, und ein schmerzhafter Zorn schnürte ihr die Brust zusammen. Gott, diese grausamen Menschen! Wie hart und roh sie mit dem armen Kinde verfuhren! Wie gleichgültig sie allem zusahen! Wenn es auch tot war, so blieb es doch ihr Kind, gehörte ihr. Wie durften sie damit verfahren, als sei es eine Sache, die sie nichts anging? Aber sie vermochte es nicht zu ändern, alle waren gegen sie. Sie konnte nur weinen. Der Pfarrer richtete einige Worte an Frau Böhk, und diese erwiderte munter: »Ja, sehr schwül. Heute gibt es noch ein Gewitter.«

»Höchst wünschenswert«, meinte der Pfarrer.

Man ging heim. Rosa ließ sich von der Hebamme führen, die ihr Trost zusprach. »Gott sei Dank, das Schwerste ist vorüber! Ich weiß auch, wie's tut, wenn man eins, das man liebt, in die Erde legt. Aber, ist's mal vorüber, nachher kommt man drüber hinaus. So 'n kleines Kind verschmerzt man leichter. Wieviel hat man's denn gekannt?« Und als Rosa sich nicht beruhigen wollte, meinte Frau Böhk seufzend: »Ja, ja! Bitter ist es immerhin, sein eigen Fleisch und Blut unter der Erde zu wissen!« Diese Worte gaben Rosa einen kalten Schauer. Unter der Erde? Ganz allein? Das war entsetzlich.

Zu Hause saß Rosa auf dem Sofa im Wohnzimmer, sah zu, wie Hans im Hof den großen Hahn neckte, und hörte zu, wie die Leb und Herr Böhk miteinander stritten. Herr Böhk behauptete, der Pfarrer sei ein hochnäsiger Heuchler. Die Leb widersprach dem, sie zog die Mundwinkel herab und sagte spitz: »Um den Herrn Pfarrer zu würdigen, muß man Religion haben, und die hat leider nicht jeder.«

Das Mittagsmahl war heute reichlich und feierlich, die Unterhaltung drehte sich dabei nur um Leichenbegängnisse, und davon verstand die Leb sehr viel. Rosa mochte weder essen noch sprechen. Sie lehnte den Kopf an die Wand und schloß die Augen. Während sie so verharrte, sah sie beständig die Ecke des blauen Sarges unten im Grabe, die weißen Narzissen und den Sonnenstrahl, der darüber hinspielte, vor sich, und dieses Bild erregte in ihr das Gefühl tiefster Einsamkeit. Sie begann sich um ihr Kind zu sorgen wie um ein lebendes. Vergebens rief sie sich zur Gegenwart zurück, sagte sich: »Das Kleine ist tot. Die Toten liegen alle unter der Erde – sind alle allein«; die Sorge verließ sie doch nicht.

Das Mahl war beendet. Grethe räumte den Tisch ab; die übrigen gingen in den Garten hinaus. »Lassen wir sie allein; vielleicht schläft sie«, flüsterte Frau Böhk.

Es war schon Abend, als Rosa erschrocken vom Sofa auffuhr. Das Zimmer war finster. Nebenan in der Küche wurde gesprochen, aber noch ein anderes ununterbrochenes Tönen erfüllte die Luft. Rosa rieb sich die Augen. Es war ihr, als hätte sie etwas versäumt, sie dachte nach. Ein Blitz erhellte das Gemach, der Donner krachte, daß die Fensterscheiben klirrten, und große Tropfen prasselten nieder. Rosa sprang auf. »Mein armer Engel«, sprach sie vor sich hin. Sie mußte zu ihm, es war stärker als sie. »Einmal will ich es noch bei mir haben. Wer wird es wissen?« Sie schlich in ihre Kammer hinauf, legte ihren Mantel an und verbarg ein Tuch und eine Decke unter demselben. Es war kein Unrecht, was sie vorhatte, aber die Böhk durfte es nicht wissen. Als sie die Treppe hinabstieg, stand die Hebamme im Flur und schien sie erwartet zu haben. Sie machte ein ernstes, strenges Gesicht und fragte: »Wohin, liebes Fräulein?«

»Ich wollte hinausgehen«, erwiderte Rosa schüchtern.

»Bleiben Sie lieber bei uns«, sagte Frau Böhk, faßte wieder mit ihren eisernen Fingern Rosas Hand und führte sie in das Wohnzimmer. Dort nahm sie ihr Hut, Mantel und die Decke ab, ohne ein Wort zu sprechen, als verstünde sich alles das von selbst. Die anderen kamen auch herein, umstanden Rosa und schauten sie verlegen und erstaunt an, bis Frau Böhk dreinfuhr: »Was steht ihr? Nehmt etwas vor!«

Sie durchschauten sie alle, das fühlte Rosa wohl. Frau Böhk mußte es ihnen gesagt haben. Wie konnte diese es aber wissen? Und was hatte Rosa denn tun wollen? Sie schauerte in sich zusammen, sie fürchtete sich vor sich selbst.

»Gehen Sie zu Bett, liebes Kind«, riet Frau Böhk freundlich, »Sie schlafen heute bei Grethe, das wird Ihnen lieber sein.«

»Ja. - Gute Nacht, Frau Böhk.«

Als Rosa die Tür hinter sich schloß, hörte sie noch, wie Frau Böhk zu der Leb sagte: »Ich sah's ja kommen.« -

6.

Zum zweiten Mal stand Rosa ratlos vor ihrem Leben. Nicht nur das schmerzliche Vermissen, nein, vor allem war es die vollständige Leere, die ihr jede Kraft raubte. Sie konnte in ihrer Kammer oder im Wohnzimmer am Fenster sitzen, auf die Wiese oder auf den Hof hinausschauen, sie konnte Frau Böhks Krankengeschichten oder Herrn Böhks Liebesgeschichten anhören, konnte mit Grethe spazierengehen, um zuzuhören, wie die Burschen und Mädchen unter den Birken am Bach bis spät in die Nacht hinein Liebeslieder sangen; es hatte nur, meinte sie, nicht den geringsten Zweck; sie war dabei ganz unnütz. Sie hätte ihr Leben gewiß ungern fortgegeben, was sie jedoch mit ihm beginnen sollte, wußte sie nicht. Da dachte sie an ihren alten Vater. »Agnes schrieb«, sagte sie zur Hebamme, »Papa sei krank. Seitdem habe ich keine Nachricht von ihm. Ich fürchte, es steht schlecht.«

»So wissen Sie's schon?«, rief Frau Böhk. »Agnes schrieb mir über den zweiten Schlaganfall des alten Herrn. Ich durfte es Ihnen nicht sagen, Sie nährten das Kind.«

»Oh, Frau Böhk! Sagen Sie's nur; Papa lebt nicht mehr.«

»Nein, wahrhaftiger Gott, davon weiß ich nichts. Recht schlecht stand es um ihn, aber...«

Rosa schüttelte den Kopf. Es schien ihr ganz natürlich, daß, wohin sich ihre Liebe auch wandte, der Tod ihr entgegentrat. Seltsam jedoch war es, wie mit der Überzeugung, ihr Vater lebe nicht mehr, sofort der Gedanke in ihr auftauchte: »Wenn Papa auch tot ist, dann wird das Kleine dort – nicht mehr allein sein.« Diese dunkle Vorstellung ließ sie ruhiger der Trauer um ihre Toten nachhängen.

Eines Abends langte Agnes in Tiglau an. Das schwarze Kleid, die schwarze Haube, die dem alten Gesicht etwas Fremdes gaben, die tränenfeuchten Augen, mit denen Agnes Rosa anblickte, verkündeten deutlich genug, daß Rosa sich nicht getäuscht hatte. »Ich weiß alles; der arme Papa«, sagte Rosa, als Agnes sie schluchzend umarmte.

Erst als sich beide im Giebelstübchen zu Bett legten, erfuhr Rosa die Einzelheiten über den Tod ihres Vaters.

»Nach dem ersten Schlaganfall«, berichtete Agnes mit klagender Stimme, »stand es schon sehr übel um deinen Papa. Er konnte seine Füße nicht gebrauchen, und sein Kopf, weißt du, war ganz schwach. Er vergaß immer wieder, daß du nicht mehr bei uns bist. ›Wo ist die Rosa?‹, sagte er ganz ärgerlich. ›Es ist schon spät. Agnes, geh und hol sie.‹ Wenn ich's nicht tat, zankte er, wie er's in gesunden Tagen, weiß es Gott, nie tat. ›Wirst du nicht gehen?‹, sagte er. ›Wer ist hier der Herr? Wofür wirst du bezahlt?‹ Endlich weinte er und klagte: ›Weil ich ein Krüppel bin, glaubt ihr mich quälen zu können.‹ Gott, Gott! Schwer genug war die Zeit. Ich bin um zehn Jahre älter geworden. Nun – und eines Morgens, wie ich ihn angekleidet habe und zu seinem Sessel führen will, verdreht er die Augen und fällt rücklings – der Schreck! Der Doktor kam, ließ ihn zur Ader – was weiß ich! Genug haben sie den alten Mann gequält. Aus dem Bett ist er nicht mehr gekommen, aber das Warten auf dich hörte auf, denn er glaubte, du seist da. Sehen konnte er nicht mehr recht; so sprach er denn immer mit dir. Was hat er dir in den letzten Tagen nicht alles erzählt! Er wollte dich unterhalten: ›Rosa – Kind‹, sagte er, ›du langweilst dich. Hör, wie ich noch beim Theater war‹, dann kamen seine gottlosen Theatergeschichten. Dabei wurde ihm das Sprechen schwer. In seiner Brust kochte es nur so. Heute vor acht Tagen lag er den Tag über wie in einer Ohnmacht. Der Doktor sagte, es geht zu Ende. Um zehn Uhr regte er sich, verlangte zu trinken, fragte: ›Wo ist Rosa?‹ – ›Das ist sie ja‹, sagte ich; was sollte ich denn sagen? – ›So – so‹, antwortete er und erzählte wieder etwas; ich hab es nicht verstanden, seine Stimme war so schwach. Wie er mit der Geschichte zu Ende ist, sagte er: ›Kind, warum lachst du nicht?‹ – ›Sie lacht ja‹, sagte ich. ›Nein – nein!‹, jammerte er. ›Sie lacht nicht; sie kennt die Geschichte schon!‹ Das waren seine letzten Worte. Nachher lag er still da und seufzte, bis der Tod kam. Recht anständig haben wir ihn bestattet, die Leute aus der Stadt waren alle dabei. Dir schrieb ich von alldem nichts. Ich dachte mir, du hältst soviel Not auf einmal nicht aus. Ach Gott! So jung und soviel Bitteres erleben zu müssen.«

Rosa, die ihr Gesicht in die Kissen gedrückt hatte, richtete sich auf und sagte: »Ja, sehr viel Bitteres. Du hast das Kind nicht gekannt. Du weißt nicht, wie es mich liebte, mich kannte, wie es nur bei mir sein wollte.«

Während Rosa von ihrem Kinde erzählte, nahm Agnes eine strenge Miene an. Sie hielt den Tod dieses Kindes für kein Unglück. »Schlaf, Kind«, unterbrach sie Rosas Bericht. »Wir werden alle unsere Kräfte nötig haben.«

Am Vormittage des folgenden Tages saß Rosa, wie sie es liebte, im Garten auf der Schaukelbank und betrachtete die sonnenbeschienenen Narzissenbeete. Am geöffneten Fenster des Wohnzimmers saßen Frau Böhk und Agnes, steckten die Köpfe zusammen und flüsterten. Ab und zu drang ein lauter gesprochenes Wort bis zu Rosa – eine Zahl oder Frau Böhks mit süßer Stimme abgegebener Protest. »Nein, Schwester, nein. Ich hab's so wohlfeil wie möglich eingerichtet.« – »Sie berechnen sich«, dachte Rosa.

Jetzt erzählte Agnes etwas, nickte mit dem Kopfe, wischte sich die Augen. »Wenn wir die Sachen auch verkaufen«, hörte Rosa sie sagen, »wieviel kann denn doch dabei herauskommen? Bei all diesen Krankheiten können wir Gott danken, daß wir nicht in Schulden hineingeraten sind. Nun – und wenn ich auch mit ihr hierherziehe – dort kann sie natürlich nicht bleiben –, auch dann reicht das Geld nicht. Ich habe nicht viel, sie hat wenig. Gott – Gott, wie soll das werden!«

»Wie ist das?«, sagte sich Rosa, bog den Kopf zurück, blinzelte in die Sonne und überlegte: »Ich habe kein Geld, und Agnes will mich erhalten, so meint sie es doch? Ja, das darf aber nicht sein; natürlich nicht!... Was dann?« Die Bonne der Schank war die einzige Aushilfe, das war klar. »Morgen fahren wir heim«, beschloß Rosa. Ein Bedürfnis zu handeln ergriff sie. Sie ging in das Wohnzimmer und sagte: »Morgen, Agnes, fahren wir heim.«

»Morgen?«, riefen die beiden Schwestern erstaunt aus.

»Ja, Agnes – es muß etwas geschehen.«

Da blickten sich die beiden Frauen verständnisinnig an und meinten: »Recht hat das Kind.«

7.

Rosa hatte geglaubt, die Rückkehr in ihre Heimatstadt würde sie ergreifen. Als sie jedoch bei einbrechender Dunkelheit durch die wohlbekannten Straßen fuhr, fühlte sie keinerlei Erregung. Alles war unverändert. Ein jedes stand auf seinem alten Platz, und Rosa schaute ruhig darauf hin, als wäre sie nie fort gewesen.

In der Herzschen Wohnung war eine dumpfe, heiße Luft eingeschlossen. Der Lehnstuhl am Tisch stand ein wenig schief, als hätte jemand ihn eben verlassen, auf dem Fensterbrett lag ein Taschentuch. Nur eins war ungewöhnlich. Im Flur und im Wohnzimmer lagen Tannennadeln über den Fußboden verstreut. Agnes hatte vergessen, sie nach der Leichenfeier fortzukehren, nun verbreiteten sie einen scharfen Duft, der Rosa mit Unbehagen erfüllte. Sie ging in ihr Zimmer hinüber. Auf dem Tisch, dem Bett, dem Rosenstock am Fenster lag Staub; der traute Raum schaute sie heute so tot und nichtssagend an und machte sie traurig; es war jedoch keine Traurigkeit, die uns weinen läßt, sondern ein mißmutiges, ödes sich in sich selbst Verkriechen. Agnes war viel gerührter. Mit feuchten Augen sah sie Rosa an und klagte: »Ach Kind, wenn ich denke, daß du wieder hier bist und daß dein Papa das nicht mehr erlebt! Wie hübsch hätten wir drei wieder beieinander gelebt. Nun ist alles aus!«

»Ach ja!«, erwiderte Rosa, aber der Schmerz um ein anderes Gut war noch zu mächtig in ihr, als daß sie um die stillen Tage der Vergangenheit trauern konnte.

Denselben Abend noch schrieb Rosa an Fräulein Schank und bat sie, ihr beizustehen. Fräulein Schank antwortete, sie wolle sich nach etwas Passendem umschauen und es Rosa dann melden.

Rosa wartete geduldig mehrere Tage. Eines Abends ging sie zum Friedhof hinaus, um das Grab ihres Vaters zu besuchen. Die Stadt hatte das bunte, lustige Aussehen der Sommerabende. In der Lindenallee, die zum Friedhof führte, begegnete Rosa vielen Menschen, die langsam mit bestaubten Schuhen, die Hände voller Feldblumen, heimzogen. Auch das Ehepaar Toddels ging an Rosa vorüber. Sally trug ein helles Sommerkleid und einen rosaseidenen Hut. Sie schielte zu Rosa hinüber und drängte sich schüchtern an ihren Mann heran, als fürchtete sie sich. Dieser wußte nicht recht, was er tun sollte, und küßte flüchtig und linkisch den rosaseidenen Hut.

Auf dem Friedhof war es so still, daß man die Schritte der wenigen Besucher deutlich auf dem Kies knirschen hörte. Über dem Grabe des Ballettänzers erhob sich ein schwarzes Kreuz, und viele Astern blühten dort. Nachdenklich stand Rosa davor. Endlich kniete sie nieder und betete; sie konnte aber nicht weinen, und das mißfiel ihr. Hatte sie denn ihren Vater nicht geliebt? Wie sie jedoch so vor dem Grabhügel kniete, ergriff sie ein tiefes Mitleid ihrer selbst, sie beugte ihre Stirn in die Astern hinein und weinte bitterlich über sich selbst. –

Endlich eines Tages beschied Fräulein Schank Rosa zu sich. Rosa fand sich pünktlich ein. Fräulein Schank hatte soeben zu Mittag gegessen und eilte ihrer früheren Schülerin mit roter Nase und gerötetem Kinn entgegen.

»Guten Tag. Komm, bitte, hier herein«, sagte sie hastig und aufgeregt und führte Rosa in das Wohnzimmer.

In einer Ecke dieses Zimmers saß auf einem geräumigen Lehnsessel Fräulein Schanks Mutter, eine sehr alte, gelähmte Frau. Mit trüben gelben Augen starrte sie vor sich hin und verzog die Unterlippe, was ihrem Gesicht einen bösen, höhnischen Ausdruck verlieh.

»Rosa Herz, Mutter«, meldete Fräulein Schank. »Nimm Platz, Rosa«, fuhr sie in strengem Gouvernantenton fort, ihre gelblichen Wangen wurden jedoch ganz rot, und sie wollte die Unterredung durch eine zwecklose Geschäftigkeit noch hinausschieben. Das Erscheinen ihrer früheren Schülerin machte sie verlegen. Statt der durchtriebenen Rosa stand eine Frau vor ihr, die weder zerknirscht noch demütig aussah, sondern nur ernst und sehr schön, mit ihrer vollen Gestalt im schwarzen Kleide, mit den leuchtendroten Lippen im bleichen Gesicht und den feuchten großen Augen, die tiefer in das Leben hineingeschaut hatten als Fräulein Schank – trotz ihrer dreißig Jahre keuscher Schulweisheit.

»So – so! Du sitzt schon? Ich bin auch da«, sagte sie und setzte sich gerade auf ihrem Stuhl; dabei versuchte sie die betrübte, mißbilligende Miene anzunehmen, die sie aufzusetzen pflegte, wenn eine Schülerin »wieder nicht präpariert« war; sie gelang ihr jedoch nicht. Mit ihren spitzen roten Bäckchen sah Fräulein Schank so befangen und hilflos aus, daß Rosa sich fragte: Was hat sie nur?

»Du siehst angegriffen aus«, begann Fräulein Schank und strich sich ihr Bandeau glatt. »Nicht wahr, Mutter, die Rosa sieht angegriffen aus?«

»Ja – ja«, erwiderte die Alte, »das ist die Streber.«

»Rosa Herz, Mutter – Herz –«, verbesserte Fräulein Schank, die wieder ihre scharfe Art fand.

»Gute Tochter«, entgegnete die Alte und verzog höhnisch die Unterlippe, »ich weiß ja, daß der Streber weglief. Als ob ich das nicht wüßte!«

Fräulein Schank zuckte die Achseln, sie wollte ihre Mutter lieber gar nicht beachten.

»Um auf unser Geschäft zu kommen«, wandte sie sich an Rosa, »so habe ich eine Stelle für dich. Sie ist aber weit von hier – in Moskau, und du müßtest gleich abreisen.«

»Ja – Fräulein Schank, ich danke Ihnen sehr.«

»Und der Streber schreibt gar nicht mehr?«, warf die Alte ein und neigte ihr schiefes, höhnisches Gesicht auf die Schulter.

»Die Bedingungen sind gut«, fuhr Fräulein Schank fort. »500 Rubel Gehalt und das Reisegeld. Zwei Kinder sind da. Ein vornehmes, reiches Haus. Ich glaube, es dürfte dir konvenieren?«

»Gewiß! Ich bin Ihnen sehr dankbar.«

»Wird denn der Kerl bis nach Rußland gelaufen sein?«, rief die alte Schank dazwischen.

»Ich hoffe«, schloß Fräulein Schank mit klagender Stimme, »du wirst dich dort einleben.« Tränen traten ihr in die Augen, und sie umarmte Rosa. »Gott behüte dich! Ich habe getan, was ich konnte.«

Als Rosa der alten Schank die Hand küssen wollte, hielt diese sie fest. »Adieu, liebe Streber, machen Sie sich nichts daraus, daß er Ihnen durchgegangen ist. Die Rosalie ließ auch so einer sitzen. Wir warten auf den Kerl heute noch. Wie heißt er doch – Rosalie? – Deiner? Du mußt das wissen.«

»Mutter!«, fuhr Fräulein Schank gereizt auf, »Rosa Herz ist's – Rosa Herz.«

»Ach Gute! Ich weiß wohl, was ich sage. Ich kenne eure schmutzigen Geschichten ganz genau, nur der Name ist mir entfallen. Du hast aber deine Heimlichkeiten; das kenn ich schon!«

Somit war es entschieden, Rosa reiste ab. Weinend packte Agnes die Koffer. Um den Zug zu erreichen, mußte Rosa um neun Uhr abends die

Stadt verlassen. Der Postwagen hielt vor der Türe, und der Hausknecht band die Koffer auf. Agnes nahm Rosa noch einmal in die Arme und flüsterte ihr gute Lehren ins Ohr: »– und dann, Kind, nimm dich in acht. Die Russen sind gottlose Leute, und du weißt, wie hübsch du bist. Warte, bis einer dich recht lieb hat und bis du ihn auch liebhaben kannst, dann heirate ihn. Aber warte; glaube mir, Kind, das ist besser.«

»Ja, Agnes, das ist besser.«

Der Gedanke, sie könnte noch einmal jemand recht liebhaben, machte dieses liebesdurstige Frauenherz für einen Augenblick ganz warm, und Rosa lächelte.

Als sie aber im Wagen saß und durch die Stadt fuhr, weinte sie doch. Sie beugte sich vor, um noch einen Blick auf das Stück Leben zu werfen, mit dem sie nun vollends abschloß.

Über dem Rathaus hing der Mond. Der Marktplatz war so hell beschienen, daß man die Pflastersteine hätte zählen können. An den Häusern entlang trippelte eine zierliche Gestalt mit einem breitrandigen gelben Strohhut. Sie machte einige Schritte und schaute sich um, ging weiter und schaute sich wieder um. War das nicht Marianne Schulz? Ja! Und ihr auf dem Fuß folgte breitschultrig und behäbig Herweg Kollhardt.

Biographie

1855   *14., 15. oder 18. Mai:* Eduard Graf von Keyserling wird auf Schloss Paddern bei Hasenpoth in Kurland geboren. Er wächst im Kreise seiner elf Geschwister und der patriarchalischen Adelsgesellschaft auf den väterlichen Gütern in Kurland auf.

In Hasenpoth besucht er das Gymnasium.

1874   Keyserling beginnt in Dorpat ein Studium der Rechtswissenschaften, Philosophie und Kunstgeschichte.

1876   Tod des Vaters Eduard.

1877   Aufgrund einer nicht näher bekannten »Lappalie« (so sein Neffe Otto von Taube) wird Keyserling der Universität verwiesen, was seine gesellschaftliche Ächtung und Isolierung zur Folge hat.

Keyserling geht nach Wien und ist als freier Schriftsteller tätig. Hier steht er vermutlich im Kontakt zu den Kreisen um Ludwig Anzengruber.

1887   Vom Naturalismus beeinflusst schreibt Keyserling seinen ersten Roman, »Fräulein Rosa Herz. Eine Kleinstadtliebe«.

1890   In den folgenden Jahren verwaltet Keyserling die Familiengüter in Paddern und Telsen.

1892   Der Roman »Die dritte Stiege«, der in der Wiener Zeit entstand, wird veröffentlicht.

1893   Es zeigen sich erste Anzeichen einer Erkrankung aufgrund einer Syphilisinfektion.

1894   Tod der Mutter Theophile. Die mütterlichen Güter werden an den Majoratserben übergeben.

1895   Mit seinen älteren Schwestern Henriette und Elise lässt Keyserling sich in München nieder.

Hier besucht er regelmäßig den Schwabinger Stammtisch um Schriftsteller und Künstler wie Frank Wedekind, Alfred Kubin, Max Halbe, und Lovis Corinth.

1897   Infolge seiner Syphilisinfektion bricht bei Keyserling ein unheilbares Rückenmarksleiden aus. Er bedarf von da an der Pflege seiner Schwestern.

1899   *März:* Er reist mit seinen Schwestern nach Italien, wo sie sich etliche Monate aufhalten.

1903   Die Erzählung »Beate und Mareile. Eine Schloßgeschichte« erscheint.

1906	»Schwüle Tage« (Novellensammlung).
1907	In der »Neuen Rundschau« veröffentlicht Keyserling den Essay »Über die Liebe«.
1908	Tod der Schwester Henriette. Keyserling beginnt zu erblinden, versucht jedoch stets, dies zu verbergen. Zukünftig diktiert er seine Werke der Schwester Elise. Der Roman »Dumala« wird veröffentlicht.
1909	»Bunte Herzen« (Novellensammlung).
1911	Der Roman »Wellen« erscheint.
1914	Durch den Krieg wird der Kurländer von den Einkünften aus seiner Heimat abgeschnitten. Keyserling gerät dadurch in finanzielle Nöte. »Abendliche Häuser« (Roman).
1915	Seine Schwester Elise stirbt. Fortan kümmert sich Keyserlings Schwester Hedwig um ihn. Er ist inzwischen fast gänzlich an das Bett gefesselt.
1917	»Fürstinnen« (Roman).
1918	*28. September:* Im Alter von 83 Jahren stirbt Eduard von Keyserling vereinsamt in München.

9 783843 031349